nuovo

PROGETTO ITALIANO

2b

T. Marin
S. Magnelli

Corso multimediale
di lingua e civiltà italiana

B2
QUADRO EUROPEO DI RIFERIMENTO

Libro dello studente

www.edilingua.it

T. Marin dopo una laurea in Italianistica ha conseguito il Master Itals (Didattica dell'italiano) presso l'Università Ca' Foscari di Venezia e ha maturato la sua esperienza didattica insegnando presso varie scuole d'italiano. È direttore di Edilingua, autore di diversi testi per l'insegnamento della lingua italiana: *Nuovo Progetto italiano 1, 2 e 3* (Libro dello studente), *Progetto italiano Junior* (Libro di classe), *La Prova Orale 1 e 2, Primo Ascolto, Ascolto Medio, Ascolto Avanzato, l'Intermedio in tasca, Ascolto Autentico, Vocabolario Visuale* e *Vocabolario Visuale - Quaderno degli esercizi* e coautore di *Nuovo Progetto italiano Video* e *Progetto italiano Junior Video*. Ha tenuto numerosi workshop sulla didattica in tutto il mondo.

S. Magnelli insegna Lingua e Letteratura italiana presso il Dipartimento di Italianistica dell'Università Aristotele di Salonicco. Dal 1979 si occupa dell'insegnamento dell'italiano come LS; ha collaborato con l'Istituto Italiano di Cultura di Salonicco, nei cui corsi ha insegnato fino al 1986. Da allora è responsabile della progettazione didattica di Istituti linguistici operanti nel campo dell'italiano LS. È coautore dei Quaderni degli esercizi di *Progetto italiano 1* e *2*.

Gli autori e l'editore sentono il bisogno di ringraziare i tanti colleghi che, con le loro preziose osservazioni, hanno contribuito al miglioramento di questa nuova edizione.
Un sincero ringraziamento, inoltre, va agli amici insegnanti che, visionando e provando il materiale in classe, ne hanno indicato la forma definitiva.
Infine, un pensiero particolare va ai redattori e ai grafici della casa editrice, senza i quali la realizzazione di questo libro non sarebbe stata possibile.

a mia figlia per tutto quello che, inconsapevolmente, mi dà
T. M.

© Copyright edizioni Edilingua
Sede legale
Via Cola di Rienzo, 212 00192 Roma
Tel. +39 06 96727307
Fax +39 06 94443138
info@edilingua.it
www.edilingua.it

Deposito e Centro di distribuzione
Via Moroianni, 65 12133 Atene
Tel. +30 210 5733900
Fax +30 210 5758903

Ogni azione umana ha un impatto sull'ambiente. A Edilingua siamo convinti che il futuro del nostro Pianeta dipende anche da ognuno di noi. "**La Terra ha bisogno del tuo aiuto**" è una piccola ma costante campagna di sensibilizzazione rivolta agli studenti: ogni nostro libro vuole essere un invito alla riflessione, uno stimolo al risparmio energetico e alla riduzione delle emissioni di $CO2$. Ulteriori informazioni sul nostro sito (in "chi siamo").

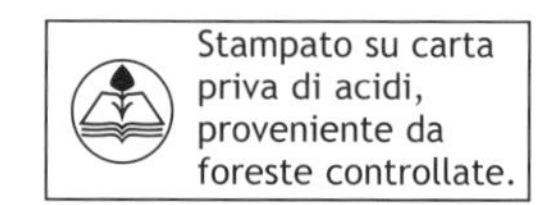

I edizione: giugno 2013
ISBN: 9789607706836
Redazione: Antonio Bidetti, Gennaro Falcone, Viviana Mirabile, Laura Piccolo
Edizione aggiornata del *Quaderno degli esercizi* a cura di Lorenza Ruggieri
Impaginazione e progetto grafico: Edilingua
Illustrazioni: Lorenzo Sabbatini, Massimo Valenti
Registrazioni: *Networks Srl*, Milano

Gli autori apprezzerebbero, da parte dei colleghi, eventuali suggerimenti, segnalazioni e commenti sull'opera (da inviare a redazione@edilingua.it)

Premessa

Nuovo Progetto italiano 2 è il frutto di una ponderata e accurata revisione, resa possibile grazie al prezioso feedback fornitoci negli ultimi anni da tanti colleghi e colleghe che hanno usato il libro. Si sono tenute presenti le nuove esigenze nate dalle teorie più recenti e dalla realtà che il Quadro Comune Europeo di Riferimento per le Lingue e le certificazioni d'italiano hanno portato. La lingua moderna, le situazioni comunicative arricchite di spontaneità e naturalezza, l'utilizzo di materiale autentico, il sistematico lavoro sulle quattro abilità, la presentazione della realtà italiana attraverso brevi testi sulla cultura e la civiltà del nostro Bel Paese, un'impaginazione moderna e accattivante che facilita la consultazione fanno di *Nuovo Progetto italiano 2* uno strumento didattico equilibrato, efficiente e semplice nell'uso.
Nuovo Progetto italiano 2 pensiamo sia ancora più moderno dal punto di vista metodologico, più comunicativo e più induttivo: si invita costantemente l'allievo, sempre con l'aiuto dell'insegnante, a scoprire i nuovi elementi, grammaticali e non. L'intero libro è un costante alternarsi di elementi comunicativi e grammaticali, allo scopo di rinnovare continuamente l'interesse della classe e il ritmo della lezione, attraverso attività brevi e motivanti. Ogni unità è stata suddivisa in sezioni per facilitare l'organizzazione della lezione.

La struttura delle unità (per maggiori suggerimenti si veda la Guida per l'insegnante)
- La pagina introduttiva di ogni unità (*Per cominciare...*) ha lo scopo di creare negli studenti l'indispensabile motivazione iniziale attraverso varie tecniche di riflessione e coinvolgimento emotivo, di preascolto e ascolto.
- Nella prima sezione dell'unità, l'allievo legge e/o ascolta il brano registrato e verifica le ipotesi formulate e le risposte date nelle attività precedenti. Questo tentativo di capire il contesto porta ad un'inconscia comprensione globale degli elementi nuovi. Alcuni dialoghi introduttivi sono presentati in maniera più motivante, attraverso il ricorso a differenti tipologie, in modo da rendere più partecipe lo studente durante l'ascolto.
- Il dialogo introduttivo è spesso seguito da un'attività, che analizza le espressioni comunicative (modi di dire, espressioni idiomatiche), nella quale si invita lo studente a scoprirle in maniera induttiva e senza estrapolarle dal loro contesto.
- In seguito, lo studente prova a inserire le parole date (verbi, pronomi, preposizioni ecc.) in un dialogo simile, ma non identico, a quello introduttivo. Lavora, quindi, sul significato (condizione necessaria, secondo le teorie di Krashen, per arrivare alla vera acquisizione) e inconsciamente scopre le strutture. Un breve riassunto, da svolgere preferibilmente a casa, rappresenta la fase finale di questa riflessione sul testo.
- A questo punto l'allievo, da solo o in coppia, comincia a riflettere sul nuovo fenomeno grammaticale cercando di rispondere a semplici domande e completando la tabella riassuntiva con le forme mancanti. Subito dopo, prova ad applicare le regole appena incontrate esercitandosi su semplici attività orali. Un piccolo rimando indica gli esercizi da svolgere per iscritto sul *Quaderno degli esercizi*, in una seconda fase e preferibilmente a casa.
- Le funzioni comunicative e il lessico sono presentati con gradualità, ma in maniera tale da far percepire allo studente un costante arricchimento espressivo delle proprie capacità di produzione orale. Gli elementi comunicativi vengono presentati attraverso brevi dialoghi o attività induttive e poi sintetizzate in tabelle facilmente consultabili. I *role-plays* che seguono possono essere svolti sia da una coppia davanti al resto della classe oppure da più coppie contemporaneamente. In entrambi i casi l'obiettivo è l'uso dei nuovi elementi e un'espressione spontanea che porterà all'autonomia linguistica desiderata. Ogni intervento da parte dell'insegnante, quindi, dovrebbe mirare ad animare il dialogo e non all'accuratezza linguistica. Su quest'ultima si potrebbe intervenire in una seconda fase e in modo indiretto e impersonale.
- I testi di *Conosciamo l'Italia* possono essere utilizzati anche come brevi prove per la comprensione scritta, per introdurre nuovo vocabolario e, naturalmente, per presentare vari aspetti della realtà italiana moderna. Si possono assegnare anche come attività da svolgere a casa.
- L'unità si chiude con la pagina dell'*Autovalutazione* che comprende brevi attività soprattutto sugli elementi comunicativi e lessicali dell'unità stessa, così come di quella precedente. Gli allievi hanno a disposizione le chiavi, ma non sulla stessa pagina, e dovrebbero essere incoraggiati a svolgere queste attività non come il solito test, ma come una revisione autonoma.

Edizione aggiornata del Quaderno degli esercizi
La decisione di realizzare una "edizione aggiornata" del Quaderno degli esercizi di *Nuovo Progetto italiano 2* è stata dettata dalla necessità di voler offrire all'insegnante e allo studente un rinnovato strumento, di lavoro e di studio. Non siamo partiti dal presupposto di modificare radicalmente il Quaderno del corso di lingua, ma ci si è messi al lavoro con la consapevolezza di voler apportare dei miglioramenti. I principali punti su cui siamo intervenuti riguardano:
- una maggiore coerenza di lessico tra Quaderno degli esercizi e Libro dello studente. In questa versione aggiornata del Quaderno figurano, tranne rare eccezioni, soltanto termini che lo studente incontra nel Libro;
- sono state utilizzate diverse tipologie di esercizi, contestualizzandoli e utilizzando spesso materiale autentico per avere una maggiore varietà ed evitare la ripetizione;

- una particolare attenzione è stata data alle strutture e alle parole incontrate in unità precedenti, le quali vengono sistematicamente riprese in quelle successive in un approccio a spirale;
- ogni unità è stata arricchita con uno o due esercizi di reimpiego sugli elementi lessicali o comunicativi trattati;
- sono state riviste tutte le istruzioni affinché non creino problemi di comprensione agli studenti;
- le Attività video (dei soli "episodi") sono ora poste al termine di ogni unità per integrare meglio il video alle altre risorse che compongono il corso, per creare una diretta connessione tra corso cartaceo e *Nuovo Progetto italiano Video 2*;
- l'apparato iconografico è stato rinnovato e ampliato con nuove foto e nuove illustrazioni, queste ultime spesso funzionali all'esercizio. Il Quaderno è ora interamente a colori.

Il volume 2b

La presente edizione (*Nuovo Progetto italiano 2b*) copre il livello B2 del Quadro Comune Europeo di Riferimento per le Lingue ed offre, in un unico volume, le ultime 6 unità del Libro dello studente e del Quaderno degli esercizi dell'edizione standard. Oltre alle varie esercitazioni disegnate tenendo presenti le tipologie delle certificazioni Celi, Cils, Plida e di altri diplomi, comprende i test finali, presenti al termine di ciascuna unità, 2 test di ricapitolazione, 2 test di progresso, le Attività video, un Gioco didattico, tipo "gioco dell'oca" che conferma come neppure l'aspetto didattico venga trascurato, un'Appendice per le situazioni comunicative, un'Appendice grammaticale e un Approfondimento grammaticale, che offrono allo studente uno strumento per riflettere sui principali fenomeni grammaticali. Tra i materiali allegati abbiamo:

- *CD-ROM interattivo* (versione 2.1), compatibile con tutte le versioni Windows e Macintosh. Offre tante ore di pratica supplementare e, grazie all'alto grado di interattività, rende lo studente più attivo, motivato e autonomo.
- *CD audio 2*, registrato da attori professionisti, comprende brani audio naturali e spontanei, e brani e interviste autentiche, incentrati su alcuni argomenti trattati nelle unità. Il CD audio è disponibile anche nel software per la Lim e in streaming sul sito di Edilingua.

I materiali extra

Nuovo Progetto italiano 2 è completato da una serie di materiali.

- *Nuovo Progetto italiano Video 2*, un DVD di circa 90 minuti corredato da un Quaderno delle attività e da una Guida per l'insegnante disponibile on line. Seguendo la stessa progressione lessicale e grammaticale del Libro dello studente, ogni "Episodio" è una mini-storia che completa i dialoghi e gli argomenti dell'unità. Quindi una sit-com didattica, che unita alle "Interviste" e ai "Quiz", gli altri due percorsi di *Nuovo Progetto italiano Video*, può essere guardata o durante le unità o in piena autonomia, senza per questo perdere il suo interesse e la sua validità didattica.
- *i-d-e-e*, una piattaforma che comprende tutti gli esercizi del Quaderno in forma interattiva e una serie di risorse e strumenti per studenti e insegnanti.
- *Software per la Lavagna Interattiva Multimediale*, di alta qualità, semplice, funzionale, intuitivo e completo. Una risorsa multimediale che permette di utilizzare in maniera interattiva, e su un unico supporto, tantissimi sussidi didattici (audio, video, unità didattiche, giochi, test ecc.).
- *Undici Racconti*, brevi letture graduate ispirate alle situazioni del Libro dello studente.

Molti dei materiali extra sono gratuitamente scaricabili dal sito di Edilingua. Tra questi abbiamo: la *Guida per l'insegnante*, che offre idee e suggerimenti pratici e prezioso materiale da fotocopiare; i *Test di progresso*; i *Glossari* in varie lingue; le *Attività extra e ludiche*; le *Attività online*, cui rimanda un apposito simbolo alla fine di ogni unità e propongono, attraverso siti sicuri e controllati periodicamente, motivanti esercitazioni che accompagnano lo studente alla scoperta di un'immagine più viva e dinamica della cultura e della società italiana.

Buon lavoro!
Gli autori

Andiamo all'opera?

Per cominciare...

1 **Alcuni di voi forse sanno poche cose sull'opera lirica... o almeno così credono. Di seguito vi diamo dei titoli di libri, opere liriche e film italiani. In coppia indicate quelli relativi alla lirica.**

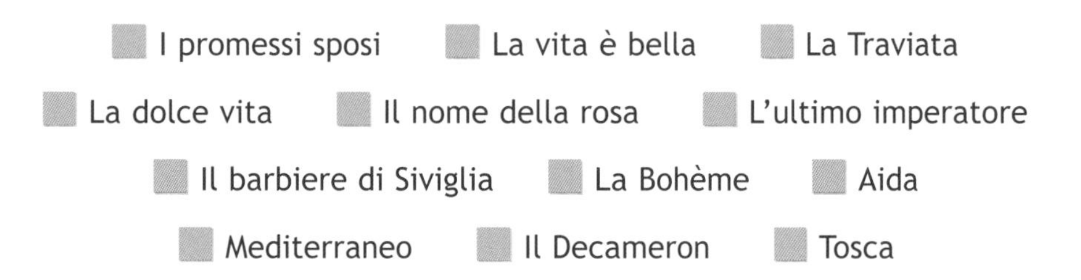

CD 2

2 **Ascoltate l'inizio del dialogo (fino alla battuta "Perché, a Lei non piace?") e in coppia fate delle ipotesi:**

a. dove e tra chi si svolge il dialogo?
b. che cosa si diranno in seguito le due persone?

CD 2

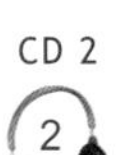

3 **Ascoltate ora l'intero dialogo verificando le vostre ipotesi. Indicate poi le affermazioni giuste.**

1. La ragazza chiede un permesso per andare a
   - a. comprare un biglietto
   - b. vedere un'opera lirica
   - c. guardare una partita in tv

2. Il direttore preferisce
   - a. ascoltare l'opera a casa
   - b. andare all'opera
   - c. guardare lo sport in TV

3. La ragazza cerca di convincerlo ad ascoltare
   - a. l'opera con più attenzione
   - b. l'opera insieme alla moglie
   - c. l'opera in ufficio

4. Alla fine il direttore le chiede
   - a. un biglietto per se stesso
   - b. un biglietto per sua moglie
   - c. dei biglietti per lui e la moglie

In questa unità...

1. *...impariamo a dare consigli, istruzioni, ordini, indicazioni stradali, a chiedere e dare il permesso, a parlare dei nostri gusti musicali;*
2. *...conosciamo l'imperativo indiretto (forma di cortesia), gli aggettivi e i pronomi indefiniti;*
3. *...troviamo informazioni sull'opera italiana, i compositori e i tenori italiani più famosi.*

A Compri un biglietto anche per...

CD 2

1 Lavorate in coppia. Mettete il dialogo in ordine. Poi riascoltatelo per verificare le vostre risposte.

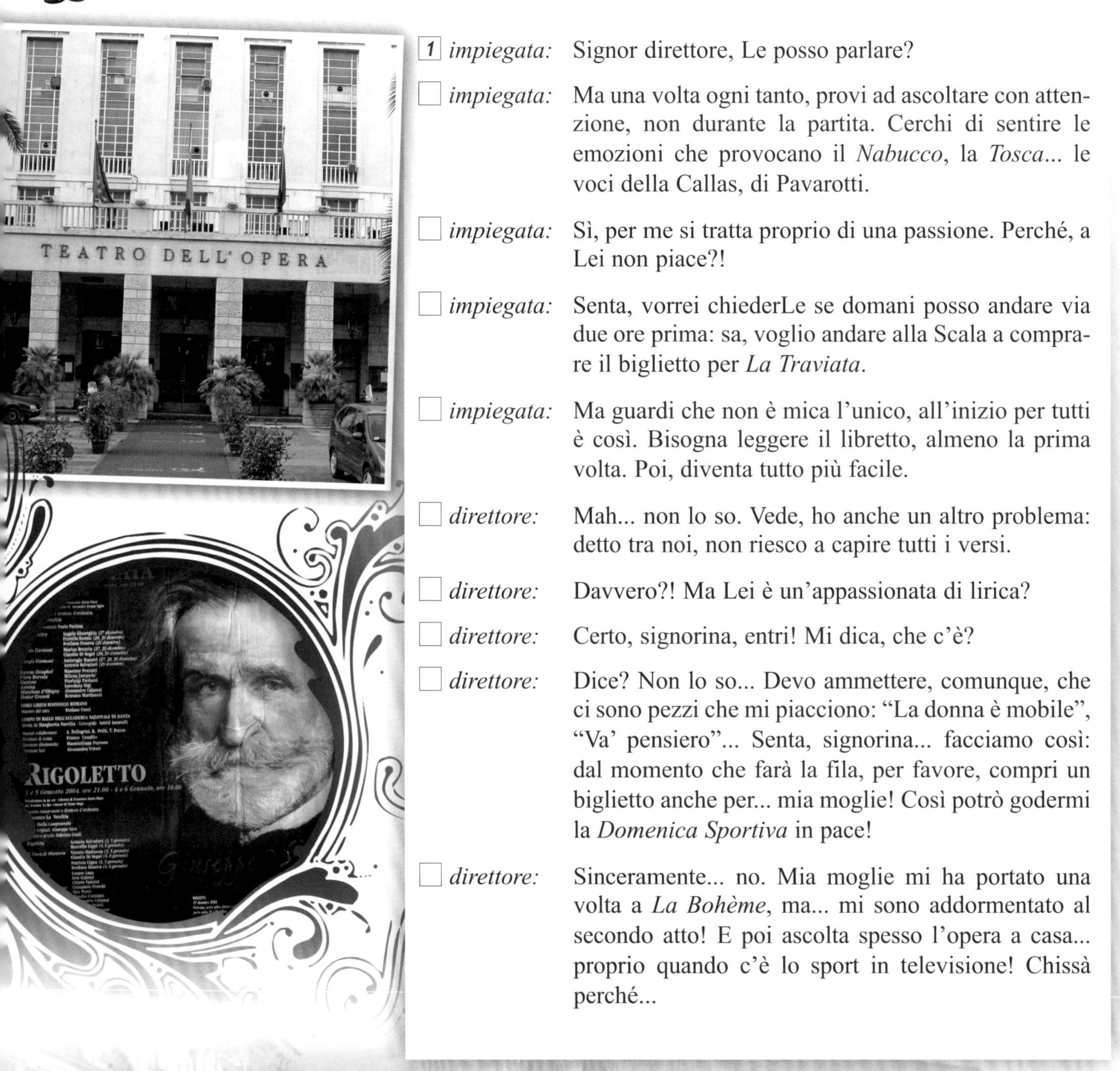

[1] *impiegata:* Signor direttore, Le posso parlare?

[ ] *impiegata:* Ma una volta ogni tanto, provi ad ascoltare con attenzione, non durante la partita. Cerchi di sentire le emozioni che provocano il *Nabucco*, la *Tosca*... le voci della Callas, di Pavarotti.

[ ] *impiegata:* Sì, per me si tratta proprio di una passione. Perché, a Lei non piace?!

[ ] *impiegata:* Senta, vorrei chiederLe se domani posso andare via due ore prima: sa, voglio andare alla Scala a comprare il biglietto per *La Traviata*.

[ ] *impiegata:* Ma guardi che non è mica l'unico, all'inizio per tutti è così. Bisogna leggere il libretto, almeno la prima volta. Poi, diventa tutto più facile.

[ ] *direttore:* Mah... non lo so. Vede, ho anche un altro problema: detto tra noi, non riesco a capire tutti i versi.

[ ] *direttore:* Davvero?! Ma Lei è un'appassionata di lirica?

[ ] *direttore:* Certo, signorina, entri! Mi dica, che c'è?

[ ] *direttore:* Dice? Non lo so... Devo ammettere, comunque, che ci sono pezzi che mi piacciono: "La donna è mobile", "Va' pensiero"... Senta, signorina... facciamo così: dal momento che farà la fila, per favore, compri un biglietto anche per... mia moglie! Così potrò godermi la *Domenica Sportiva* in pace!

[ ] *direttore:* Sinceramente... no. Mia moglie mi ha portato una volta a *La Bohème*, ma... mi sono addormentato al secondo atto! E poi ascolta spesso l'opera a casa... proprio quando c'è lo sport in televisione! Chissà perché...

2 **Leggete queste frasi e indicate qual è lo scopo comunicativo che hanno nel dialogo.**

1. Il direttore dice "detto tra noi..." (8) perché
- a. ha già detto all'impiegata che non capisce tutti i versi
- b. non vuole che altri sappiano che non capisce tutti i versi
- c. sa che nessuno capisce tutti i versi

2. L'impiegata dice al direttore "Ma guardi che..." (9) come per dirgli
- a. che deve stare attento
- b. che si deve preoccupare
- c. che non deve preoccuparsi

3. Il direttore dice "Senta, signorina... facciamo così..." (10)
- a. per fare una proposta all'impiegata
- b. perché di solito fa così
- c. per chiedere l'opinione dell'impiegata

4. Il direttore, alla fine, dice "dal momento che farà la fila" (10) intendendo dire che
- a. per l'impiegata sarà lo stesso comprare un biglietto in più
- b. l'impiegata si deve sbrigare per trovare i biglietti
- c. l'impiegata avrebbe dovuto chiedere il permesso prima

3 **Leggerete ora un dialogo in cui i ruoli sono capovolti; completatelo con questi verbi:** ***mi spieghi, mi dica, compri, Scusi, Vada, si accomodi, Provi.***

impiegata: Direttore, posso entrare? Le vorrei parlare un attimo.

direttore: Certo, signorina, ... pure.

impiegata: Vorrei solo chiederLe un favore: potrei andare via un po' prima domani?

direttore: Penso di sì. Ci sono dei problemi, per caso?

impiegata: Veramente voglio andare a comprare i biglietti per un concerto di Ligabue.

direttore: No, non .... che anche a Lei piace la musica rock! Ma .... una cosa: come fa ad ascoltare queste cose?

impiegata: ...., ma secondo Lei che tipo di musica dovrebbe ascoltare una ragazza della mia età, l'Opera?

direttore: Esatto! .... una volta ad andare ad uno spettacolo di musica lirica e mi capirà! .... a vedere la *Tosca* o il *Rigoletto*, ... un cd di Pavarotti o di Bocelli: scoprirà un bellissimo mondo nuovo.

impiegata: Direttore, se mi permette, La trovo molto cambiato rispetto al dialogo della pagina precedente!!!

4 **Scrivete un breve riassunto *(60-70 parole)* del dialogo introduttivo.**

5 **Nel dialogo introduttivo abbiamo visto verbi come "entri", "dica", "guardi", "senta" ecc. Completate la tabella con le forme mancanti.**

	Imperativo diretto		**Imperativo indiretto** (forma di cortesia)
	Usiamo le forme del *presente indicativo*		Usiamo le forme del *congiuntivo presente*
	-ARE		
tu	Mario, *parla* più piano!	**Lei**	.... in italiano, capisco!
noi	*Parliamo* un po'!		
voi	Ragazzi, *parlate* in italiano!	Loro	Parlino più piano, per favore!*
	-ERE		
tu	*Prendi* un'aspirina e ti passerà!	**Lei**	**Prenda** qualcosa, offro io!
noi	*Prendiamo* un caffè, offre lui!		
voi	*Prendete* il metrò, è più veloce!	Loro	Prendano appunti, è importante!*
	-IRE		
tu	*Finisci* e vieni, ti voglio parlare!	**Lei**	Signorina, ... la lettera!
noi	*Finiamo* di studiare e usciamo!		
voi	*Finite* presto, sono già le sette!	Loro	Finiscano presto, per favore!*

* Questa forma è ormai desueta e presente solo in vecchi testi scritti o in ambiti molto formali (incontri diplomatici, ristoranti di lusso). In Appendice a pagina 195 i verbi *essere* e *avere*.

6 **Osservando la tabella precedente completate oralmente le frasi.**

1. Se compra *Il Messaggero*, avvocato, *(leggere)* il mio articolo!
2. Professore, *(scusare)*, può ripetere la spiegazione?
3. La prego, *(fare)* presto, non ho molto tempo a disposizione!
4. Mi raccomando, ragazzi, *(vedere)* questo film: ne vale la pena!
5. *(Sentire)*, dottor Fini, il dolore non è passato, che faccio?

CD 2

7 **Ascoltate i mini dialoghi e indicate i 4 usi dell'imperativo veramente presenti ( ). Poi ascoltate di nuovo e scrivete il numero del dialogo nel relativo quadratino (□). Attenzione: ad alcuni usi corrisponde più di un dialogo.**

dare...

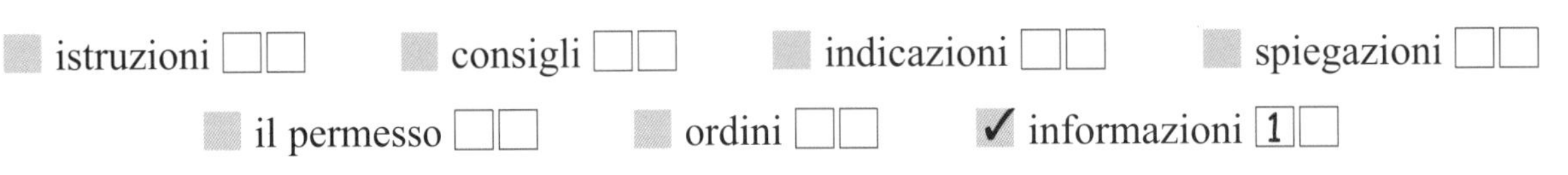

8 **Cercate di scrivere una frase per ciascuno dei 4 casi che abbiamo appena visto.**

B Due tenori fenomeno

1 **Lavorate in coppia. Ognuno di voi dovrà leggere uno dei testi che seguono e poi farne un breve riassunto al compagno.**

Enrico Caruso (1873-1921), napoletano, è considerato una leggenda della musica lirica, grazie alla sua straordinaria voce e alla sua appassionata teatralità. Ecco alcune curiosità della sua vita:

- Fu il diciottesimo di ben ventuno figli, ma solo il primo a superare l'infanzia. Iniziò a cantare nel coro ecclesiastico locale.
- Quando lasciò il suo lavoro di meccanico per dedicarsi al canto, il padre lo cacciò di casa. Un giorno disse della sua gioventù: "Ero spesso affamato, ma mai infelice".
- Aveva solo 25 anni quando divenne famoso a livello mondiale con la prima assoluta di *Fedora* al Teatro Lirico di Milano nel 1898. Debuttò al Metropolitan di New York il 23 novembre 1903 nel *Rigoletto*. Lì, in 18 stagioni cantò 607 volte in 37 opere diverse!
- Al di là di una brillante carriera e dei dischi di enorme successo (in cui cantò anche bellissime canzoni napoletane), c'era però il suo dramma intimo: le minacce della mafia americana, il tradimento della sua compagna, i problemi di salute.
- Nonostante la malattia polmonare, che gli provocava addirittura emorragie in scena e che lo portò alla morte a soli 48 anni, non volle mai cancellare una serata. Mentre il pubblico delirava, lui cercava di nascondere a tutti i costi la propria sofferenza.

adattato da *www.opera.it*

Luciano Pavarotti (1935-2007) ha avuto un grandissimo successo nel mondo della musica classica, riuscendo ad attrarre numerosi nuovi fans. Una voce emozionante e una personalità unica hanno reso il nome di Pavarotti famoso in tutto il mondo.
Nasce a Modena nel 1935 e scopre la passione per l'opera già da bambino. Il suo debutto avviene il 29 aprile del 1961 al Teatro di Reggio Emilia, con *La Bohème*. Seguono interpretazioni di grande successo in tutta Italia e in Europa.
Ma è nel 1972 che scoppia il fenomeno Pavarotti al Metropolitan di New York. Il grande tenore ha cantato nei teatri più prestigiosi del mondo. I suoi cd, dei veri e propri best-sellers, comprendono numerose arie, recital, ma anche antologie di canzoni napoletane e italiane in genere. Le sue frequenti apparizioni televisive hanno aumentato la sua notorietà.
I suoi spettacolari concerti hanno riempito gli stadi e i parchi più grandi del mondo: quasi 200.000 persone in Hyde Park a Londra; più di 500.000 in Central Park a New York (e milioni di telespettatori in tutto il mondo); 300.000 a Parigi.
Impegnato socialmente, ha realizzato molti concerti di beneficenza, i famosi *Pavarotti and friends*, con la partecipazione di numerose stelle: Bono, Elton John, Laura Pausini (foto in basso), Zucchero, Celine Dion, Sting, Eros Ramazzotti, Andrea Bocelli e tanti altri ancora.

adattato da *www.lucianopavarotti.it*

2 **Leggete il testo che non avevate letto e abbinate le affermazioni che seguono al personaggio corrispondente (C: Caruso, P: Pavarotti).**

	C / P
1. È diventato tenore contro la volontà dei genitori.	
2. È scomparso all'inizio del XX secolo.	
3. Ha collaborato con cantanti di altri generi musicali.	
4. Come professionista non ha cantato solo in teatri.	
5. Grazie a lui molte persone si sono avvicinate all'opera.	
6. È apparso anche in tv.	
7. Ha lavorato a lungo negli Stati Uniti.	
8. Nonostante il successo, ha affrontato duri ostacoli nella vita.	

3 **Secondo voi, questi due tenori si sono mai incontrati?! Eppure, sì: la canzone *Caruso*, di Lucio Dalla, cantata anche da Pavarotti, è ispirata alle ultime ore del tenore napoletano. Completatela scegliendo tra le parole date.**

Qui dove il mare luccica* e tira forte il vento,
su una vecchia terrazza ....(1) golfo di Surriento*,
un uomo abbraccia una ragazza dopo che ....(2),
poi si schiarisce la voce e ricomincia il canto:
"Te voglio bene assaie*, ma tanto tanto bene sai,
è una catena ormai che scioglie il sangue dint'e vene* sai".
Vide le luci ....(3) mare e pensò alle notti là in America,
ma erano solo le lampare* e la bianca scia* di un'elica*.
Sentì il dolore nella musica si alzò dal pianoforte,
ma quando vide la luna uscire da una nuvola
......................(4) sembrò più dolce anche la morte.
Guardò negli occhi la ragazza, ...(5) occhi verdi come il mare,
poi all'improvviso uscì una lacrima e lui credette di affogare*.
Potenza della lirica, dove ogni dramma è un falso,
con un po' di trucco e ....(6) mimica, puoi diventare un altro.
Ma due occhi che ti guardano così vicini e veri,
ti fan scordare le parole, confondono i pensieri.
Così diventa tutto piccolo, ...(7) le notti là in America,
ti volti e vedi la tua vita come la scia di un'elica...
ma sì, è la vita che finisce, ma lui non ....(8) pensò poi tanto,
anzi si sentiva già felice e ricominciò il suo canto:
"Te voglio bene assaie..."

(1) **a.** davanti al, **b.** sotto il, **c.** dal

(2) **a.** ha pianto, **b.** aveva pianto, **c.** piangeva

(3) **a.** tra il, **b.** nel mezzo del, **c.** in mezzo al

(4) **a.** gliela, **b.** gli, **c.** si

(5) **a.** quelli, **b.** quei, **c.** quegli

(6) **a.** con la, **b.** per la, **c.** alla

(7) **a.** ma, **b.** sia, **c.** anche

(8) **a.** ci, **b.** lo, **c.** ne

luccicare: splendere; Surriento: Sorrento, città vicino a Napoli; assaie (dialetto napoletano): assai, molto; dint'e (dial. napol.): dentro le; lampara: barca con una lampada per la pesca; scia: la traccia che lascia una barca sull'acqua; elica: girando sott'acqua fa muovere la nave; affogare: morire soffocato nell'acqua.

4 **Nel dialogo di pagina 7 abbiamo visto alcune forme dell'imperativo di cortesia:** "mi spieghi", "si accomodi", "mi dica". **Come le trasformereste usando il "tu"?**

5 **Completate la tabella.**

L'imperativo con i pronomi

Imperativo diretto	Imperativo indiretto
Dammi dieci euro!	.... **dia** dieci euro, per favore!
Prendi la busta e *portala* al direttore!	Prenda la busta e .... **porti** al direttore!
Gliel'hai detto? *Diglielo*!	Gliel'ha detto? **Glielo dica**!
Fa freddo: *vestitevi* bene!	Fa freddo signori: **si vestano** bene!
Ti prego, *pensaci* con calma!	La prego, ... **pensi** con calma!
Vattene! Mi dai fastidio!	**Se ne vada**, signore! Mi dà fastidio!

Con l'imperativo di cortesia, mettiamo il pronome sempre prima del verbo.

6 **Completate le frasi con l'imperativo indiretto.**

1. Per favore, dottore, *(dirmi)* i risultati delle mie analisi!
2. Se vede la signora Bianchi, *(salutarla)* da parte mia!
3. Per cortesia, *(sedersi)* vicino a me, Le voglio parlare!
4. Ha qualche documento con Lei? *(darmelo)* per favore!

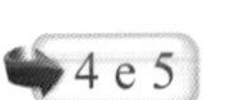

4 e 5

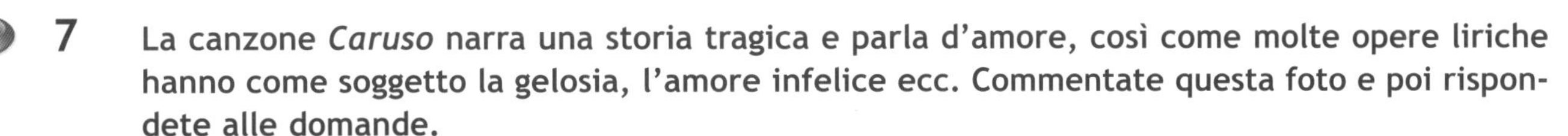

7 **La canzone *Caruso* narra una storia tragica e parla d'amore, così come molte opere liriche hanno come soggetto la gelosia, l'amore infelice ecc. Commentate questa foto e poi rispondete alle domande.**

1. Secondo voi, quanto è importante l'amore nella vita?
2. Che differenza c'è tra l'innamorarsi di una persona e amarla?
3. C'è chi dice che amore e gelosia vanno di pari passo: siete d'accordo? Chi di voi è particolarmente geloso e come lo manifesta?

C Giri a destra!

CD 2

1 **Ascoltate il dialogo e indicate a quale delle due cartine si riferiscono le indicazioni.**

a.
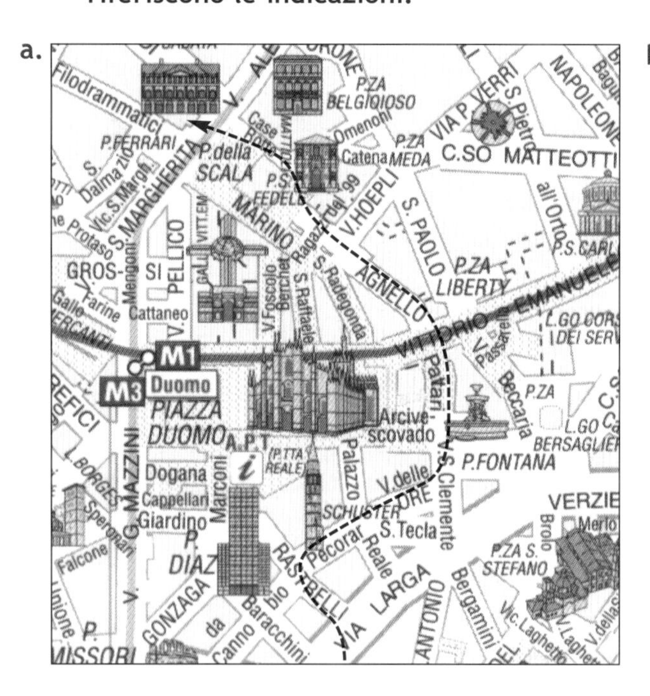

b.
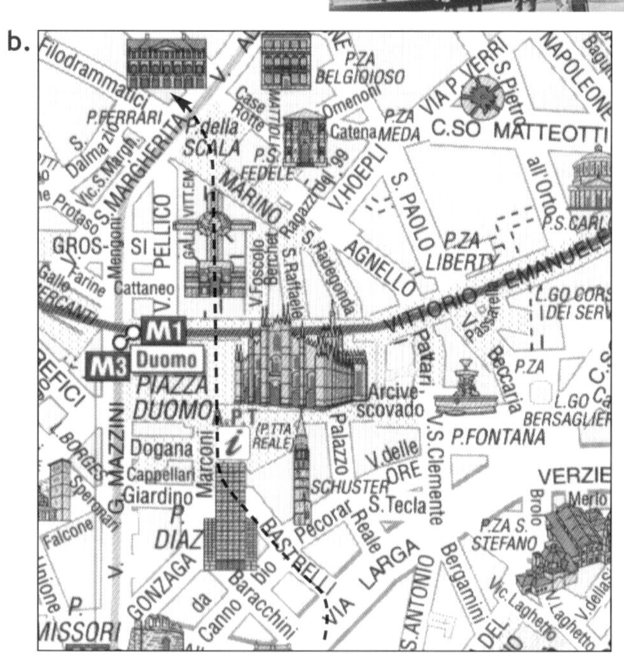

CD 2
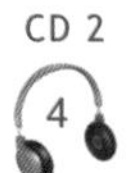

2 **Ascoltate di nuovo e indicate le frasi che avete sentito.**

- ☐ 1. mi faccia pensare un attimo...
- ☐ 2. non ci vada a piedi...
- ☐ 3. prenda il metrò, conviene...
- ☐ 4. sa a quale fermata scendere?
- ☐ 5. alla seconda traversa giri a destra...
- ☐ 6. vada diritto e si troverà in Piazza Duomo...
- ☐ 7. se tu cammini verso il Duomo...
- ☐ 8. la attraversi e si troverà in una...

Role-play

3 ***A*** **chiede ad un passante (*B*) come andare:**

- *dal cinema Cinecittà al punto 1*
- *dal punto 2 alla farmacia*
- *dal punto 3 alla Rinascente*
- *dal punto 4 alla Coop*
- *dal punto 5 alla Banca Nazionale*
- *dal punto 2 al Ristorante La Bella Toscana*

B**, gentilmente, dà le indicazioni necessarie.**

4 **Nel dialogo precedente abbiamo ascoltato forme come** "non ci vada a piedi". **Completate la tabella.**

La forma negativa dell'imperativo

	Imperativo diretto		Imperativo indiretto
	-ARE		
tu	*Non andare* ancora via!	**Lei**	**Non** .... via, per favore!
noi	*Non andiamo* con loro!		
voi	*Non andate* alla festa!	Loro	*Non vadano* via, signori!*
	-ERE		
tu	*Non credere* a queste cose!	**Lei**	Ma **non** .... a queste bugie!
noi	*Non crediamo* a loro!		
voi	Ragazzi, *non credete* a lui!	Loro	Signori, *non credano* a lui!*
	-IRE		
tu	*Non partire* senza salutarmi!	**Lei**	**Non** .... con Stefano!
noi	Domani pioverà: *non partiamo*!		
voi	*Non partite* subito!	Loro	*Non partano* stasera, signori!*

La forma negativa con i pronomi

Non è buono: *non berlo*! *non lo bere*!	Non è fresco: **non lo beva**!
Non glielo dite, è una sorpresa! *Non diteglielo*, è una sorpresa!	Signora, **non glielo dica**, è una sorpresa!

Nella forma negativa dell'imperativo indiretto i pronomi precedono sempre il verbo, contrariamente all'imperativo diretto che ha due possibili costruzioni.

*Forme poco usate (cfr. nota a pagina 8).

5 **Completate le seguenti frasi con l'imperativo indiretto.**

1. Ha completamente ragione, signora, *(non dire)* niente!
2. *(Non avere)* fretta, dottor Tagliapiede! Ho un po' di paura!
3. Signori Marini, secondo le previsioni pioverà a dirotto: *(non uscire)* così!
4. Alla festa di stasera ci sarà anche la Sua ex, signor Martini: *(non andarci)*!
5. *(Non preoccuparsi)*, signor Frizzi, la Sua macchina sarà pronta fra un mese!!!

6 - 9

D Alla Scala

1 **In coppia, leggete questo titolo di giornale che si riferisce a un fatto insolito avvenuto alla Scala di Milano. Secondo voi, cos'è successo? Scambiatevi idee.**

Fischiato, lascia il palco.
L' "Aida" va avanti col sostituto.

"Radames veste ...

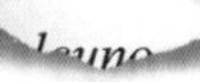

CD 2

2 **Ora ascoltate la notizia come l'ha trasmessa il giornale radio: erano giuste le vostre ipotesi? Riascoltate di nuovo e cercate di capire:**

1. Chi è Roberto Alagna e che cosa ha fatto di strano?
2. Chi l'ha sostituito?

3 **Vediamo com'è apparsa la notizia sul giornale. Leggete l'articolo e indicate le affermazioni corrette nella pagina successiva.**

LUNEDÌ **11** DICEMBRE — SPETTACOLI

Incredibile sceneggiata alla Scala:
il pubblico attacca Alagna che abbandona.

Fischiato, lascia il palco. L' "Aida" va avanti col sostituto.

"Radames veste Prada" ha commentato qualcuno.

MILANO – Doveva essere una serata tranquilla, la prima vera rappresentazione dell'Aida dopo la prima del 7 dicembre, con meno mondanità e meno fotografi. E invece, ieri sera c'è stato il vero colpo di teatro che farà entrare nella leggenda questa serata. Il tenore Roberto Alagna, Radames, ha lasciato il palcoscenico subito dopo l'aria 'Celeste Aida' fischiata da una parte degli spettatori che non ha gradito alcuni suoi commenti sui giornali sulla competenza del pubblico.

La musica non si è mai interrotta e la direzione di palcoscenico ha gettato in scena Antonello Palombi, che fa parte del secondo cast dell'opera. Con addosso un paio di jeans e una camicia neri ("Radames veste Prada" ha commentato qualcuno), il tenore umbro è entrato in scena fra i "vergogna" rivolti dalla platea ad Alagna che non si è ripresentato.

Il primo tempo dello spettacolo è andato avanti così, con applausi, altri fischi e un pubblico perplesso per quanto stava succedendo (ma nessuno è andato via). Dopo l'intervallo è stato il sovrintendente Stephane Lissner a salire sul palco e a "manifestare il rincrescimento" del teatro per quanto era successo e a ringraziare Palombi, arrivato in scena senza riscaldamento e senza aspettarselo.

Intanto Alagna, dopo aver parlato con il sovrintendente Lissner ha lasciato il teatro. "Ho cantato in tutto il mondo e ho avuto successo – ha commentato Alagna – ma di fronte al pubblico di questa sera non potevo fare nient'altro! Il pubblico vero, quello con il fuoco, con il sangue, quello non c'era".

Il pubblico che c'era però è rimasto fino alla fine dell'Aida e ha ripagato con nove minuti di applausi Palombi. Che, molto soddisfatto della sua performance, ha raccontato così l'accaduto: "Mi hanno preso e buttato sul palco. Mi sono detto: ok, adesso si canta", anche se dal pubblico partivano frasi come "vergogna" rivolte ad Alagna. "Ma credo che chiunque avrebbe fatto lo stesso, siamo professionisti". Palombi stava seguendo la rappresentazione dalla direzione artistica. Di corsa, quando Alagna ha lasciato il palco, lo sono andati a prendere e lui si è trovato in scena con jeans e camicia "perché – ha scherzato – normalmente non mi vesto come Radames". "È stata una bella prova – ha concluso – l'ho superata!".

Roberto Alagna prima di abbandonare il palco.

1. Alcuni hanno fischiato il tenore perché
- a. aveva parlato male del pubblico
- b. aveva sbagliato un verso dell'opera
- c. si era presentato in jeans e maglietta
- d. non si era presentato sul palco

2. Roberto Alagna ha lasciato il palco e
- a. si è ripresentato poco dopo
- b. lo spettacolo è stato interrotto
- c. il pubblico è andato via
- d. un altro tenore l'ha sostituito

3. Antonello Palombi è salito sul palco
- a. dopo mezz'ora di preparazione
- b. senza alcuna preparazione
- c. già vestito da Radames
- d. indossando un costume qualsiasi

4. Alla fine il pubblico
- a. ha fatto un lungo applauso a Palombi
- b. ha fischiato Palombi
- c. ha fischiato il sovrintendente Lissner
- d. ha chiesto il rimborso del biglietto

4 **Lavorate in coppia. Cercate nell'articolo almeno un'informazione in più rispetto al servizio radiofonico. Se necessario riascoltate la notizia.**

5 **Nel testo abbiamo visto frasi come** "*alcuni* suoi commenti", "*nessuno* è andato via", "*quanto* era successo"**: le parole in corsivo sono degli *indefiniti*. Completate la tabella e le frasi che seguono.**

Indefiniti come aggettivi e pronomi
Accompagnano o sostituiscono un nome:

altro/a - altri/e: *Ti piace questo libro o ne vuoi un ....?*
molto/a - molti/e: *Io non voglio fare molti soldi; soltanto qualche milione!*
tanto/a - tanti/e: *A tante persone la musica lirica non piace.*
poco/a - pochi/e: *A questa età ha ancora poche esperienze lavorative.*
quanto/a - quanti/e: *Sono d'accordo con .... dici.*
parecchio/a - parecchi/ie: *Domattina ho .... cose da fare.*
tutto/a - tutti/e: *Sono d'accordo con tutto quello che dici.*
troppo/a - troppi/e: *Secondo me, mangi troppo la sera.*
ciascuno/a: *Ciascun problema deve essere affrontato con calma.*
nessuno/a: *Nessuno è venuto.* ***ma***: *Non è venuto nessuno.*
tale/i: *Ti ha telefonato un tale. / Io non ho tali problemi.*
alcuno/a (=nessuno/a) - **alcuni/e**: *Non ho .... (nessuna) voglia di uscire.*
ma: *Alcune volte preferisco stare da solo.*

1. Purtroppo non posso rimanere; magari un' .... volta.
2. Non ti aspettavo, ... mi ha detto che saresti venuto!
3. Professore, con .... il rispetto, questo esercizio non mi piace!
4. .... di loro sono veramente bravi.
5. Era da .... tempo che non ci vedevamo.

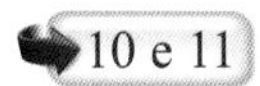
10 e 11

CD 2
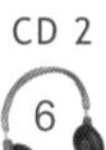

6 **Riportiamo un famoso brano tratto da un'opera di Giuseppe Verdi, che forse come musica riconoscerete. Ascoltate il brano e mettetelo in ordine. Siete d'accordo con l'idea di donna espressa nel testo?**

La donna è mobile dal ***Rigoletto***

☐ *Pur mai non sentesi**
*felice appieno**
chi su quel seno,
non liba amore!*

☐ *La donna è mobile*
qual piuma al vento,*
muta d'accento
e di pensiero.

☐ *Sempre un amabile*
leggiadro viso,*
in pianto o in riso
è menzognero.*

☐ *È sempre misero*
chi a lei s'affida,
*chi le confida**
mal cauto il core*!*

non sentesi: non si sente; appieno: del tutto; libare: brindare, bere; qual (quale): come; leggiadro: bello, affascinante; menzognero: bugiardo; confidare: affidare; mal cauto: poco prudente, poco attento; core: cuore.

7 **In coppia, scegliete una delle quattro parti del brano e in 10 parole cercate di spiegarne il significato.**

8 **Nelle pagine precedenti abbiamo visto anche:** "ha commentato *qualcuno*", "indossando un costume *qualsiasi*". **Osservate la tabella:**

Indefiniti come aggettivi	Indefiniti come pronomi
Certe persone mi danno proprio ai nervi.	**Qualcuno** di voi è mai stato in Italia?

Alcuni indefiniti hanno valore di pronomi, cioè possono sostituire un nome e sono sempre al singolare, altri valore di aggettivi e possono solo accompagnare un nome.

La lista completa degli indefiniti in Appendice a pagina 195.

A coppie indicate nelle frasi che seguono il valore degli indefiniti secondo l'esempio.

	aggettivo (accompagna)	pronome (sostituisce)
1. Di **uno** come lui mi fiderei.		
2. Mi puoi chiamare a **qualsiasi** ora.		
3. **Qualche** volta dopo il lavoro mi sento stanchissimo...		
4. Vuoi **qualcosa** da bere?		
5. Quello che è successo a te potrebbe succedere a **chiunque**.		
6. C'è una soluzione a **ogni** problema.		

12 - 15

E Vocabolario e abilità

1 **Vocabolario.** Abbinate le parole alle immagini.

a. costume, b. tenore, c. soprano, d. palcoscenico,
e. spettatore, f. maestro, g. pubblico, h. orchestra

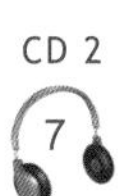

CD 2 7

2 **Ascolto** Quaderno degli esercizi (p. 113)

Role-play

3 **Situazione**

Sei *A*: Vai al botteghino di un teatro (lirico o meno) per comprare due biglietti per lo spettacolo di sabato o domenica prossimi. Chiedi informazioni su spettacoli, orari, prezzo del biglietto, posti ecc.
Sei *B*: consulta il materiale di pagina 204 e dai ad *A* le informazioni di cui ha bisogno.

4 **Parliamo**

1. Qual è il vostro genere musicale preferito? Raccontate le vostre preferenze su pezzi e cantanti, gruppi ecc.
2. Cosa pensate dell'aria che abbiamo ascoltato e della musica lirica in generale? Quanto è apprezzato questo tipo di musica nel vostro Paese, da chi e perché secondo voi?

5 **Scriviamo**

Scrivete un'e-mail ad un amico italiano in cui raccontate le vostre esperienze durante un concerto (di musica classica o moderna) in cui è successo qualcosa di strano – ad esempio: parcheggio difficile; black out improvviso/improvviso temporale; tenore/cantante che lascia il palco all'improvviso – ... *(80-120 parole)*

Test finale

L'opera italiana

L'Italia ha una lunghissima storia musicale che va da Vivaldi e Paganini a Nino Rota, Ennio Morricone e Nicola Piovani e dalla musica napoletana ai cantautori moderni. È in Italia che è nata e cresciuta la musica lirica. Non a caso, le opere più note sono di autori italiani, mentre "italiane" sono considerate anche quelle che il grande Mozart scrisse su libretti in lingua italiana.
L'opera italiana è famosa in tutto il mondo. Vediamo, in breve, i compositori* più importanti.

Figaro

Gioacchino Rossini (1792-1868)

Fu il primo grande compositore della musica lirica italiana: giovanissimo ebbe gran successo, ma a soli 37 anni, famoso e apprezzato in tutto il mondo, decise di ritirarsi per molti anni. Scrisse soprattutto opere buffe, cioè comiche, di cui le più importanti sono *L'italiana in Algeri* e *La gazza ladra*, ma anche drammatiche come *Guglielmo Tell*. Ma l'opera più nota di Rossini è sicuramente *Il barbiere di Siviglia*, in cui Figaro, furbo barbiere*, aiuta il conte di Almaviva a conquistare Rosina: un'opera molto divertente con delle bellissime musiche.

Giacomo Puccini (1858-1924)

Forse l'ultimo veramente grande della musica lirica, arrivò al trionfo con la sua terza opera, *Manon Lescaut*. Ancora più grande fu il successo de *La Bohème* che è la storia di Rodolfo e dei suoi spensierati* amici nella Parigi del 1830; storia che termina con la morte di Mimì, il suo amore. Qualche anno dopo, nel 1900, presentò una delle sue opere più note e tragiche, *Tosca*. La vicenda ruota intorno alla protagonista, Tosca appunto, che non riesce a salvare la vita al suo amante Cavaradossi e alla fine si suicida. Altre note opere di Puccini sono *Madama Butterfly* e *Turandot*, conclusa da un altro compositore, dopo la morte dell'artista.

La grande Maria Callas

1. Che cosa c'è di strano nella carriera di Rossini? Qual è la trama del *Barbiere di Siviglia*?
2. In cosa differiscono le storie di *La Bohème* e di *Tosca*?

Giuseppe Verdi (1813-1901)

Il "padre" della musica lirica, dovette affrontare difficili prove nella vita privata: in soli tre anni perse la moglie e i due figli! Ma Verdi era un uomo veramente forte; due anni dopo, nel 1842, ottenne il suo primo trionfo con il drammatico *Nabucco*. Di quest'opera famoso è il verso "Va' pensiero sull'ali dorate", cantato dagli Ebrei prigionieri che sognavano il ritorno in patria. Altrettanto grande fu il successo di *Macbeth*. In un periodo in cui l'Italia era sotto il dominio austriaco e cresceva lo spirito del Risorgimento*, Verdi diventò il simbolo dell'Indipendenza. Le sue opere erano eventi musicali e, nello stesso tempo, patriottici.

Tra il 1851 e il 1853 compose la grande trilogia* tragica. Nel *Rigoletto* il protagonista uccide per sbaglio sua figlia. Ne *Il Trovatore* una donna muore tra le braccia del suo amato, un misterioso eroe* popolare che si oppone all'invasione straniera. Infine, ne *La Traviata*, tratta dal romanzo "La signora delle camelie" di A. Dumas, Violetta, dopo varie sventure* e una lunga malattia, muore consolata dal suo Alfredo.

In seguito Verdi scrisse *I vespri siciliani*, storia della vittoria dei siciliani contro i francesi nel XIII secolo. Proprio in quel periodo sui muri i patrioti italiani scrivevano "Viva V.E.R.D.I.". In realtà, oltre ad onorare il grande musicista, intendevano lanciare un messaggio politico; l'acrostico*, infatti, significava Viva Vittorio Emanuele Re D'Italia.

Altri grandi successi furono *La forza del destino* e l'*Aida*, un'opera spettacolare, ambientata nell'antico Egitto, che Verdi compose per l'inaugurazione del Canale di Suez nel 1871.

La sua morte, nel 1901, provocò grandissima commozione in tutta Italia perché con lui si spegneva non solo un genio del melodramma*, ma un vero eroe nazionale.

Andrea Bocelli, un tenore famoso in tutto il mondo grazie anche alla "musica leggera".

A destra, il finale della Cavalleria Rusticana, *capolavoro di Pietro Mascagni: Santuzza abbraccia Turiddu, che Alfio ha ammazzato per una questione d'onore.*

1. In questa opera di Verdi uno dei protagonisti perde un parente:
   - ☐ a. *La Traviata*
   - ☐ b. *Rigoletto*
   - ☐ c. *Aida*
   - ☐ d. *Nabucco*

2. Giuseppe Verdi fu tra l'altro:
   - ☐ a. un bravo tenore
   - ☐ b. il simbolo di un'Italia libera
   - ☐ c. un sostenitore del re
   - ☐ d. un bravo librettista

Glossario: compositore: musicista, chi scrive, compone opere musicali; barbiere: chi, per lavoro, fa la barba e taglia i capelli agli uomini; spensierato: sereno, che non ha preoccupazioni o pensieri tristi; Risorgimento: periodo storico (fine 1700-1870) in cui l'Italia raggiunge l'indipendenza e l'unità; trilogia: tre opere dello stesso autore che presentano elementi tematici o stilistici comuni; eroe: chi sacrifica anche la propria vita per un ideale; sventura: fatto che provoca danno, dolore; camelia: fiore; acrostico: acronimo, nome costituito da una o più lettere iniziali di altre parole; melodramma: opera lirica, dramma teatrale in versi cantato con accompagnamento musicale.

Attività online

Autovalutazione
Che cosa ricordate delle unità 5 e 6?

1. Abbinate le frasi.

1. Guarda che
2. È l'unica che
3. Ci andremo a meno che
4. Dal momento che
5. Se vuole telefonare a casa,

a. conosca tutta la verità.
b. sei in zona, perché non passi da me?
c. faccia pure!
d. il tempo non peggiori.
e. lei non è d'accordo.

2. Sapete...? Abbinate le due colonne.

1. dare ordini
2. dare consigli
3. tollerare
4. esprimere stato d'animo
5. dare indicazioni stradali

a. Prenda il metrò, conviene.
b. Vada dritto e lo troverà!
c. Mi dispiace che tu stia male.
d. Stia zitto!
e. Se deve uscire, esca pure!

3. Completate.

1. Due opere di Giuseppe Verdi: ....
2. Altri due compositori di musica lirica: ....
3. La più importante gara ciclistica in Italia: ....
4. Sottolinea gli indefiniti che non hanno il plurale: *qualche, ogni, tutto, altro.*
5. *Dimmelo* alla forma di cortesia: ....

4. Completate le frasi con le parole mancanti.

1. Il grande t...................... fece il suo d...................... nel 1961 alla Scala.
2. Per la loro i...................... gli attori hanno ricevuto un lungo a...................... da parte del pubblico.
3. Per seguire questo s...................... ho dovuto fare 5 ore di f......................!
4. Quasi tutte le s...................... italiane di calcio acquistano costosi g...................... stranieri.
5. Secondo me, ti conviene prendere l'a...................... e scendere alla quarta f......................

Verificate le vostre risposte a pagina 194.
Siete soddisfatti?

Uno spettacolo lirico all'*Arena* di Verona

Andiamo a vivere in campagna

Per cominciare...

1 Osservate queste due foto. In quale di queste abitazioni vorreste vivere e perché?

a. b.

2 **Lavorando in coppia, abbinate le seguenti parole alla foto corrispondente.**

☐ aria pulita ☐ inquinamento ☐ verde ☐ traffico
☐ rumore ☐ smog ☐ natura ☐ tranquillità

CD 2 8

3 **Ascoltate il dialogo: cosa vorrebbe fare il protagonista e perché?**

CD 2 8

4 **Ascoltate di nuovo e completate le battute (massimo quattro parole).**

1. Ma lo sai che alle volte per trovare parcheggio ci metto ....
2. Una volta sì, ora non più. La zona è ....
   e lo smog è arrivato anche da noi.
3. Io vorrei trovare una bella casetta in campagna: comoda, con un bel giardino, in mezzo al verde
   ....
4. Poi, a mia moglie comprerò una macchina perché si sposti senza problemi. Oppure ....
   ....

In questa unità...

1. *...impariamo a confrontare la vita in città e in campagna, a leggere e a scrivere un annuncio immobiliare, a presentare un fatto come facile, a parlare di ambiente ed ecologia;*
2. *...conosciamo il congiuntivo imperfetto e trapassato e la concordanza dei tempi del congiuntivo;*
3. *...troviamo informazioni sull'ambiente, le associazioni ambientaliste, l'agriturismo.*

A Una casetta in campagna...

CD 2 8

1 Leggete e ascoltate il dialogo e verificate le vostre risposte all'attività precedente.

Daniela: Come mai leggi gli annunci? Stai cercando un altro lavoro?

Tommaso: No, sto cercando casa.

Daniela: Ah, sì? Pensavo che tu fossi contento del tuo appartamento.

Tommaso: All'inizio lo ero. Non mi aspettavo però che questa zona si trasformasse in un inferno! Ma lo sai che a volte per trovare parcheggio ci metto anche mezz'ora?!

Daniela: Davvero?! Io credevo che fosse il quartiere più bello della città, lontano dall'inquinamento e dal traffico del centro.

Tommaso: Una volta sì, ora non più. La zona è sempre piena di macchine e lo smog, da quando hanno costruito quell'enorme centro commerciale, è arrivato anche da noi.

Daniela: Veramente non sapevo che vi avesse creato così tanti problemi. Quindi, pensi proprio di cambiare quartiere?

Tommaso: Macché quartiere! Io vorrei trovare una bella casetta in campagna: comoda, con un bel giardino, in mezzo al verde e all'aria pulita. Forse dovevo farlo prima che la situazione diventasse insopportabile.

Daniela: Ma la tua famiglia che ne pensa?

Tommaso: Credo che vogliano rimanere qua!

Daniela: Credi?! Non lo sanno ancora? E come pensi di convincerli?

Tommaso: Dunque, ai miei figli prenderò un cane, sai... una di quelle razze che devono correre cento chilometri al giorno e qua... è impossibile. A mia moglie, invece, comprerò una macchina perché si sposti senza problemi. Oppure... una bici, che è anche ecologica.

Daniela: Non sapevo che tu fossi un ecologista.

Tommaso: Ma oggigiorno come si fa a non esserlo?

2 **Leggete il dialogo e sottolineate verbi come "fossi" e "si trasformasse".**

3 **Rispondete per iscritto *(15-20 parole)* alle domande.**

1. Cos'è cambiato ultimamente nel quartiere di Tommaso? ....

....

2. Che idea aveva Daniela di questa zona? ....

....

3. Come pensa di convincere la sua famiglia Tommaso? ....

....

4 **Ecco adesso il dialogo fra Tommaso e sua moglie; completatelo con le parole date.**

Teresa: Cambiare casa?! Ma se sei stato tu a insistere per trasferirci qui!

Tommaso: Sì, ma allora nessuno di noi si aspettava che .... un inferno, o che .... quel centro commerciale.

Teresa: Guarda che a me fa molto comodo.

Tommaso: Non ne dubito! Però fa comodo anche a centinaia di persone che ogni giorno passano dalla nostra strada. L'aria è ormai irrespirabile.

Teresa: Veramente? Non sapevo che per te .... un problema. Non al punto da voler cambiare casa!

Tommaso: Ma io lo dico soprattutto per i bambini: sono loro che hanno più bisogno di aria pulita, di spazio per correre... per portare fuori il cane.

Teresa: Cane, quale cane?! Pensi di prendere anche un cane?! Ma che ti è preso oggi?

Tommaso: Perché? Credevo che tu .... gli animali. Pensa quanto piacerà ai bambini: ne andranno matti!

Teresa: Vorrei che qualcuno .... anche a me ogni tanto! Senti, della casa nuova possiamo discuterne... però, niente cani, ok?!

pensasse ***costruissero*** ***diventasse*** ***amassi*** ***fosse***

5 **Osservate i verbi che avete sottolineato nel dialogo introduttivo e poi completate la tabella.**

Congiuntivo imperfetto

	-are ⇨ -assi		-ere ⇨ -essi		-ire ⇨ -issi	
	parlare		**avere**		**finire**	
	Angela voleva che:		*Bisognava che:*		*Era necessario che:*	
io	parl**assi**		av**essi**		fin**issi**	
tu	....		av**essi**		fin**issi**	
lui, lei	parl**asse**	*di*	av**esse**	*più*	fin**isse**	*subito.*
noi	parl**assimo**	*meno.*	....	*pazienza.*	fin**issimo**	
voi	parl**aste**		av**este**		fin**iste**	
loro	parl**assero**		av**essero**		....	

La prima persona singolare dell'indicativo imperfetto ci aiuta a costruire le forme del congiuntivo imperfetto, infatti abbiamo: *bere-bevessi / dire-dicessi / fare-facessi / porre-ponessi.*
Fanno eccezione i verbi *essere, dare* e *stare.* Potete consultarli in Appendice a pagina 195.

6 **Completate le frasi con il congiuntivo imperfetto dei verbi tra parentesi.**

1. Ho preso la bicicletta perché non mi aspettavo che *(piovere).*
2. Bisognava che *(noi-comprare)* una casa in campagna!
3. Non sapevo che le cose *(andare)* così male tra voi due.
4. Quando l'ho vista ho pensato che *(avere)* più di trent'anni.
5. I miei desideravano che io *(fare)* l'avvocato. Sogni...
6. Finalmente: avevo paura che voi non *(venire).*

Secondo voi, perché non possiamo usare il congiuntivo presente in queste frasi?

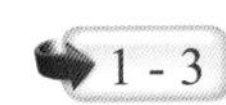

B Cercare casa

1 **Secondo voi, quando si cerca una casa sugli annunci quali tra queste informazioni sono importanti? Lavorando in coppia, indicatene 5 in ordine di importanza.**

☐ metri quadrati ☐ numero di camere ☐ zona ☐ modalità di pagamento ☐ piano
☐ parcheggio ☐ anno di costruzione ☐ riscaldamento autonomo ☐ colore delle pareti
☐ numero dei bagni ☐ vista ☐ aria condizionata / riscaldamento ☐ ammobiliato o meno

altro: ....

2 Lavorate in coppia e scegliete un annuncio: tra quelle viste prima, quali sono le informazioni presenti in questi annunci?

Venaria (Torino) - Zona Centro Commerciale: alloggio con ingresso su salone, cucina abitabile, due camere, doppi servizi, ripostiglio, cantina e box per due auto. Termoautonomo.

Di Negro (Genova) - In area in totale rinnovamento, luminoso, mq 105 con ampio soggiorno, tre matrimoniali, cucina, bagno, interni da riordinare, edificio d'epoca perfetto. Possibilità mutuo totale.

Tigliole - A pochi chilometri da Asti, bella villa di recentissima edificazione, con giardino su due piani: garage ampio, lavanderia, bagno, cantina. Parte abitativa con salone, ampia cucina, 2 camere da letto, doppi servizi, terrazza.

Bergio Verezzi (Savona) - Monolocale ristrutturato e arredato con ingresso indipendente, soggiorno con angolo cottura, camera, bagno, posto auto. Balcone con vista su parco.

annunci tratti da *Fondocasa informa*

3 Adesso associate, come nell'esempio, gli annunci alle abitazioni. Secondo voi, quale casa costa di più?

Venaria

4 Quando si cerca o si costruisce una casa è importante conoscere anche i materiali usati. Abbinate i vari materiali alla foto corrispondente.

a. marmo b. legno c. pietra d. vetro e. ferro f. ceramica g. cemento

5 **Siete in Italia per un corso di italiano di 6 mesi e avete bisogno di un alloggio: in internet c'è un sito dove poter mettere annunci. Scrivetene uno in base alle vostre necessità, esigenze e possibilità economiche.**

6 **Nel dialogo introduttivo abbiamo visto la frase** "non sapevo che (il centro commerciale) vi *avesse creato* così tanti problemi". **Questo è il congiuntivo trapassato. Come si forma, secondo voi? Provate a completare le frasi con l'ausiliare corretto.**

Congiuntivo trapassato

Si è comportata così perché credeva che tu **avessi parlato** male di lei.
Pensavo che non **foste tornati**, per cui non sono passato.
Nonostante .... **mangiato** a casa, ho accettato di cenare con lui.
Era strano che lei .... **partita** senza avvertirmi.
Non ci sono andato benché mi .... **invitato** lei di persona.

4 e 5

C Nessun problema...

CD 2

1 **Ascoltate il dialogo e indicate le affermazioni presenti.**

- [ ] 1. Tommaso ha trovato casa in una piccola città.
- [ ] 2. La casa gli è costata molto più del previsto.
- [ ] 3. Ci vive da un mese.
- [ ] 4. Si è già abituato alla sua nuova vita.
- [ ] 5. Ama andare in giro con la sua bicicletta.
- [ ] 6. Da casa sua può vedere un lago.
- [ ] 7. L'unico problema è che gli mancano i suoi amici.
- [ ] 8. Anche sua moglie ha cambiato lavoro.

CD 2

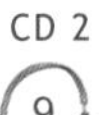

2 **Ascoltate di nuovo e scrivete le cinque espressioni che Tommaso usa per dire che è stato facile cambiare vita.**

....

....

Role-play

3 **Sei *A*: rispondi alle domande di *B*, usando le espressioni viste al punto precedente.**

Sei *B*: chiedi ad *A* come...

- *ha convinto i suoi genitori a comprargli un'Alfa Romeo nuova*
- *è riuscito a superare tutti gli esami che ha sostenuto*
- *ha fatto a imparare così bene l'italiano*
- *è riuscito a trovare il posto di lavoro che cercava da anni*
- *ce l'ha fatta ad iscriversi a Medicina*

4 **Nel dialogo al punto C1 si trova la frase: "non credevo che avresti trovato...". Per chiarire eventuali dubbi, vediamo alcune regole sulla concordanza dei tempi. Osservate:**

La concordanza dei tempi del congiuntivo

Credo che Laura → **faccia** / farà un buon lavoro. (*domani, al futuro*)
Credo che Laura → **faccia** un buon lavoro. (*oggi, nel presente*)
Credo che Laura → **abbia fatto** un buon lavoro. (*ieri, nel passato*)

Credevo che Laura → **facesse** / avrebbe fatto un buon lavoro. (*il giorno dopo*)
Credevo che Laura → **facesse** un buon lavoro. (*in quel momento/periodo*)
Credevo che Laura → **avesse fatto** un buon lavoro. (*il giorno prima*)

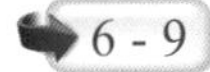

5 **Voi potreste fare quello che ha fatto Tommaso? Il traffico e lo smog sono problemi che riguardano anche la vostra città? Potete pensare a possibili soluzioni? Parlatene.**

6 **Lavorate in coppia. Quello di seguito è un opuscolo informativo. Completatelo con le parole mancanti (una per ogni spazio).**

Associazione Città Ciclabile

Una città per le biciclette

La bicicletta, per combinare il diritto alla mobilità con il diritto alla salute di tutti. La bicicletta, una scelta di civiltà da promuovere tramite una rete di piste ciclabili ....(1) uniscano la periferia al centro e che si integri con i ....(2) di trasporto pubblico. Una scelta di civiltà da incoraggiare con una serie ....(3) piccoli interventi di facile attuazione. Una scelta da sostenere e salvaguardare con una drastica ....(4) del traffico inquinante e il forte incremento delle zone pedonali.

Una città per i cittadini

Fare la coda, trovare un parcheggio, non trovarlo, prendere una multa, fare ancora una coda, ...(5) un altro parcheggio introvabile... Ma ....(6) veramente sicuri che l'automobile ci porti rapidamente ....(7) destinazione? Sicuramente ci porta stress rendendo la ....(8) invivibile. E anche per chi si ....(9) in motorino i problemi non mancano. Spostarsi ....(10) piedi o in bicicletta è invece un'esperienza rilassante e che, probabilmente, ci fa pure guadagnare un po' del nostro prezioso tempo.

7 **Adesso che abbiamo incontrato tutti i tempi del congiuntivo, segnate, tra le espressioni date, quelle che richiedono l'uso del congiuntivo.**

Quando usare il congiuntivo (I)	
Immaginavo che lei...	Mi faceva piacere che lui...
Non sapevo se Mario...	Vorrei che tu...
Ero certo che loro...	Era importante che io...
Credevo di...	Bisognava che lei...
Speravo che Anna...	Sapevo che Lisa...

La tabella completa in Appendice a pagina 196.

10 e 11

8 **Lavorate in coppia. Scegliete 4 frasi della tabella precedente da completare liberamente.**

D Vivere in città

1 **In Italia si misura spesso "lo stato di salute" delle varie città, cioè dove si vive meglio. Da quali fattori può dipendere la qualità della vita? Scambiatevi idee.**

CD 2
10

2 **Ascoltate il brano e indicate le affermazioni corrette.**

1. La situazione ambientale nelle città italiane
   - a. rimane stabile
   - b. è migliorata
   - c. è peggiorata

2. C'è molta differenza tra le città
   - a. piccole e grandi
   - b. italiane ed europee
   - c. del Nord e del Sud Italia

3. Tra le quattro grandi città italiane, Roma
   - a. è prima per le isole pedonali
   - b. ha il più alto numero di piste ciclabili
   - c. è la prima per la raccolta differenziata

4. Gli italiani, in generale, usano di più
   - a. i mezzi pubblici
   - b. la propria macchina
   - c. la bicicletta

3 **Cantando "Il ragazzo della via Gluck" al Festival di Sanremo nel lontano 1966, Adriano Celentano, uno dei simboli della musica italiana, è stato tra i primi ad occuparsi di un argomento ancora oggi attuale. Leggete il testo della canzone (se possibile, ascoltatela) e rispondete alle domande.**

Questa è la storia di uno di noi,
anche lui nato per caso in via Gluck
in una casa fuori città…
Gente tranquilla che lavorava.
Questo ragazzo della via Gluck
si divertiva a giocare con me,
ma un giorno disse: "Vado in città!"
E lo diceva mentre piangeva;
io gli domando: "Amico non sei contento?
Vai finalmente a stare in città!
Là troverai le cose che non hai avuto qui!
Potrai lavarti in casa senza andar giù
nel cortile!"
"Mio caro amico - disse - qui sono nato
e in questa strada ora lascio il mio cuore!
Ma come fai a non capire…
È una fortuna per voi che restate
a piedi nudi a giocare nei prati
mentre là in centro io respiro
il cemento!"

Ma verrà un giorno che ritornerò ancora qui…
e sentirò l'amico treno che fischia così: "wa wa".
Passano gli anni… ma otto son lunghi,
però quel ragazzo ne ha fatta di strada,
ma non si scorda la sua prima casa,
ora coi soldi, lui può comperarla…
Torna e non trova gli amici che aveva,
solo case su case… catrame e cemento!
Là dove c'era l'erba… ora c'è una città
e quella casa in mezzo al verde
ormai dove sarà!
Non so, non so
perché continuano a
costruire le case
e non lasciano l'erba
e no, se andiamo avanti così,
chissà come si farà!

Adriano Celentano,
Il ragazzo della via Gluck

1. Con quali sentimenti il ragazzo va in città? Come reagisce il suo amico?
2. Cosa trova quando torna al suo paese e come si sente?
3. Cosa vuole criticare l'autore della canzone? Cosa ne pensate?
4. Com'è la situazione oggi rispetto agli anni '60? Scambiatevi idee.

4 **Torniamo all'uso del congiuntivo per ricordare quanto abbiamo imparato nell'unità 5. In coppia, fate l'abbinamento. Le soluzioni in Appendice a pagina 197.**

Quando usare il congiuntivo (II)

benché / sebbene nonostante / malgrado	Ho preso con me l'ombrello ... *piovesse*.
purché / a patto a condizione che	L'ho guardata a lungo, ... mi *notasse!*
senza che	Mi hanno dato un aumento, ... io lo *chiedessi*!
nel caso (in cui)	... *mi sentissi* stanco, sono uscito.
affinché / perché	Ricordo quella notte ... *fosse* ieri.
prima che	Ho accettato di uscire con lui, ... *passasse* a prendermi.
a meno che	Dovevo finire ... *cominciasse* la partita.
come se	Sarebbe venuto, ... non *avesse* qualche problema.

5 **Completate le frasi con le congiunzioni della tabella precedente.**

1. Per fortuna siamo arrivati a casa .... si mettesse a piovere.
2. Era pallida .... avesse visto un fantasma!
3. .... litigassero molto spesso, non si sono lasciati mai.
4. Lo prendevano in giro .... lui se ne accorgesse.
5. Era allegro .... la sua squadra avesse vinto!

12 e 13

E Salviamo la Terra!

1 **Leggete la copertina di *Panorama*: quali informazioni potete ricavare sulla situazione attuale e sul futuro dell'ambiente? Dobbiamo davvero preoccuparci? Scambiatevi idee.**

2 **Lavorate in coppia. Di seguito ci sono i quattro paragrafi di un testo. Metteteli nell'ordine giusto cercando di capire il significato generale dell'articolo.**

☐ Sono questi i dati del "Living Planet Report", l'ultimo rapporto del WWF presentato oggi a livello mondiale. "Fare dei cambiamenti che migliorino i nostri standard di vita e riducano il nostro impatto sulla natura non sarà facile – ha detto il direttore generale di WWF International, James Leape – ma se non agiamo subito le conseguenze sono certe e terribili". Ma di chi è la colpa?

☐ Non c'è dubbio che l'Occidente e i suoi abitanti facciano la parte del leone in questo esaurimento delle risorse naturali, mentre i paesi in via di sviluppo, nei cui territori spesso si trova gran parte di queste risorse, subiscono quasi esclusivamente le conseguenze della distruzione degli ecosistemi.

☐ In altri termini, i ritmi dei nostri consumi hanno ormai superato la capacità del pianeta di sostenere la vita. Negli ultimi tre decenni, vale a dire l'arco di una sola generazione, abbiamo allegramente consumato più di un terzo delle risorse che il pianeta metteva a nostra disposizione, come se fossero rigenerabili all'infinito.

1 Un pianeta prossimo al collasso, a cui restano pochi decenni di vita, dopo i quali l'umanità sarà forse costretta ad imbarcarsi verso altri mondi per poter sopravvivere. Intorno al 2050 le risorse della Terra non saranno più sufficienti, se continueremo a sfruttarle a questi ritmi.

adattato da *la Repubblica*

3 **Secondo voi, quale dei seguenti titoli riassume meglio il contenuto dell'articolo?**

EFFETTO SERRA:
LA TERRA HA CALDO!

RECORD DI SPRECHI, FRA 40
ANNI LA TERRA MORIRÀ

RAPPORTO WWF: L'ITALIA
NON RICICLA ABBASTANZA

4 **Lavorate in coppia. A quali espressioni dell'articolo si riferiscono quelle date di seguito? Per aiutarvi vi indichiamo il numero del paragrafo.**

vicino a (1): ....
per dire una cosa in modo diverso (2): ....
la durata (2): ....
senza limiti (2): ....
avere la più grande responsabilità (4): ....

5 **Nel testo precedente abbiamo visto** "come se *fossero* rigenerabili all'infinito" **(2). Ritorniamo su alcune espressioni che richiedono il congiuntivo: fate l'abbinamento.**

Quando usare il congiuntivo (III)

Giorgio era **l'unico che** *potesse*	sposato o single.
Magari tu *avessi ascoltato*	lui non si scoraggiava mai.
Mi **ha chiesto se** tu *fossi*	lo sapevamo già.
Comunque *andassero* le cose	*avessi* mai *conosciuto*.
Lui litigava con **chiunque** *avesse*	aiutarti in quella situazione.
Era **la** donna **più bella** che	i miei consigli!
Che *avessero* dei problemi	idee diverse dalle sue.

La tabella completa in Appendice a pagina 197.

6 **Come abbiamo già visto in *Nuovo Progetto italiano 2a*, unità 5 (pagina 81), il congiuntivo non è richiesto in tutte le occasioni. Completate le seguenti frasi. Le risposte in Appendice alle pagine 197 e 198.**

1. Secondo me, questo libro .... molto bello. *(essere)*
2. Abbiamo vinto anche se non .... migliori. *(essere)*
3. Pensavo che tu .... bravo. *(essere)*
4. Bisognava che tu .... presto. *(fare)*
5. Pensava di .... più intelligente di noi. *(essere)*
6. Bisognava .... subito. *(partire)*

14 - 17

7 Mettete a confronto e commentate le due foto. Quale di queste immagini si vede più spesso nella vostra città? Voi come vi comportate?

F Vocabolario e abilità

1 Lavorate in coppia. Quali di queste cose fanno bene all'ambiente e quali lo danneggiano? Aggiungete altri fattori che conoscete e alla fine confrontate le vostre liste con quelle delle altre coppie.

forme di energia rinnovabili, macchine a benzina, macchine elettriche, risparmiare, sprecare, riciclare, proteggere gli animali in via d'estinzione, usare i mezzi pubblici, usare l'auto, tagliare gli alberi, viaggiare in aereo

2 Quali conseguenze possono avere sul mondo degli animali i problemi ambientali? Gli animali domestici sono al sicuro dai comportamenti negativi dell'uomo? Parlatene in classe.

3 **Guardate i disegni e raccontate la storia.**

CD 2

4 **Ascolto** Quaderno degli esercizi (p. 125)

Role-play

5 **Situazioni**

1. **Sei *A***: hai deciso di trovare una casa in campagna e di vendere l'appartamento che hai in città. Vai in un'agenzia immobiliare e chiedi informazioni sulla casa dei tuoi sogni... ma adatta alle tue possibilità economiche.
   Sei *B*: sei l'impiegato e a pagina 205 troverai tutte le informazioni necessarie per rispondere alle richieste di *A*.
2. Dopo averci pensato per anni, prendi la decisione di andare a vivere fuori città; ne parli con il/la tuo/a partner. Il problema è che lui/lei non è pronto/a a rinunciare alle comodità che offre una metropoli, di cui invece tu sei stanco.

6 **Scriviamo**

1. Ormai gli scienziati sono convinti che l'ambiente dovrebbe essere la priorità di tutti i governi, così come di ogni singolo cittadino. Esprimete la vostra opinione in merito proponendo eventuali misure. *(120-160 parole)*
2. Immaginate di vivere nel 2050: qual è la situazione del pianeta? Come si vive in città? Com'è la campagna? *(120-160 parole)*

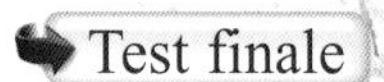

Gli italiani e l'ambiente

L'agriturismo

Agriturismo significa che il turista è ospitato presso un'azienda agricola (quelle che una volta erano chiamate "fattorie"). Inizialmente è stato concepito* per offrire a chi viveva in città la possibilità di fare un'esperienza di vita alternativa, spesso legata al lavoro in campagna. Gradualmente è diventato una vera e propria forma di turismo, sempre in relazione all'ospitalità in un'azienda agricola.
Infatti, se all'inizio una vacanza in un agriturismo significava anche poter condividere i lavori e le fatiche del lavoro agricolo, nel corso degli ultimi anni il soggiorno in un agriturismo è diventato piuttosto un'opportunità per vivere a contatto con la natura e soprattutto poter mangiare prodotti direttamente coltivati nell'azienda agricola, che comprende l'allevamento di animali.
Il numero dei servizi offerti da un'azienda agrituristica sono quindi molteplici: dal pernottamento (di solito il numero di stanze è limitato) alla ristorazione, dalle fattorie didattiche (nelle quali le aziende agricole ospitano le scolaresche) alle degustazioni* di prodotti tipici.
Sono più di 10.000 le aziende agrituristiche in Italia e il fenomeno è in crescita. Non c'è regione italiana dove non siano presenti agriturismi più o meno grandi. Il fenomeno dell'agriturismo ha creato nuove opportunità di sviluppo e contribuisce alla salvaguardia* del territorio rurale*, contribuendo alla permanenza delle giovani generazioni nelle campagne.

1. L'agriturismo è:
- ☐ a. un'azienda agricola dove tutti lavorano
- ☐ b. un modo di vivere all'aperto
- ☐ c. un'azienda agricola che ospita turisti
- ☐ d. un altro termine per indicare le vecchie fattorie

2. Si va in un agriturismo soprattutto per:
- ☐ a. condividere il lavoro con i contadini
- ☐ b. mangiare prodotti tipici
- ☐ c. soggiornare in grandi gruppi
- ☐ d. dormire all'aria aperta

3. Il fenomeno dell'agriturismo:
- ☐ a. ha avuto grande successo negli anni passati
- ☐ b. è presente in poche regioni italiane
- ☐ c. è stato un esempio imitato all'estero
- ☐ d. ha trattenuto i giovani nelle campagne

Glossario: concepire: intendere, ideare; degustazione: l'assaggiare cibi e bevande per riconoscerne la qualità o giudicarne il sapore; salvaguardia: tutela, difesa, protezione; rurale: di campagna; patrimonio: l'insieme dei monumenti storici, delle opere d'arte, e della loro storia, di un Paese; circolo: associazione di persone che si riuniscono per un interesse comune; campagna: attività e iniziative organizzate in funzione di uno scopo; goletta: nave a vela; volontariato: attività volontaria e gratuita svolta dai cittadini per scopi diversi; ecoturismo: turismo alla scoperta e nel rispetto della natura; escursionista: chi fa una gita, soprattutto in montagna; coscienza: sensibilità di fronte a determinati fatti, problemi sociali ecc.

Legambiente

Tutela dell'ambiente, difesa della salute dei cittadini, salvaguardia del patrimonio* artistico italiano... Sono molti i campi in cui *Legambiente* è quotidianamente impegnata, a livello nazionale e locale. La più diffusa associazione ambientalista italiana, infatti, alle grandi battaglie affianca la quotidiana attività di più di 100.000 soci e circa mille tra circoli* e gruppi per l'ambiente sparsi su tutto il territorio nazionale. Le sue campagne* nazionali (come il *Treno Verde*, la *Goletta* Verde*, l'*Operazione Fiumi* e *Salvalarte*) e le grandi giornate di volontariato* (come *Puliamo il Mondo* e l'*Operazione Spiagge Pulite*), hanno ogni anno grandissimo successo, grazie alla numerosa partecipazione dei cittadini.

In Italia ci sono oggi oltre 4 milioni di volontari. Purtroppo, però, oltre ai poveri, ai malati e agli anziani anche l'ambiente ha bisogno d'aiuto. Nella foto un gruppo di volontari pulisce una spiaggia dal petrolio.

Il Parco Nazionale dello Stelvio, *nelle Alpi centrali è il più grande d'Italia. Negli ultimi anni, la superficie dei parchi nazionali è aumentata continuamente e oggi copre più del 10% del territorio italiano. Si può dire ormai che la coscienza* ecologica coinvolge, oltre ai cittadini, anche lo Stato italiano.*

Trekking sul Vesuvio. L'ecoturismo è molto diffuso in Italia, grazie ovviamente ai bellissimi paesaggi che attirano escursionisti* da molti paesi. Il* Sentiero Italia *è infatti il più lungo del mondo fra quelli aperti alla partecipazione di tutti. Ideato negli anni '80, va dalla Sicilia alle Alpi, comprendendo anche la Sardegna.*

Autovalutazione
Che cosa ricordate delle unità 6 e 7?

1. Abbinate le frasi. Nella colonna a destra ce n'è una in più.

1. Ma come ce l'hai fatta?
2. Anche se...
3. Nonostante...
4. In altri termini...
5. Non sa la strada?

a. mi conosceva, non mi ha salutato.
b. Chieda al vigile!
c. fosse già tardi, non siamo andati via.
d. Semplice, con un po' di aiuto.
e. il clima non è più quello di una volta.
f. Si sieda pure!

2. Sapete...? Abbinate le due colonne.

1. dare istruzioni
2. dare il permesso di fare qualcosa
3. presentare un fatto come facile
4. esprimere un desiderio
5. porre condizioni

a. Ci sarei andata a patto che non ci fosse Andrea.
b. Per informazioni vada al primo piano.
c. Magari tu fossi qui adesso!
d. Certo! Apra, non mi dà fastidio.
e. Mah, una cosa da niente!

3. Scegliete la parola adatta per ogni frase.

1. Carla e Fabio vivono in un bell' ... in periferia. *angolo/appartamento/area/ingresso*
2. Molte grandi città sono diventate ... *invivibili/riciclabili/rinnovabili/introvabili*
3. Presto le ... naturali del pianeta si esauriranno. *energie/raccolte/bellezze/risorse*
4. L' ... ha distrutto la produzione agricola. *alluminio/alluvione/ecologia/elettricità*
5. In Italia ci sono molti ... che difendono la natura. *volontari/sprechi/riciclaggi/incendi*

4. Completate o rispondete.

1. Un'associazione ambientalista italiana: ....
2. Una forma di turismo ecologico: ....
3. Un compositore italiano: ....
4. Tre congiunzioni che richiedono il congiuntivo: ....
5. Il congiuntivo imperfetto di *dare* (prima pers. singolare): ....

Verificate le vostre risposte a pagina 194. Siete soddisfatti?

Isola Bella, Lago Maggiore (Lombardia)

Tempo libero e tecnologia

Unità **8**

Per cominciare...

1 Osservate i disegni: in quale di queste immagini vi riconoscete? Cosa fate più spesso?

CD 2

2 **Ascoltate l'inizio del dialogo (fino a "Bravo!"): di quale attività tra quelle viste si parla?**

CD 2

3 **Ascoltate l'intero dialogo e indicate le informazioni presenti.**

1. Amedeo invita Luigi al cinema. ☐
2. Luigi sembra indeciso. ☐
3. Luigi ha comprato un nuovo videogame. ☐
4. Amedeo vorrebbe giocare con Luigi. ☐
5. Amedeo accusa Luigi di essere cambiato. ☐
6. Luigi ama giocare per molte ore al giorno. ☐
7. Secondo Amedeo, Luigi esagera con i videogiochi. ☐
8. Amedeo, invece, preferisce stare con gli amici. ☐
9. Luigi pensa solo a nuovi videogiochi da comprare. ☐
10. Alla fine, Luigi accetta di uscire con gli amici. ☐

In questa unità...

1. *...impariamo a complimentarci/congratularci con qualcuno, a fare ipotesi realizzabili o meno, a esprimere approvazione o disapprovazione e a parlare di tecnologia;*
2. *...conosciamo il periodo ipotetico e i diversi usi di* ci *e* ne*;*
3. *...troviamo informazioni su alcuni scienziati e inventori italiani.*

A Se provassi anche tu...

CD 2

13

1 Ascoltate e leggete il dialogo per confermare le risposte all'attività precedente.

Amedeo: Stasera vieni con noi, no?

Luigi: Mah, non lo so... Sinceramente sono un po' stufo delle solite cose: cinema, pizza... E poi ho comprato quel videogioco di cui ti parlavo!

Amedeo: Ma come, preferisci un videogame ai tuoi amici?! Bravo!

Luigi: Lo devi vedere questo gioco, è straordinario: ha una grafica fantastica, degli effetti che non ti dico e se riesci a raggiungere il livello 5...

Amedeo: Ma quale livello 5?! Guarda che se vai avanti così, ti isolerai: presto non avrai più amici! Tu che eri così estroverso e socievole! Se non ti conoscessi da anni, penserei che sei una persona superficiale.

Luigi: Ma che c'entra l'essere superficiali?! E andare sempre al pub, allora? Se provassi anche tu a giocare, vedresti quanto è interessante.

Amedeo: Ho giocato anch'io, mi piace, ma ci deve essere un limite! Se si imparasse almeno qualcosa, ne varrebbe la pena.

Luigi: Ma sai quante cose ho imparato?

Amedeo: Certo, le caratteristiche di tutti i giochi sul mercato! Se avessi passato tanto tempo a parlare e a divertirti con altre persone, avresti imparato molte più cose... sulla vita, non sulla realtà virtuale.

Luigi: Uffa, parli come mia madre! Ah, a proposito: ti ricordi di quel videogioco di realtà virtuale che aspettavo? È uscito, finalmente!

Amedeo: Ma basta! Ma chi se ne frega?! Va bene, tu resta con i tuoi giochi ed io uscirò con Lidia e Chiara!

2 **Lavorate in coppia. Qual è il significato di queste espressioni pronunciate da Amedeo (A) e Luigi (L)? Abbinate le due colonne.**

Ma come... (A)	Non voglio sentire altro!
...che non ti dico... (L)	Ma che relazione ha...?
Ma che c'entra...?! (L)	...relativamente a questo...
...ne varrebbe la pena... (A)	...avrebbe senso...
...a proposito... (L)	...bellissimi, eccezionali...
Ma basta! (A)	È incredibile...

3 **Amedeo racconta a Chiara cos'è successo. Completate il dialogo con i verbi adatti.**

Chiara: Di nuovo Luigi non è venuto?
Amedeo: No. Sarebbe venuto, se non avesse comprato/avesse visto un nuovo gioco!!!
Chiara: Sbaglio o sei arrabbiato con lui?
Amedeo: Un po' sì. Sai, è molto cambiato ultimamente: sta ore e ore davanti al computer e il suo tempo libero lo passa tutto in internet.
Chiara: E sarebbe/avrebbe meglio se guardasse la tv?
Amedeo: No, ma tu credi che sia normale? Ormai l'unica cosa che gli interessa sono i videogiochi.
Chiara: Ma tu hai provato a giocare con lui?
Amedeo: Se avrò/avessi sedici anni, mi sembrerebbe naturale, ma non a questa età. Dimmi una cosa: se Lidia preferisse/cominciasse leggere anziché uscire con te, saresti contenta?
Chiara: Se Lidia si metterà a leggere ho cominciato/comincerò a preoccuparmi veramente! Se, invece, è/fosse un'appassionata di computer, probabilmente faremmo/facciamo insieme nuove amicizie via internet!
Amedeo: Ma che succede? Solo io uso il computer per lavorare?!

4 **Lavorate in coppia. Alcune coppie, a scelta, riassumeranno il dialogo introduttivo con una frase di circa 10-15 parole, mentre le altre con due frasi di circa 20-25 parole in tutto. Alla fine confrontate i vostri riassunti.**

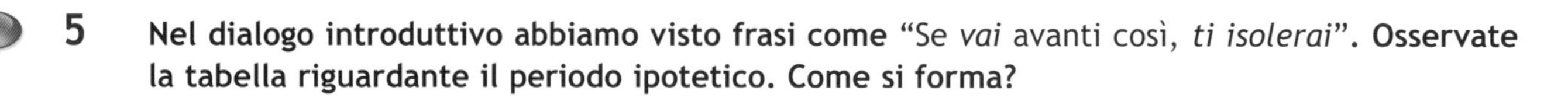

5 **Nel dialogo introduttivo abbiamo visto frasi come "Se *vai* avanti così, *ti isolerai*". Osservate la tabella riguardante il periodo ipotetico. Come si forma?**

Periodo ipotetico, 1° tipo: realtà - certezza

Se **vengono** le ragazze, **vengo** anch'io.
Se non **verranno**, allora **resterò** a casa.

6 **Completate liberamente le frasi che seguono.**

1. Se stasera ci sarà qualche bel film alla televisione...
2. Se il fine settimana farà bel tempo...
3. Secondo me, se uno vuole divertirsi...
4. Se non sarò impegnato...

7 **Osservate anche la seguente tabella. In quali occasioni usereste questo secondo tipo di periodo ipotetico?**

Periodo ipotetico, 2° tipo: possibilità / impossibilità nel presente

Secondo te, **sarebbe** meglio **se guardasse** la TV?
Se Lidia **preferisse** leggere anziché uscire, ti **sembrerebbe** logico?
Se **potessi** essere un animale, **vorrei** essere un leone.
Se **fossi** in te, non lo **farei**.

8 **Completate il testo coniugando i verbi tra parentesi. Cosa farebbe un bambino napoletano se fosse miliardario?**

Se fossi miliardario

Se *(essere)* .... miliardario non *(fare)* .... come Berlusconi. Lui è miliardario solo per sé e per la sua famiglia, ma per gli altri non lo è. Io se *(essere)* .... ricco come lui, *(fare)* .... il bene, per andare in Paradiso.
Se io fossi miliardario *(dare)* .... tutto ai poveri, ai ciechi e al Terzo Mondo.
Se io *(avere)* .... molti soldi *(costruire)* .... tutta Napoli nuova e *(fare)* .... i parcheggi. Ai ricchi di Napoli non *(dare)* .... una lira, ma ai poveri tutto.
Per me *(comprare)* .... una Ferrari vera e una villa. Se *(avere)* .... molti miliardi a papà non lo farei più lavorare, ma lo *(fare)* .... stare in pensione a riposarsi.
Io tutto questo lo potrò fare, se *(vincere)* .... il biglietto delle lotterie che ha comprato papà.

tratto dal libro *Io speriamo che me la cavo* di Marcello D'Orta

E voi cosa fareste se diventaste molto ricchi?

1 - 3

B Complimenti!

CD 2 14

1 Ascoltate i mini dialoghi e indicate in quali la reazione è positiva e in quali negativa.

	positiva	negativa
1.		
2.		
3.		
4.		
5.		
6.		
7.		
8.		

CD 2 14

2 Ascoltate di nuovo e completate.

Congratularsi - Approvare	Disapprovare
Complimenti!	....
....	....
....	....
....	....

Role-play

3 Sei *A*: parla a *B*...

Sei *B*: rispondi a quello che ti dice *A* usando le espressioni appena ascoltate.

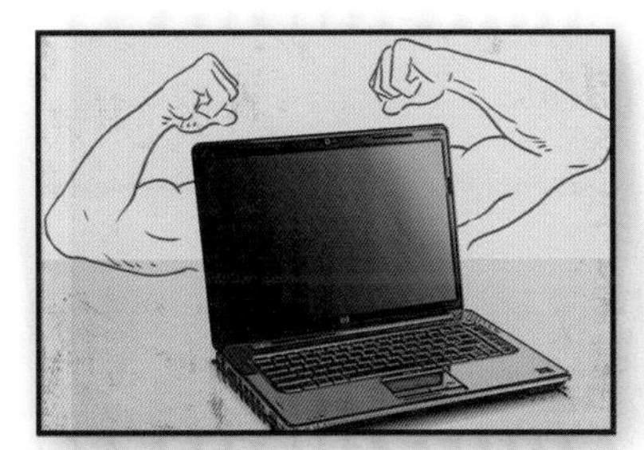

del computer molto potente che hai comprato

dello sciopero generale di domani

dell'esame che hai superato

del film che volevate vedere e che non danno più

della tua intenzione di stare a casa per giocare con il computer

del tuo nuovo videofonino

4 **Confrontate le due frasi: che differenza c'è, secondo voi, tra i due tipi di periodo ipotetico?**

Se non giocasse sempre con il computer, uscirebbe più spesso con noi.

Se non avesse giocato tutta la sera al computer, sarebbe uscito con noi.

5 **Osservate la tabella e completate liberamente le frasi che seguono.**

Periodo ipotetico, 3° tipo: impossibilità nel passato

Se **fossimo tornati** prima, **avremmo visto** tutto il film.
Se tu **avessi letto** quell'articolo, **ti saresti arrabbiato** molto.

1. Se le avessi proposto di sposarmi...
2. Se ieri tu fossi venuto con noi...
3. Se mi avessero avvisato…
4. Se avessi telefonato in tempo...

6 **Adesso confrontate queste due frasi. Che cosa notate?**

Se avessi finito l'università, *sarei diventato* un avvocato.
Se avessi preso la laurea, oggi *sarei* un avvocato di successo.

7 **Osservate la tabella e, in coppia, scrivete una frase simile.**

Ipotesi al passato con conseguenza nel presente

Se tu **avessi accettato** quella proposta, *ora* **saresti** molto ricco.
Se non **fosse partito** per l'America, *oggi* **sarebbe** un impiegato.

Altre forme di periodo ipotetico in Appendice a pagina 198.

4 - 9

C Tutti al computer!

1 **Descrivete e commentate queste foto.**

2 Rispondete.

1. Voi conoscete bambini che usano molto il computer? Parlatene.
2. Secondo voi, la realtà che descrivono le foto è positiva o negativa?
3. Ricordate i primi computer che avete usato? Cosa è cambiato da allora? Scambiatevi idee e... ricordi.
4. Quanti di voi usano la posta elettronica e per quali motivi?

3 **Nelle e-mail che ricevete cosa vi dà fastidio o non vi piace? Leggete il testo per vedere se sono le stesse cose che segnala l'autore. Infine, rispondete alle domande.**

Le cose che facciamo al computer

Forse i primi italiani che usavano il telefono ci gridavano dentro come se fosse un megafono (alcuni miei conoscenti lo fanno ancora). Poi gli utenti hanno capito che il nuovo mezzo imponeva nuove regole. Non si poteva chiamare la gente alle quattro del mattino e, soprattutto, non si doveva mai, in nessun caso, telefonare a qualcuno e dire: "Pronto chi parla?".
La posta elettronica ha attraversato la stessa fase pionieristica, ma forse ha ancora bisogno di regole. Eccone alcune, frutto di una certa pratica (e alcune sofferenze).

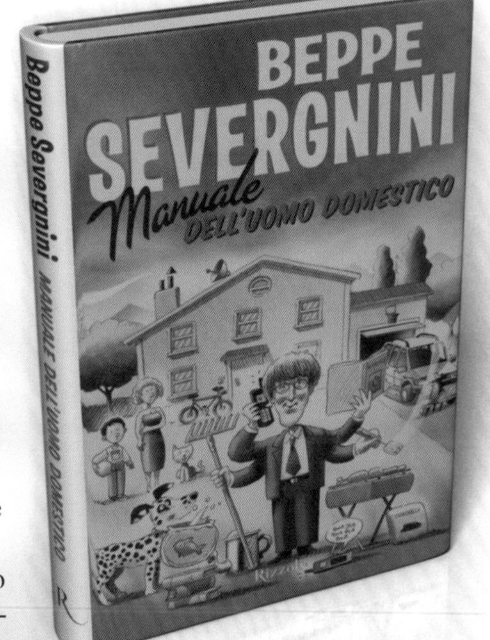

1. Non è necessario spedire il messaggio in cinque copie. Una, basta.
2. Non è il caso di telefonare per sapere se il messaggio è arrivato.
3. Evitate messaggi lunghi. Tre paragrafi è il massimo consentito (se è una dichiarazione d'amore, due bastano).
4. Evitate messaggi troppo cerimoniosi. "Spett. Dott. Ing.", "Ch.imo Dr. Prof." fanno già ridere sulla carta. Sullo schermo sono grotteschi.
5. Evitate messaggi troppo informali. Se scrivete a Umberto Eco, non potete cominciare con: "Ehilà, Berto!".
6. Rispondere è cortese, ma non è obbligatorio.
7. Soprattutto evitate di spedire disegnini, canzoncine, foto del gatto, a meno che non siate in confidenza col destinatario (o non vogliate punirlo).
8. Noi italiani, in cerca di rassicurazione, abbiamo chiamato "chiocciolina" il simbolo @ (in inglese: *at*), rifilando il nome dell'animale più lento al mezzo di comunicazione più veloce. Chiamare il computer Fido e il mouse Sorcetto, però, è eccessivo.
9. Non preoccupatevi troppo della sintassi o dell'ortografia. Ma un po', sì. Rileggete almeno una volta. Evitate di scrivere: "Caro Teresa, devi spere cheho fto tardi ieri sera e non è star possibile chiamlareti al telefono; Fatt viva. Ciao, Monica". In un messaggio un errore, frutto della fretta, è perdonabile. Quindici no!
10. Scrivete solo se avete qualcosa da dire!

tratto da *Manuale dell'uomo domestico* di Beppe Severgnini

1. Quale "regola" vi sembra più importante? In quale "errore" vi riconoscete? Parlatene.
2. Avete capito la frase tra virgolette del punto 9? Vediamo chi riesce a... correggerla meglio!

4 **Usate internet e per quali motivi? Secondo voi, quali sono i pro e i contro di questo mezzo?**

5 **Quali delle parole che seguono conoscete già? Potete indovinare il contenuto della trasmissione che ascolteremo?**

eccessivo abuso incollato dipendenza patologia terapia

CD 2

6 **Ascoltate il brano e indicate le affermazioni veramente esistenti.**

1. La trasmissione è dedicata ai vantaggi che offre la tecnologia.
2. Il tribunale ha condannato un uomo a stare lontano dal pc per un anno.
3. L'uomo passava davanti al computer circa 12 ore al giorno.
4. La moglie dell'uomo si è rivolta ad uno psicologo.
5. L'uomo era completamente estraneo al mondo circostante.
6. Per il compleanno della figlia, l'uomo le ha regalato un microfono per pc.
7. Esiste una clinica per curare la dipendenza da pc.
8. La clinica è la prima al mondo nel suo genere.
9. Il percorso di disintossicazione dura circa 2 mesi.

7 **Nelle notizie appena ascoltate abbiamo incontrato diversi usi di *ci*:** "oggi *ci* occuperemo", "*ci* passa 10-12 ore al giorno", "non *ce la fa* più". **Lavorate in coppia e abbinate gli esempi dati all'esatta funzione svolta da *ci*.**

Usi di *ci*

Ciao, **ci** vediamo..., **ci** sentiamo... Insomma, a presto!	*ci* pleonastico
È molto gentile: **ci** saluta sempre!	pronome diretto (*noi*)
I tuoi genitori **ci** hanno portato i dolci?! Come mai?	pronome riflessivo
-Hai tu le mie chiavi? -No, non **ce** le ho io.	espressioni particolari
Lui ha inventato una scusa, ma non **ci** ho creduto!	pronome indiretto (*a noi*)
Con Donatella? **Ci** sto molto bene.	ad una cosa / persona
A Roma? Sì, **ci** sono stata due volte.	con qualcosa / qualcuno
Ragazzi, andate più piano; non **ce** la faccio più!	in un luogo

In Appendice, a pagina 198, troverete una lista completa degli usi di *ci*.

10

D Pronto, dove sei?

1 **Leggete questa pagina web promozionale e rispondete alle domande *(15-25 parole)* cercando di non ripetere le parole del testo.**

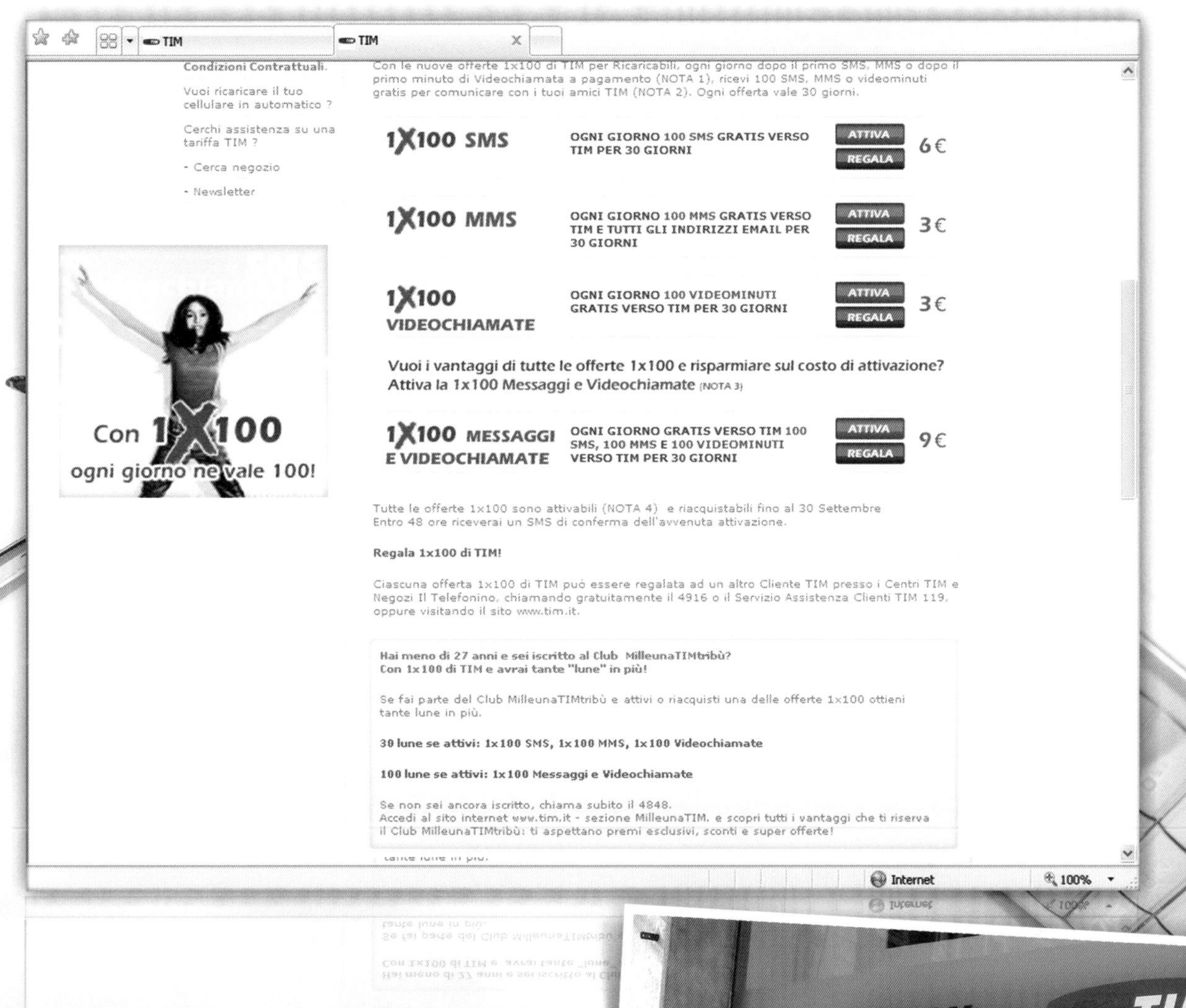

Condizioni Contrattuali.

Vuoi ricaricare il tuo cellulare in automatico ?

Cerchi assistenza su una tariffa TIM ?

- Cerca negozio

- Newsletter

Con 1X100 ogni giorno ne vale 100!

Con le nuove offerte 1x100 di TIM per Ricaricabili, ogni giorno dopo il primo SMS, MMS o dopo il primo minuto di Videochiamata a pagamento (NOTA 1), ricevi 100 SMS, MMS o videominuti gratis per comunicare con i tuoi amici TIM (NOTA 2). Ogni offerta vale 30 giorni.

1X100 SMS	OGNI GIORNO 100 SMS GRATIS VERSO TIM PER 30 GIORNI	ATTIVA / REGALA	6€
1X100 MMS	OGNI GIORNO 100 MMS GRATIS VERSO TIM E TUTTI GLI INDIRIZZI EMAIL PER 30 GIORNI	ATTIVA / REGALA	3€
1X100 VIDEOCHIAMATE	OGNI GIORNO 100 VIDEOMINUTI GRATIS VERSO TIM PER 30 GIORNI	ATTIVA / REGALA	3€

Vuoi i vantaggi di tutte le offerte 1x100 e risparmiare sul costo di attivazione?
Attiva la 1x100 Messaggi e Videochiamate (NOTA 3)

1X100 MESSAGGI E VIDEOCHIAMATE	OGNI GIORNO GRATIS VERSO TIM 100 SMS, 100 MMS E 100 VIDEOMINUTI VERSO TIM PER 30 GIORNI	ATTIVA / REGALA	9€

Tutte le offerte 1x100 sono attivabili (NOTA 4) e riacquistabili fino al 30 Settembre
Entro 48 ore riceverai un SMS di conferma dell'avvenuta attivazione.

Regala 1x100 di TIM!

Ciascuna offerta 1x100 di TIM può essere regalata ad un altro Cliente TIM presso i Centri TIM e Negozi Il Telefonino, chiamando gratuitamente il 4916 o il Servizio Assistenza Clienti TIM 119, oppure visitando il sito www.tim.it.

Hai meno di 27 anni e sei iscritto al Club MilleunaTIMtribù?
Con 1x100 di TIM e avrai tante "lune" in più!

Se fai parte del Club MilleunaTIMtribù e attivi o riacquisti una delle offerte 1x100 ottieni tante lune in più.

30 lune se attivi: 1x100 SMS, 1x100 MMS, 1x100 Videochiamate

100 lune se attivi: 1x100 Messaggi e Videochiamate

Se non sei ancora iscritto, chiama subito il 4848.
Accedi al sito internet www.tim.it - sezione MilleunaTIM. e scopri tutti i vantaggi che ti riserva il Club MilleunaTIMtribù: ti aspettano premi esclusivi, sconti e super offerte!

1. Che cosa si pubblicizza?

....

....

....

2. A chi si rivolge questa offerta?

....

....

....

3. Potreste proporre un'offerta diversa a voi più conveniente?

....

....

....

2 **Nella pagina precedente abbiamo visto** “Ogni giorno *ne* vale 100”. ***Ne*** **è una parola che assume significati diversi:** ***ne*** **partitivo, “di qualcosa/qualcuno”, “da un luogo/una situazione”. A coppie, abbinate domande e risposte.**

Usi di *ne*

1. Quante e-mail ricevi al giorno?	a. **Ne** ho ventitré.
2. Quanti anni hai, Franco?	b. Perché non **ne** so niente.
3. Come va con Gino?	c. Sì... e non so come uscir**ne**.
4. Gli hai parlato del prestito?	d. Sì, ma non **ne** vuole sapere!
5. Ma perché tante domande su Serena?	e. **Ne** sono innamorata come il primo giorno!
6. È così brutta questa situazione?	f. **Ne** ricevo parecchie.

In Appendice, a pagina 199, troverete una lista completa degli usi di *ne*.

3 **Completate le frasi con** ***ci*** **o** ***ne*****.**

1. Mi ha proposto di lavorare con lui e gli ho risposto che .... devo pensare.
2. Io sono sicuro che vincerà l’Inter: .... scommetti?
3. Non voglio scommettere perché io non .... sono sicuro.
4. Non vi piace questo libro? Purtroppo .... sono l’autore!
5. Ah, l’amore: a tuo nonno piaceva parlar............. ...quando era giovane!
6. .... ha parlato della sua decisione di andare in pensione.

11 e 12

4 **L’uomo nella foto è Martin Cooper, l'inventore del cellulare. Il primo modello del 1973 pesava un chilo e aveva una batteria ricaricabile in 10 ore...! Come sarebbe la nostra vita senza questa invenzione? Come pensate che si svilupperà la tecnologia legata ai telefonini? Parlatene.**

5 **In coppia, cercate di capire eventuali parole che non conoscete. Poi, individualmente, completate il testo che segue con le parole adatte.**

	a)	b)	c)	d)
1.	a) pensato	b) previsto	c) saputo	d) sentito
2.	a) fischia	b) batte	c) squilla	d) urla
3.	a) Sento	b) Ascolto	c) Riconosco	d) Noto
4.	a) bello	b) necessario	c) utile	d) importante
5.	a) possibile	b) normale	c) giusto	d) regolare
6.	a) commentare	b) approvare	c) valutare	d) criticare
7.	a) minimo	b) massimo	c) minore	d) migliore
8.	a) innamorati	b) sensi	c) sentimenti	d) problemi
9.	a) bellezza	b) allegria	c) gioia	d) onore
10.	a) accorto	b) pensato	c) preoccupato	d) notato

In treno

Prendo l'Intercity Roma-Napoli delle 10.30. Ho con me un libro piuttosto difficile da digerire: *Essere e tempo* di Heidegger. Sono d'accordo: per un viaggio Roma-Napoli andava meglio una cosina più leggera. Non avevo (1) ...., infatti, la presenza dei telefonini. Nel mio scompartimento ce ne sono due e tutti e due in funzione. Ho appena cominciato a leggere che (2) .... il primo telefonino, quello del signore che mi sta seduto accanto. In quel momento sono alle prese con quel brano di Heidegger dove il filosofo si chiede se l'essenza dell'essere coincide con la verità. (3) .... lo squillo e mi blocco. Dico a me stesso: "Voglio proprio vedere adesso questo scostumato che cosa ha da dire di tanto (4) ....".

"Ciao cara", dice lo scostumato, "abbiamo appena superato Valmontone".

Roba da non credere! Sono le 10.45 e siamo partiti alle 10.30. È (5) ...., quindi, che abbiamo appena superato Valmontone! A me non sembra una notizia così importante da giustificare il disturbo arrecato a tutto lo scompartimento. Non faccio in tempo, però, a (6) .... il mio vicino che il giovanotto che mi sta di fronte viene anche lui chiamato da un telefonino.

"Ciao Deborah", dice il giovanotto, "lo sai che ieri non sono riuscito a prender sonno? E sai perché? Perché pensavo a te e a tutte le cose carine che mi avevi detto. Poi ti ho sognato e tu mi hai abbracciato come solo tu sai fare".

Ora, io dico: tu devi comunicare a una persona dei pensieri piuttosto intimi; il (7) .... che puoi fare è andar in corridoio e dire tutto quello che vuoi: "Ti amo, ti adoro, ti desidero" e via dicendo. Quello che non puoi fare è rendere partecipi dei tuoi (8) .... due estranei che ti stanno seduti di fronte. [...]

Non passano due minuti quand'ecco squillare di nuovo il telefonino del playboy.

"Ciao Simonetta, come stai? Che (9) .... sentirti... Ma che dici? Io penso solo a te".

"Scusi", avrei voluto dirgli, "ma lei non pensava solo a Deborah? Perché non lo dice anche a Simonetta che pensava solo a Deborah?"

Il mio vicino di posto, essendosi (10) .... che non ho un telefonino, mi dice: "Mi permetta, ingegnere: ho visto che lei non ha un telefonino. Ora, senza complimenti, se vuole approfittare del mio... che so io... magari per fare una telefonata a casa..." e me lo piazza in mano.

"Grazie" gli dico, "farò un salutino a mia figlia. Magari le farà piacere".

"Ciao Paola, sono papà... sto in treno... sì, sì..., abbiamo appena superato Valmontone".

adattato da *Il pressappoco* di Luciano De Crescenzo

6 Rispondete.

1. Fate un breve riassunto del testo.
2. Avete il cellulare? Quanto è importante per voi? Potreste/Vorreste farne a meno?
3. In quali occasioni il telefonino vi dà fastidio e perché? Come vi comportate in questi casi?

E Vocabolario e abilità

1 Abbinate immagini e parole.

1. schermo 2. tastiera 3. mouse 4. stampante 5. lettore cd 6. altoparlante 7. cuffie 8. processore 9. macchina fotografica digitale 10. scheda memoria 11. cavo/filo 12. destinatario 13. oggetto 14. allegato

2 **Lavorate in coppia. Completate la griglia come nell'esempio. Per ogni verbo viene indicato tra parentesi il numero dei possibili abbinamenti.**

	il volume	la batteria	un'e-mail	canzoni da Internet	un tasto	un pro-gramma	un file
scaricare (4)							✓
installare (1)							
salvare (3)							
premere (1)							
inviare (2)							
alzare (1)							
ricaricare (1)							

CD 2

3 **Ascolto** Quaderno degli esercizi (p. 140)

4 **Situazioni**

1. **Sei *A***: anche se sai usare un po' il computer, credi che un corso specifico ti sarebbe molto utile. Non ti interessa tanto un certificato quanto imparare le cose fondamentali: il sistema operativo, i programmi più diffusi e Internet. Chiami una scuola di computer e fai delle domande su lezioni, orari, prezzi ecc.
   Sei *B*: a pagina 206 troverai tutte le informazioni di cui ha bisogno *A*.

2. **Sei *A***: stai viaggiando in treno e ti sei quasi addormentato quando squilla il cellulare della persona seduta accanto a te (*B*) che parla ad alta voce come se fosse a casa sua! Le chiedi gentilmente di abbassare la voce e di togliere la suoneria. In quel momento, però, squilla il tuo telefonino. Rispondi e poi ti giustifichi spiegando che era un'emergenza.
   Sei *B*: rispondi ad *A* spiegandogli i motivi per cui non puoi accontentarlo.

5 **Scriviamo**

1. Hai comprato alcuni libri su una libreria online e hai pagato con la tua carta di credito. Tutto sembra a posto, ma due settimane dopo i libri non sono arrivati. Scrivi un'e-mail ai responsabili del sito per esporre la situazione e chiedere spiegazioni o il rimborso della somma spesa.

2. "Penso che nel mondo ci sarà mercato forse per 4 o 5 computer" (Thomas Watson, Presidente della IBM, 1943): a volte non si comprende subito il valore o l'importanza di certe scoperte. Scrivi le tue impressioni e le tue idee in proposito. *(120-140 parole)*

Scienziati e inventori italiani

Se la tecnologia ci circonda è anche merito del genio* di alcuni scienziati italiani. Vediamo in breve chi sono stati e qual è stato il loro contributo* al progresso dell'umanità.

Galileo con un suo allievo

Galileo Galilei (1564-1642). Fu il fondatore del metodo scientifico sperimentale*. Compì importantissimi studi ed esperimenti di meccanica, costruì il termoscopio*, ideò e costruì il compasso*, perfezionò il telescopio con il quale scoprì i satelliti di Giove e le macchie solari, la cui osservazione gli provocò problemi di vista, e, infine, inventò il microscopio.
Le sue scoperte astronomiche lo portarono a sostenere la teoria di Copernico, secondo la quale era la Terra a girare intorno al Sole e non il contrario. Tale teoria, però, contraddiceva quella della Chiesa che voleva la Terra al centro dell'universo. Davanti all'Inquisizione*, per evitare la condanna al carcere, l'ormai vecchio Galileo preferì rinnegare* pubblicamente la teoria copernicana. In seguito, però, pronunciò la famosa frase, riferendosi alla terra: "Eppur si muove!".

Alessandro Volta (1745-1827). È dal suo nome che deriva il *volt*, l'unità di misura dell'elettricità. Nel 1779, quando ottenne la cattedra di fisica sperimentale all'Università di Pavia, era già conosciuto per l'invenzione dell'elettroforo, strumento per accumulare* cariche elettriche*. Nel 1800, dopo vari esperimenti, inventò la batteria elettrica, un'invenzione che aprì la via all'uso pratico dell'elettricità.

Antonio Meucci (1808-1889). Nel 1863 riuscì a costruire un apparecchio telefonico, usando la stessa tecnica di trasmissione della voce che si usa ancora oggi. Purtroppo, non aveva i soldi né per brevettare*, né per produrre la sua invenzione, come fece invece Graham Bell, tredici anni dopo, con un apparecchio simile. In seguito, Meucci morì in povertà dopo aver perso la causa contro Bell, che per più di un secolo è stato considerato l'inventore del telefono.

Marconi davanti alla sua invenzione

Guglielmo Marconi (1874-1937). Intuì per primo la possibilità di utilizzare le onde elettromagnetiche per trasmettere messaggi a distanza senza l'uso di fili. A questo scopo perfezionò l'apparecchio trasmittente e quello ricevente con l'uso di un'antenna. Nel 1896 brevettò la sua invenzione e l'anno successivo riuscì a trasmettere segnali a una nave a oltre 15 km di distanza. Negli anni successivi realizzò altri impressionanti esperimenti, tra cui il primo collegamento radiotelegrafico attraverso l'Atlantico. Nel 1909 ottenne il premio Nobel per la Fisica. In seguito si dedicò al perfezionamento della radiotelegrafia e della radio. Con le sue invenzioni, Guglielmo Marconi cambiò praticamente il mondo ed è giustamente considerato il "padre" delle telecomunicazioni.

1. Galileo Galilei
- [ ] a. influenzò in modo decisivo la scienza
- [ ] b. era solo inventore
- [ ] c. non era d'accordo con Copernico
- [ ] d. rinunciò definitivamente alla sua teoria

2. Sia A. Volta che A. Meucci
- [ ] a. ottennero il riconoscimento che meritavano
- [ ] b. diventarono ricchi
- [ ] c. fecero invenzioni pratiche
- [ ] d. erano docenti universitari

3. Guglielmo Marconi inventò
- [ ] a. il telefono cellulare
- [ ] b. la televisione
- [ ] c. il telegrafo senza fili e la radio
- [ ] d. l'antenna

Quale personaggio o invenzione ritenete più importante e perché? Scambiatevi idee.

Leonardo da Vinci (1452-1519). Fu un grande pittore (nella prossima unità vedremo alcuni dei suoi capolavori), ma fu anche uno dei più grandi geni di tutti i tempi: le sue opere di ingegneria e le sue innumerevoli invenzioni ne sono la prova. Vediamo di seguito alcune di quelle che concepì per primo e che sono state realizzate solo molto tempo dopo la sua morte.

A sinistra il progetto di Leonardo per l'elicottero; al centro la bicicletta e, sopra, una ricostruzione dell'automobile che ideò.

Glossario: genio: grande talento e intelligenza; contributo: quello che ciascuno dà per uno scopo comune; sperimentale: detto di un metodo che si basa sull'esperienza e sugli esperimenti; termoscopio: strumento capace di indicare, ma non di misurare, un cambiamento di temperatura in un corpo; compasso: strumento usato per disegnare circonferenze o per misurare brevi distanze; Inquisizione: tribunale della Chiesa cattolica creato nel XIII secolo per giudicare gli eretici, cioè tutti coloro che non seguivano le leggi della Chiesa; rinnegare: non riconoscere più un'idea, una teoria, una fede in cui si credeva; accumulare: raccogliere in gran quantità; carica (elettrica): quantità di elettricità contenuta in un corpo; brevettare: avere il brevetto, cioè un documento ufficiale che riconosce a una persona la proprietà di un'invenzione e il diritto di sfruttarla.

Attività online

Autovalutazione
Che cosa ricordate delle unità 7 e 8?

1. Sapete...? Abbinate le due colonne. Nella colonna a destra c'è una frase in meno.

1. congratularsi
2. disapprovare
3. fare una domanda indiretta
4. formulare un'ipotesi realizzabile
5. formulare un'ipotesi impossibile
6. presentare un fatto come facile

a. Non è stato un problema, anzi.
b. Se avessi potuto, sarei venuta.
c. Se è così, ti faccio i complimenti!
d. Ha chiesto se tu avessi dei problemi.
e. Ma non è possibile, sempre questa storia!

2. Abbinate le frasi.

1. Stefania ha perso il cellulare.
2. Perché avete cambiato idea?
3. Papà, anche questa volta non ce l'ho fatta.
4. Ecco, il cd che mi avevi chiesto.
5. Congratulazioni, come avete fatto?

a. Perché non ne valeva la pena.
b. Bravo, credevo l'avessi dimenticato.
c. È incredibile... è la terza volta in un mese!
d. Mah, una cosa da nulla.
e. Ma non è possibile! Avevi studiato tanto!

3. Completate o rispondete.

1. Il 'padre' delle telecomunicazioni: ....
2. Altri due grandi scienziati italiani: ....
3. *Ci* può sostituire vari tipi di pronomi, scrivetene due: ....
4. Il congiuntivo trapassato di *essere* (seconda pers. plurale): ....

4. Scrivete i verbi da cui derivano i sostantivi e viceversa.

1. l'installazione ....
2. il collegamento ....
3. allegare ....
4. chiamare ....
5. inventare ....
6. stampare ....
7. il riciclaggio ....
8. il clic ....

Verificate le vostre risposte a pagina 194. Siete soddisfatti?

Duomo di Amalfi (Campania)

L'arte... è di tutti!

Per cominciare...

1 **Secondo voi, qual è il titolo e l'autore di queste opere? In coppia, fate gli abbinamenti. Quale di queste opere vi piace di più e perché?**

1. **Caravaggio**, *Ragazzo con il liuto* (1595), 2. **Leonardo da Vinci**, *La Monna Lisa* (1510-15), 3. **Michelangelo**, *La creazione di Adamo* (1510), 4. **Botticelli**, *La Nascita di Venere* (1484), 5. **Giorgio De Chirico**, *Mistero e malinconia di una strada* (1914), 6. **Raffaello**, *La scuola di Atene* (1509)

CD 2 17

2 **Ascoltate il dialogo. Quali degli artisti del punto precedente avete sentito nominare?**

CD 2 17

3 **Ascoltate di nuovo e indicate le affermazioni corrette.**

1. Francesco si meraviglia che
   - a. siano state rubate tante opere
   - b. ci sia stato un furto agli Uffizi
   - c. siano state rubate opere famose
   - d. la polizia abbia già arrestato i ladri

2. Il furto è avvenuto
   - a. subito dopo la chiusura
   - b. prima dell'apertura della Galleria
   - c. mentre la Galleria era piena di gente
   - d. durante la notte

3. I ladri
   - a. lavoravano come guardiani
   - b. hanno arrestato i guardiani
   - c. si sono vestiti da guardiani
   - d. sono fuggiti senza problemi

4. Le opere rubate
   - a. sono state trovate
   - b. non sono facili da vendere
   - c. sono state vendute a un prezzo altissimo
   - d. non sono molto importanti

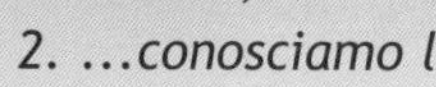

In questa unità...

1. *...impariamo a riportare una notizia, a chiedere conferma, a confermare qualcosa e a parlare di arte;*
2. *...conosciamo la forma passiva e il si passivante;*
3. *...troviamo alcuni proverbi italiani, informazioni sull'arte e sugli artisti italiani.*

A Furto agli Uffizi!

CD 2 17

1 In base a quello che ricordate, completate il dialogo. In seguito, riascoltatelo per confermare le vostre risposte.

Stefania: Hai sentito del furto agli Uffizi, no?

Francesco: Agli Uffizi?! Dai... Ma, sul serio?!

Stefania: Sì, una cosa ....! Dalla sala restauro sono state rubate opere di Tiziano, di Caravaggio e di Leonardo!

Francesco: Dio mio! Agli Uffizi che è considerato uno dei .... più sicuri del mondo?!

Stefania: È veramente un mistero. A quanto pare, il furto è avvenuto sabato mattina!

Francesco: E pensare che la Galleria viene visitata da .... di persone ogni giorno. Magari i ladri si saranno vestiti da guardiani. L'ho visto fare in un film...

Stefania: Non credo. Secondo il telegiornale, hanno approfittato della ...., non sono stati notati dai guardiani, quelli veri, e poi chi si è visto si è visto.

Francesco: E ora, chissà a che cifre saranno venduti questi ....!

Stefania: Dici? Mah, non lo so, sono troppo noti e anche troppo cari. Chi li potrebbe comprare? Certo non un altro museo!

Francesco: No, ma possono essere comprati da qualche .... Ricordo un film in cui c'era un ricco imprenditore che commissionava a dei ladri furti di opere d'arte per poterle .... da solo, in solitudine.

Stefania: Comunque, ho sentito che i custodi vengono interrogati dai Carabinieri. Secondo me, qualcuno di loro è coinvolto nel ....

Francesco: Non c'è dubbio: anche questo l'ho visto in un film!

La Galleria degli Uffizi e, sullo sfondo, Palazzo Vecchio.

2 **Lavorate in coppia. Scegliete le affermazioni corrette.**

1. Quando viene a sapere del furto, Francesco dice "Dai..." perché: a. aveva già sentito la notizia, b. la notizia non lo sorprende, c. non si aspettava questa notizia.
2. Stefania dice "A quanto pare..." come per dire: a. "sicuramente", b. "probabilmente", c. "incredibilmente".
3. Quando poi Stefania dice "chi si è visto si è visto!" intende che: a. la polizia sa chi sono i ladri, b. c'è chi ha visto i ladri, c. i ladri sono scappati via.
4. Francesco, infine, parla di qualcuno che "commissionava furti di opere d'arte" nel senso che: a. le rubava per abitudine, b. qualcun altro le rubava per lui, c. le rubava molto spesso.

3 **Vediamo ora il servizio del telegiornale sul furto agli Uffizi. Completate il testo con i verbi che seguono:** ***sono stati rubati, saranno interrogati, sono state rubate, è considerata, sono stati notati, sono stati ripresi, viene visitata.***

giornalista: Apriamo il nostro telegiornale con il clamoroso furto avvenuto ieri alla *Galleria degli Uffizi*, a Firenze: dalla sala restauro .... preziosissime opere di Tiziano, di Caravaggio e di Leonardo da Vinci. Ci colleghiamo subito con il nostro inviato, Filippo Giornalini. Buongiorno, Filippo.

inviato: Buongiorno, Anna. Come hai detto, ... quadri di inestimabile valore... e pensare che quella degli Uffizi .... una delle gallerie più sicure del mondo e ogni giorno .... da migliaia di persone.

giornalista: Filippo, i ladri .... dalle telecamere?

inviato: Probabilmente no. E purtroppo non .... neanche dai guardiani. Come ha annunciato stamattina il Ministro per i Beni Culturali, i custodi .... dai Carabinieri: pare che uno di loro sia coinvolto nel furto.

giornalista: Ma ci sono già informazioni al riguardo?

inviato: No, Anna, ma è chiaro: nei film succede sempre così!!!

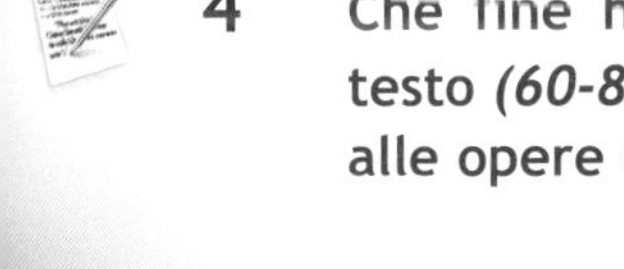

4 **Che fine hanno fatto i quadri rubati? Scrivete un breve testo** ***(60-80 parole)*** **in cui immaginate che cosa è successo alle opere dopo il furto.**

5 **I verbi dati nell'attività 3 sono alla forma passiva. Come si forma in italiano? E nella vostra lingua?**

6 **Osservate la tabella e poi cercate di completare le frasi.**

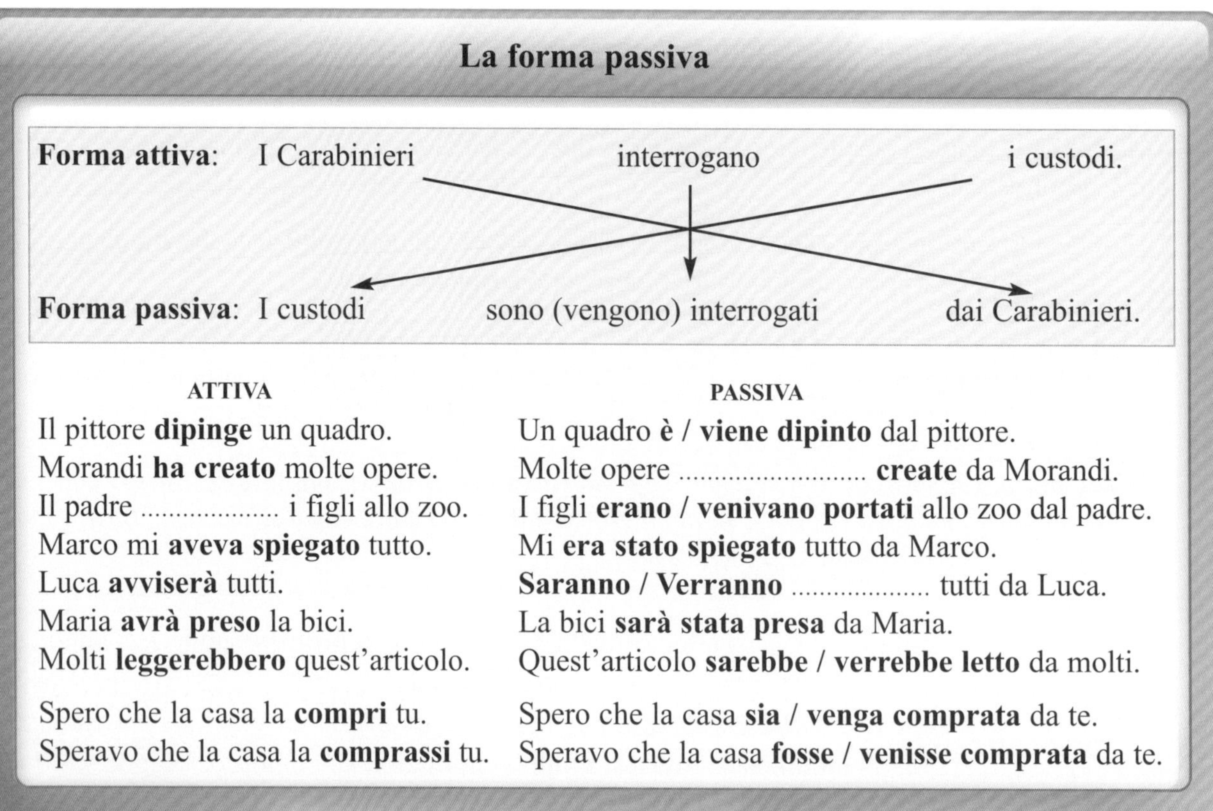

La forma passiva

Forma attiva: I Carabinieri interrogano i custodi.

Forma passiva: I custodi sono (vengono) interrogati dai Carabinieri.

ATTIVA	PASSIVA
Il pittore **dipinge** un quadro.	Un quadro **è / viene dipinto** dal pittore.
Morandi **ha creato** molte opere.	Molte opere .... **create** da Morandi.
Il padre .... i figli allo zoo.	I figli **erano / venivano portati** allo zoo dal padre.
Marco mi **aveva spiegato** tutto.	Mi **era stato spiegato** tutto da Marco.
Luca **avviserà** tutti.	**Saranno / Verranno** .... tutti da Luca.
Maria **avrà preso** la bici.	La bici **sarà stata presa** da Maria.
Molti **leggerebbero** quest'articolo.	Quest'articolo **sarebbe / verrebbe letto** da molti.
Spero che la casa la **compri** tu.	Spero che la casa **sia / venga comprata** da te.
Speravo che la casa la **comprassi** tu.	Speravo che la casa **fosse / venisse comprata** da te.

Osservazioni:
1. Usiamo la forma passiva quando concentriamo l'attenzione più sull'azione (*I custodi vengono interrogati*) e non tanto su chi la compie (*...dai Carabinieri*).
2. Come potete notare, nei tempi semplici possiamo usare sia *essere* che *venire*. Nei tempi composti, invece, solo il verbo *essere*.
3. La forma passiva è sempre composta da una parola in più rispetto a quella attiva.

In Appendice a pagina 199 troverete i pronomi diretti nella forma passiva.

7 **Abbinate le due colonne.**

1. I quadri *sono stati*
2. Il nuovo museo *sarà*
3. A Roma *verrà*
4. Sperava che il suo libro *venisse*
5. Le sue opere *sarebbero*
6. L'indagine *è*

a. *organizzata* un'importante mostra d'arte.
b. *apprezzate* di più, se fossero comprensibili.
c. *letto* da tutti.
d. *comprati* da un collezionista.
e. *inaugurato* domenica prossima.
f. *condotta* a livello internazionale.

8 **Completate le frasi mettendo il verbo tra parentesi alla forma passiva.**

1. La notizia *(pubblicare)* ieri su tutti i giornali.
2. Ho sentito che il direttore vendite *(licenziare)* domani.
3. Questi maglioni *(fabbricare)* in Italia.
4. Un'auto elettrica *(comprare)* da tutti, se costasse poco.
5. *'O sole mio (cantare)* anche da Elvis Presley, con il titolo *It's now or never.*

1 - 6

B Certo che è così!

CD 2 18

1 Ascoltate i mini dialoghi e abbinateli alle foto. C'è un mini dialogo in più!

CD 2 18

2 Ascoltate di nuovo e completate la tabella con alcune delle espressioni che avete ascoltato.

Chiedere conferma / Confermare

Chiedere conferma	Confermare qualcosa
....?	*È* ....
....?	*Non* ....
È vero che...?	*Ti posso garantire che...*
Davvero...?	*Ti assicuro che...*
...è così, vero?	*Non scherzo... / Dico sul serio...*

3 Scrivete due frasi (domande o risposte) in cui usate le espressioni del punto precedente.

....

....

7

4 **In coppia, cercate di risalire alla forma *attiva* di questa frase:**

Il volo deve essere confermato dai viaggiatori. ....

5 **Osservate la tabella e completate le frasi.**

La forma passiva con *dovere* e *potere*

Tu dovrai consegnare personalmente tutti gli inviti.
Tutti gli inviti **dovranno essere consegnati** da te personalmente.
Nessuno può comprare una statua di Michelangelo.
Una statua di Michelangelo non **può essere comprata** da nessuno.

1. Mi hanno avvisato che i nostri bagagli non *(potere spedire)* oggi.
2. Mi raccomando, signorina, il fax *(dovere inviare)* al più presto.
3. Questo capitolo *(dovere spiegare)* meglio: è molto importante.
4. Secondo il giornale, i contratti *(potere firmare)* anche ieri.

8 e 9

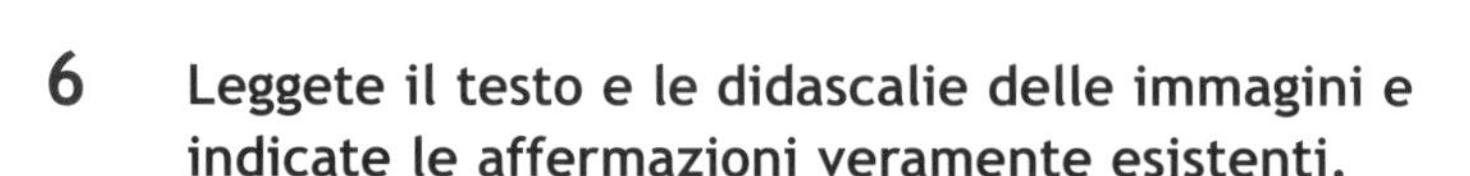

6 **Leggete il testo e le didascalie delle immagini e indicate le affermazioni veramente esistenti.**

Michelangelo Buonarroti

È uno dei più grandi artisti di tutti i tempi. Nasce a Caprese nel 1475. Dopo le prime opere va a Roma dove, nel 1500, scolpisce la *Pietà* esposta in San Pietro in Vaticano. Tornato a Firenze, dipinge *La Sacra famiglia* (Uffizi) e scolpisce il *David*, allora collocato in Piazza della Signoria (oggi l'originale si trova nell'Accademia). Nel 1508 Michelangelo comincia ad affrescare la volta della Cappella Sistina. Con gravi problemi alla vista, a causa delle difficili condizioni di lavoro, nel 1512 termina il magnifico affresco e l'anno dopo crea un'altra statua, il *Mosè* che si trova in San Pietro in Vincoli.

Nel 1534, dopo alcuni anni a Firenze, torna a Roma dove fino al 1541 lavora all'affresco del *Giudizio Universale* nella stessa Cappella Sistina. Nell'ultima fase della sua vita si dedica soprattutto all'architettura, con la risistemazione di Piazza del Campidoglio, oggi sede del Comune di Roma, e l'edificazione della cupola di San Pietro. Muore nel 1564 a Roma.

A fianco, gli affreschi della volta della *Cappella Sistina* dopo il restauro (durato molti anni e costato parecchi milioni di euro): uno dei più grandi capolavori artistici mai creati. Tra le figure e gli episodi biblici si possono osservare *Il Peccato originale* (1) e più in basso *La Creazione dell'Uomo* (2).

Cristo Giudice al centro dell'affresco del *Giudizio Universale.* Il restauro ha fatto riemergere gli autentici e vivaci colori usati dal grande Maestro quasi cinque secoli fa. L'opera rappresenta la fine del mondo e la condanna definitiva dei peccatori che si trovano intorno a Dio.

☐ 1. Il talento di Michelangelo fu riconosciuto molto presto.
☐ 2. Il lavoro nella Cappella Sistina gli provocò problemi di salute.
☐ 3. Preferiva scolpire statue piuttosto che dipingere.
☐ 4. Il *David* è la sua statua più importante.
☐ 5. Concluse gli affreschi della Cappella Sistina in circa vent'anni.
☐ 6. Fu l'architetto della famosa cupola di San Pietro.
☐ 7. I soggetti delle sue opere erano soprattutto religiosi.
☐ 8. L'ultimo restauro della Cappella Sistina è durato cinque anni.

C Opere e artisti

CD 2 19

1 Roma è famosa anche per le sue fontane, ma le più visitate dai turisti e dai romani stessi sono queste tre. Come si chiamano? Ascoltate il brano e verificate le vostre risposte.

CD 2 19

2 Ascoltate il brano e completate le affermazioni (massimo quattro parole).

1. I lavori, su progetto di Nicola Salvi, ...
2. Una celebre tradizione vuole che porti fortuna lanciare una moneta nella fontana, perché in questo modo si ....
3. Il papa potè finanziare la fontana disegnata da Bernini grazie ad alcune ....
4. Il gigante che rappresenta il Rio della Plata è stato raffigurato con il braccio alzato ....
5. La fontana della Barcaccia, in Piazza di Spagna, è la meno appariscente ....
6. Bernini progettò una vecchia barca semiaffondata, una *barcaccia*, che giace ....

3 **Rispondete.**

1. Perché è famosa la Fontana di Trevi?
2. Dove si trova la Fontana dei Quattro Fiumi?
3. Cosa hanno in comune la Fontana dei Quattro Fiumi e la Barcaccia?

4 **Osservate la tabella e riformulate le frasi che seguono.**

La forma passiva con il verbo *andare*

Questo problema **va risolto** con calma. = *deve essere risolto*
La trasmissione **andava vista** a tutti i costi. = *doveva essere vista*
I regali **vanno** sempre **accettati**. = *devono essere accettati*
Le persone anziane **vanno rispettate**. = *devono essere rispettate*

1. Secondo l'autore, il libro *doveva essere letto* da tutti.
2. Le merci *devono essere spedite* quanto prima.
3. L'insegnante ha detto che la forma passiva *doveva essere studiata*.
4. Un segreto non *deve essere rivelato* a nessuno.

10

5 **Completate il testo con le parole mancanti. Usate una sola parola per ogni spazio.**

La Gioconda o Monnalisa

Leonardo da Vinci

L'artista. Nel 1472, a soli vent'anni, dipinge a Firenze l'*Annunciazione* (Uffizi). Nel 1481 comincia l'*Adorazione dei magi* (Uffizi) (1)...................... lascia incompiuta per andare a Milano, dove (2)...................... circa vent'anni è al servizio di Ludovico il Moro (3)...................... pittore, scultore, architetto, regista e scenografo. A questo periodo appartengono *La Vergine delle rocce* e il famosissimo *Cenacolo* o *Ultima cena*, che si (4)...................... nel convento di Santa Maria delle Grazie, a Milano.
Nel 1501 torna di (5)...................... a Firenze dove dipinge *La Gioconda* (Louvre), sul (6)...................... sorriso enigmatico sono state avanzate tante teorie. Passa un secondo periodo fertile a Milano e muore in Francia nel 1517, dove era stato chiamato dal re Francesco I, suo (7)...................... ammiratore. Nei suoi dipinti applica la tecnica dello sfumato, cioè del morbidissimo chiaroscuro, frutto della sua sperimentazione tecnica.
Lo scienziato. Si occupa di anatomia, astronomia, idraulica, fisica, matematica e ottica. Le sue invenzioni e i suoi studi fanno di Leonardo forse il più grande genio di (8)...................... i tempi. Disegnò tantissime macchine (ad esempio elicotteri, carri armati) tutte rivoluzionarie per quel-l'(9)...................... . Lasciò oltre 7.000 manoscritti con schizzi, disegni, commenti, studi, tra cui il *Codice Atlantico*, il *Codice Arundel* e quello *sul* (10)...................... *degli uccelli* (anche per questo l'aeroporto di Roma si chiama *Leonardo da Vinci*).

L'*Ultima cena* (o *Cenacolo*): in questa meravigliosa opera Leonardo cerca di interpretare in maniera moderna un tema più volte affrontato in pittura. Così dà importanza alle reazioni emotive degli Apostoli all'annuncio di Gesù che qualcuno di loro lo tradirà.

6 Rispondete.

1. Quali sono le opere più famose di Leonardo da Vinci? Cosa ne pensate? Scambiatevi idee.
2. Conoscete qualche teoria sul sorriso di Monnalisa? Parlatene.
3. Fate un breve confronto tra Michelangelo e Leonardo.

D Si vede?

1 In coppia, leggete i due slogan pubblicitari e riflettete. Che cosa non si paga? Cosa si giudica dall'etichetta?

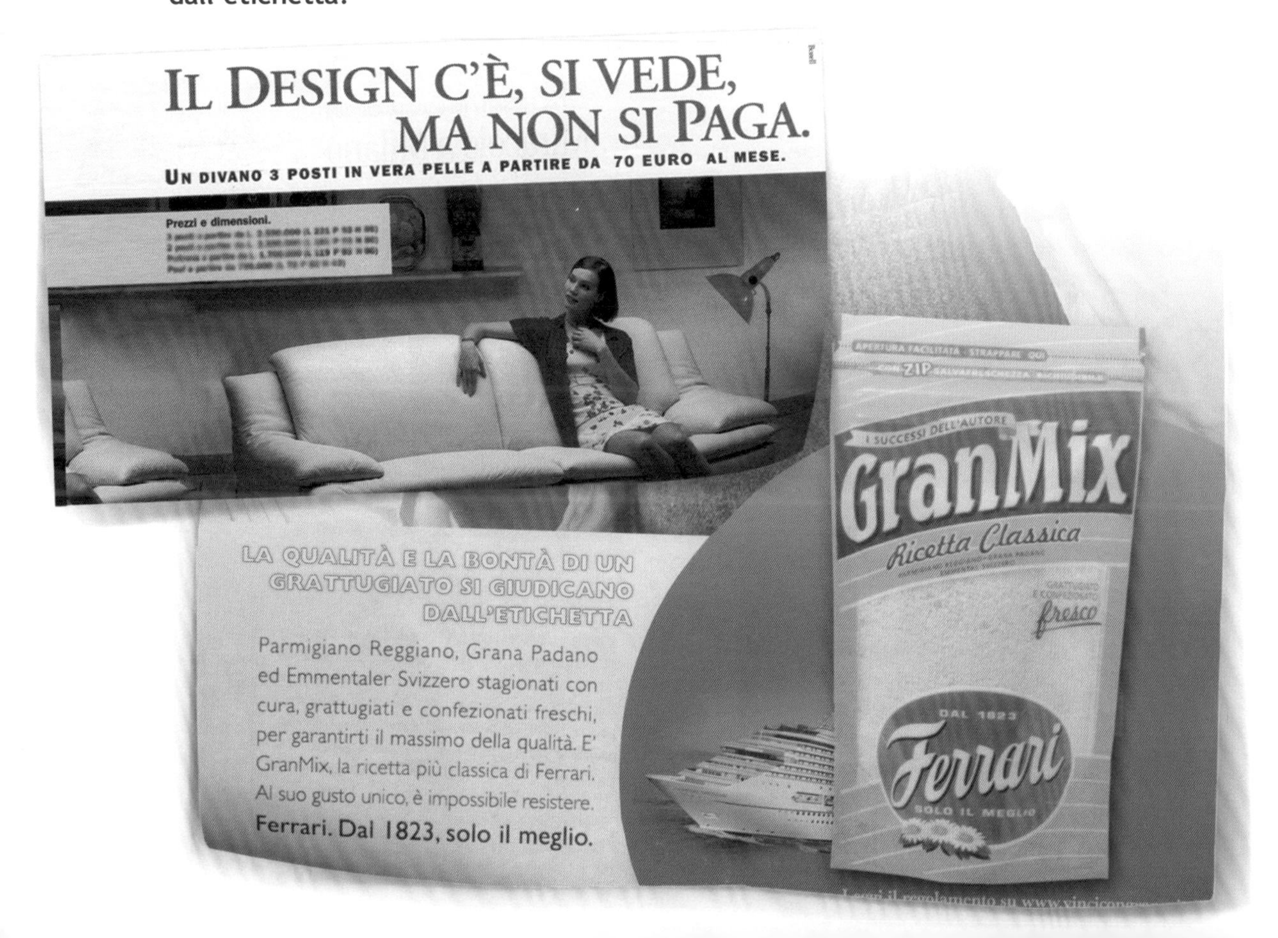

2 Completetate la tabella.

si passivante

L'espresso *è bevuto* a tutte le ore.	⇨	L'espresso **si beve** a tutte le ore.
La pasta *viene mangiata* al dente.	⇨	La pasta .... al dente.
Ormai non *vengono letti* molti libri.	⇨	Ormai non **si leggono** molti libri.
Ogni giorno *vengono inviate* molte e-mail.	⇨	Ogni giorno **si inviano** molte e-mail.

Il *si* passivante è una forma passiva impersonale ed è spesso preferibile quando non sappiamo chi compie l'azione. Il verbo (*si inviano*) ha sempre un soggetto (*e-mail*) con cui concorda.

In Appendice a pagina 199 troverete una tabella completa sul *si* passivante.

3 Formate delle frasi con il *si* passivante.

1. Il buon giorno *(vedere)* dal mattino.
2. Durante una lite spesso *(dire)* cose che possono far male.
3. Scherzi così non *(fare)*: qualcuno potrebbe offendersi.
4. Purtroppo in TV *(trasmettere)* scene di violenza anche nel pomeriggio!
5. In Italia *(vendere)* moltissime automobili Fiat.

11 - 13

4 La frase 3.1 è un proverbio italiano. Lavorando in coppia, cancellate la versione che non vi sembra logica, come nell'esempio, e scopritene altri.

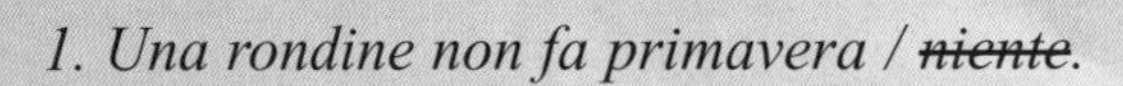

1. Una rondine non fa primavera / ~~niente~~.

2. Tra il dire e il parlare / fare c'è di mezzo il mare.
3. Troppi galli a cantar non fa mai giorno / freddo.
4. Quando il gatto non c'è i topi lo cercano / ballano.
5. Peccato confessato non è / è mezzo perdonato.
6. L'abito non fa il monaco / la moda.
7. Non tutto il male vien a cena / per nuocere.
8. Tra moglie e marito non tagliare / mettere il dito.
9. L'appetito / Mio zio vien mangiando.
10. Moglie e buoi dei paesi tuoi / europei.
11. Le bugie hanno le gambe brutte / corte.
12. I panni sporchi si lavano in lavanderia / famiglia.
13. Patti chiari amicizia / giornata lunga.
14. Meglio tardi che sempre / mai.

5 **Rispondete.**

1. Avete capito tutti i proverbi? Quali esistono anche nella vostra lingua?
2. Cercate di tradurre in italiano due o tre noti proverbi del vostro paese. Poi leggeteli ai compagni: avete pensato agli stessi proverbi?

 6 **Scrivete una composizione *(120-140 parole)* che finisca o che cominci con uno dei proverbi visti. In alternativa potete scrivere due brevi racconti *(60-80 parole ciascuno)*.**

7 **Osservate le prime due frasi. Poi, in coppia, completate le altre due.**

Il *si* passivante nei tempi composti

Si è costruito un nuovo parcheggio accanto alla stazione del metrò.
I risultati **si sono ottenuti** dopo tanto lavoro e molti sacrifici.

In Italia non *(investire)* **si** .... mai molto denaro nella ricerca.
Per arrivare all'accordo *(superare)* **si sono** .... tante difficoltà.

14

E Ladri per natura?

1 **Secondo voi, chi ruba è sempre da condannare? Leggete il testo per vedere se le vostre idee coincidono con quelle del protagonista.**

Ladri in chiesa

Che fa il lupo quando la lupa e i lupetti hanno fame e stanno a pancia vuota litigando tra loro? Io dico che il lupo va in cerca di roba da mangiare e magari, dalla disperazione, scende al paese ed entra in una casa. E i contadini che l'ammazzano hanno ragione di ammazzarlo; ma anche lui ha ragione di entrare in casa loro e di morderli.

Quell'inverno io ero come il lupo e, anzi, proprio come un lupo, non abitavo in una casa ma in una grotta, laggiù, sotto Monte Mario. La sera quando ci tornavo e vedevo mia moglie sul materasso che mi guardava, e il bambino che teneva al petto che mi guardava, e i due bambini più grandi che giocavano per terra che mi guardavano, e leggevo in quegli otto occhi la stessa espressione affamata, pensavo: "Uno di questi giorni se non gli porto da mangiare, vuoi vedere che mi mordono?"

Fu Puliti che mi suggerì l'idea della chiesa e mi mise una pulce nell'orecchio, sebbene, poi, non ci pensassi e non ne parlassi più. Ma le idee, si sa, sono come le pulci e, quando meno te lo aspetti, ti danno un morso e ti fanno saltare in aria. Così, una di quelle sere ne parlai a mia moglie. Ora bisogna sapere che mia moglie è religiosa e al paese, si può dire, stava più in chiesa che in casa. Disse subito: "Che, sei diventato matto?" Io le risposi: "Questo non è un furto... la roba, nella chiesa perché ci sta? Per fare il bene... Se noi prendiamo qualche cosa, che facciamo? Facciamo il bene... A chi, infatti, si dovrebbe fare il bene se non a noi che abbiamo bisogno? Non è scritto forse che bisogna dare da mangiare agli affamati?" "Sì." "Siamo o non siamo affamati?" "Sì." "Ebbene in questo modo facciamo un'opera buona." Insomma tanto dissi, sempre insistendo sulla religione che era il suo punto debole, che la convinsi...

adattato da *Racconti romani* di Alberto Moravia

2 Rispondete.

1. Come riesce il protagonista a convincere sua moglie?
2. In che condizioni vive la famiglia? Da quali espressioni si capisce?
3. Immaginate e raccontate la fine del racconto.

Alberto Moravia

3 In coppia individuate quali delle affermazioni che seguono sono vere e quali sono false. Potete consultare anche le tabelle delle pagine precedenti. Le risposte le troverete alle pagine 199 e 200.

V	F	Tutti i verbi possono avere la forma passiva.
V	F	Il verbo *venire* si usa solo nei tempi semplici.
V	F	Preferiamo la forma passiva quando ci interessa chi fa l'azione.
V	F	Il verbo *andare* dà un senso di necessità.
V	F	La forma passiva dei verbi modali (*dovere* - *potere*) si forma con l'infinito del verbo *avere*.
V	F	La differenza tra il *si* impersonale e il *si* passivante sta nel fatto che il verbo di quest'ultimo ha un soggetto con cui concorda.

15 - 17

F Vocabolario e abilità

1 Lavorate in coppia. Nove di queste parole sono relative all'arte. Quali?

pittura	architetto	ufficio	astratta
capolavoro	restauro	carabinieri	capelli
scultore	mostra	affresco	statua

2 Abbinate le parole alle immagini.

a. natura morta   b. ritratto   c. paesaggio

3 Raccontate, oralmente o per iscritto, la storia che segue.

CD 2

4 Ascolto Quaderno degli esercizi (p. 155)

Role-play

5 Situazioni

1. **Sei *A***: visiterai Roma per la prima volta. Chiama *B*, che ci è già stato più volte, per chiedere informazioni sui musei più importanti della capitale, su come arrivarci, sugli orari, su alcune opere che vorresti vedere e così via.
   Sei *B*: consulta la breve guida che si trova a pagina 207 e fornisci ad *A* le informazioni richieste.

2. Sei *A*: vai in una galleria d'arte che vende quadri per trovare un dipinto per la tua casa/camera. Non hai le idee molto chiare, ti guardi intorno e chiedi aiuto al commesso. Lui (*B*) ti propone riproduzioni di opere classiche, ad esempio del Rinascimento italiano, ma tu vorresti qualcosa di più originale.

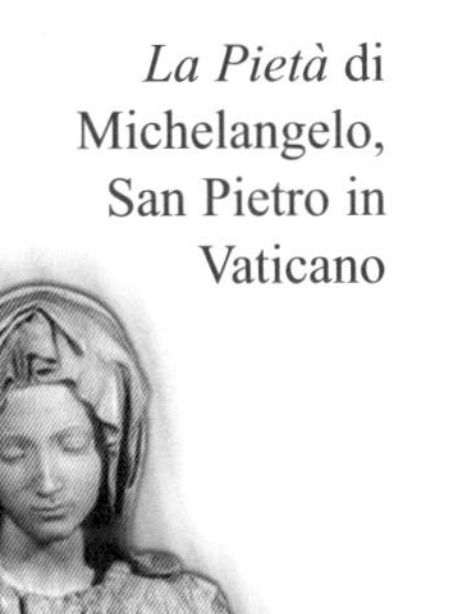

La Pietà di Michelangelo, San Pietro in Vaticano

Test finale

L'arte in Italia

Italia significa arte. È in Italia, infatti, che troviamo buona parte del patrimonio artistico mondiale ed è sempre in Italia che sono nati o si sono sviluppati importanti movimenti artistici, come ad esempio il Rinascimento*.

Dal 1600 a oggi

L'arte italiana, naturalmente, non si esaurisce con Leonardo e Michelangelo. Bernini e Caravaggio nel '600; Luigi Vanvitelli, l'architetto della Reggia* di Caserta (pagina 68), nel '700; il pittore Giovanni Fattori nell'Ottocento: sono solo alcuni nomi di spicco* di una lunga e ricca tradizione artistica. Ma l'Italia ha continuato ad avere grandissimi esponenti in tutti i campi dell'arte anche nel '900. Tra i più noti, ricordiamo i pittori-scultori Amedeo Modigliani e Umberto Boccioni; i pittori Giorgio Morandi, famoso per le sue nature morte, e Renato Guttuso, uno dei più valutati in Italia; e, infine, lo scultore Arnaldo Pomodoro.

*Il famosissimo colonnato di Piazza S. Pietro, realizzato da **Gianlorenzo Bernini** alla metà del '600.*

***Caravaggio**, "La conversione* di S. Paolo" (1601): lo stile rivoluzionario di Caravaggio ha esercitato una grande influenza su grandi pittori europei (Velasquez, Rembrandt).*

***Renato Guttuso**, "Vucciria" (1974). Il pittore ha svolto un ruolo fondamentale nell'evoluzione in senso "realista" e "impegnato"* della pittura italiana.*

***Amedeo Modigliani**, "Jeanne Hebuterne con grande cappello" (1918): uno dei tanti ritratti femminili dalla caratteristica figura allungata. Lo stile lineare dell'artista risente dell'arte africana e del cubismo.*

***Umberto Boccioni**, massimo esponente del movimento futurista* nei primi anni 20 del '900. La sua opera più famosa, "Forme uniche nella continuità dello spazio" (1913), è raffigurata sul retro delle monete italiane da 20 centesimi d'euro.*

Arnaldo Pomodoro, *"Grande Disco" (1972), Milano, Piazza Meda.*

Gae Aulenti, *Musée d'Orsay, Parigi.*

"London Bridge Tower" (la "scheggia") di ***Renzo Piano***.

Sergio Pininfarina *accanto a uno dei tanti modelli da lui disegnati.*

Il "Pendolino" firmato ***Giugiaro***.

L'arte contemporanea è... a portata di mano!

Molti artisti contemporanei, come i loro più famosi predecessori, hanno realizzato opere su commissione* in tutto il mondo. Si tratta certamente di opere diverse, più attuali: monumenti cittadini, aeroporti, stazioni ferroviarie, grattacieli e così via.

Il gusto e l'estetica italiani, così celebrati* all'estero, sono infatti la degna* eredità dei grandi artisti del passato: architetti e designer contemporanei lavorano oggi in ogni angolo del mondo non solo per realizzare importanti edifici o monumenti, ma anche per disegnare la linea sinuosa* di mezzi di trasporto, come l'ultimo modello dell'*Alfa Romeo* o alcuni treni ad alta velocità fino a oggetti di uso quotidiano. I loro nomi sono forse meno noti al grande pubblico, ma sicuramente ognuno di noi, ovunque si trovi, ha "usato" le loro creazioni più di una volta! Potreste infatti aver viaggiato su un treno disegnato da Giugiaro per raggiungere un aeroporto progettato da Renzo Piano o aver visitato un museo realizzato da Gae Aulenti, aver atteso il vostro volo seduti comodamente su una poltrona *Frau*. Insomma, la nuova arte non è più solo nei musei: per apprezzarla basta... guardarsi bene intorno!

Glossario: Rinascimento: movimento artistico e culturale diffusosi in Europa fino al XVI secolo; reggia: abitazione, palazzo del re; spicco: detto di personaggi che hanno una certa importanza; conversione: passaggio a una nuova fede religiosa; impegnato: che si occupa, e si preoccupa, dei problemi sociali e politici; futurista: detto di movimento artistico-letterario nato in Italia agli inizi del XX secolo, ispirato al dinamismo della vita moderna; commissione: incarico, lavoro svolto per altri; celebrare: esprimere approvazione per qualcosa o qualcuno, lodare pubblicamente; degna: che, per proprie qualità, si merita onore, rispetto, stima; sinuosa: con curve, ondulata.

Dopo aver letto i testi e le didascalie rispondete alle domande.

1. Perché l'arte di Caravaggio è stata importante a livello europeo?
2. Chi è stato il massimo esponente del Futurismo italiano?
3. Qual è la caratteristica principale delle donne di Modigliani?
4. Che tipo di opere creano gli artisti italiani contemporanei?
5. Che cosa hanno in comune Gae Aulenti e Renzo Piano?

Autovalutazione
Che cosa ricordate delle unità 8 e 9?

1. Abbinate le frasi.

1. È arrivata la lettera che aspettavi.
2. Sai, Mario esce con Daniela.
3. Ma tu come l'hai capito?
4. Presto sapremo se dice la verità.
5. Ma ha fatto tutto da solo?

a. Ma chi se ne frega!?
b. No, si faceva aiutare da suo fratello.
c. Carla mi ha messo la pulce nell'orecchio.
d. Meglio tardi che mai.
e. Eh, le bugie hanno le gambe corte...

2. Sapete...? Fate l'abbinamento.

1. fare un'ipotesi realizzabile
2. chiedere conferma
3. confermare qualcosa
4. riallacciarsi a un discorso
5. congratularsi

a. Ti assicuro che le cose sono andate così.
b. Ma sul serio ha detto così?
c. Ingegnere, mi complimento con Lei!
d. Se mi dicessi la verità, ti potrei aiutare.
e. A proposito, com'era la festa?

3. Completate le frasi con le parole date. Dove necessario mettete le parole al plurale.

ladro rubare scultore artista capolavoro pittore opera furto Carabiniere

1. Con le moderne misure di sicurezza è molto difficile che si riesca a .... una famosa .... d'arte.
2. Il .... è stato arrestato dai .... un mese dopo il ....
3. Botticelli fu tra i più grandi .... del '400 e *La nascita di Venere* è uno dei suoi ....
4. Michelangelo non era solo un ....: infatti, è considerato anche uno dei più grandi .... di tutti i tempi.

4. Completate o rispondete.

1. L'autore dell'*Ultima cena*: ....
2. L'autore degli affreschi della Cappella Sistina: ....
3. Disse "Eppur si muove!": ....
4. La forma passiva di "Gianni invitava spesso Teresa": ....
5. "Va visto" significa: ....

Verificate le vostre risposte a pagina 194. Siete soddisfatti?

La Reggia di Caserta (Campania)

Paese che vai, problemi che trovi

Per cominciare...

1 Lavorate in coppia. Quali di queste parole conoscete? Potreste spiegarne, in italiano, il significato ai vostri compagni?

furto	tizio
rubare	porta blindata
ladro	allarme

CD 2

2 Ascoltate le prime quattro battute (fino ad "allarme modernissimo.") del dialogo che racconta una storia vera! Secondo voi, che cosa è successo a Ivana?

CD 2

3 Ascoltate ora l'intero dialogo e verificate le vostre ipotesi.

CD 2

4 Ascoltate di nuovo e indicate le affermazioni veramente presenti.

- 1. C'è stato un furto in un appartamento.
- 2. Ivana vive da sola.
- 3. Il sistema d'allarme non ha funzionato.
- 4. L'appartamento di Ivana aveva una porta blindata.
- 5. I ladri non hanno fatto in tempo a rubare molte cose.
- 6. Ivana ha visto i ladri in faccia.
- 7. I ladri hanno rubato anche il televisore di un vicino.
- 8. I ladri erano mascherati.
- 9. Ivana ha parlato con i ladri.
- 10. Quando Ivana è entrata in casa è rimasta senza parole.

In questa unità...

1. *...impariamo a raccontare un'esperienza negativa, a riportare le parole di qualcuno, a esprimere indifferenza, a parlare di problemi sociali;*
2. *...conosciamo la differenza tra il discorso diretto e il discorso indiretto;*
3. *...troviamo informazioni su alcuni aspetti e problemi della società italiana di oggi.*

A Criminalità e altre... storie

1 Leggete il dialogo e verificate le vostre risposte all'attività precedente.

Luca: Hai sentito cos'è successo a Ivana?

Anna: A Ivana? No! Che cosa le è capitato?

Luca: L'ho vista stamattina che usciva dalla Questura, mi ha detto che ieri le sono entrati i ladri in casa...

Anna: No! Ma... a quanto ne so aveva installato un sistema d'allarme modernissimo!

Luca: No, mi ha detto che era troppo caro e aveva comprato "solo" una porta blindata.

Anna: "Solo", eh? Evidentemente non è bastata. E cosa hanno rubato?

Luca: Tutto, in pratica: hanno preso i divani, le poltrone, i quadri, i tappeti, il televisore... ma la cosa più assurda è che mi ha detto di aver visto praticamente i ladri all'opera!

Anna: Cosa???

Luca: Sì, ha notato sotto casa il camion di una ditta di traslochi, e poi dalle scale ha visto scendere dei tizi che portavano via un grande televisore e Ivana ha subito notato che era come il suo!

Anna: ...Quelli erano i ladri!?

Luca: Sì, travestiti da facchini! Sai che le hanno detto? "Signora, questo modello ormai ce l'hanno tutti!"

Anna: Che faccia tosta!

Luca: Sì, davvero! Allora Ivana si è messa a parlare con loro: "Che caldo che fa, eh?", gli ha detto; "Non deve essere facile lavorare con questa umidità!" e ha aperto il portone per aiutarli!

Anna: Ma è il colmo! E loro?

Luca: Niente, le hanno detto "Grazie mille, signora!" e sono usciti tranquillamente!

Anna: Immagino che faccia ha fatto Ivana quando è entrata in casa.

Luca: Sì, mi ha detto che non credeva ai suoi occhi. E pensare che li ha anche salutati!

2 **Indicate lo scopo comunicativo che hanno queste frasi nel dialogo.**

1. Nel dialogo Anna dice "a quanto ne so" e intende dire:
   - a. "da quello che so"
   - b. "non conosco il risultato"
   - c. "non mi sembra"

2. Più avanti Anna dice "Ma è il colmo!", come per dire:
   - a. "Che cosa divertente!"
   - b. "Che bello!"
   - c. "È una cosa davvero incredibile!"

3. Anna infine dice "Che faccia tosta!", intende dire che i ladri:
   - a. non hanno avuto paura di Ivana
   - b. non hanno provato vergogna
   - c. non avevano una bella faccia

3 **Anna incontra Ivana. Completate il dialogo con:** era, doveva, quella, mi, faceva, scendevano, è, avevano.

Anna:	Ciao, Ivana, come stai? Luca mi ha raccontato quello che ti è successo l'altro giorno! È vero che...
Ivana:	...che .... sono entrati i ladri in casa? Sì, Anna, sono disperata! Tutto hanno portato via, tutto... anche i tappeti!
Anna:	Dio mio, Ivana, ma è vero che li hai visti?
Ivana:	Sì! Quando all'inizio ho visto che .... col mio televisore ho detto: "Toh, questo televisore .... proprio come il mio!" e loro mi hanno risposto che ormai ce l' .... in molti, quel modello... che faccia tosta!
Anna:	Eh sì, infatti!
Ivana:	La cosa che mi fa più rabbia è che li ho pure aiutati! Abbiamo anche parlato un po'!
Anna:	...Del tempo, mi ha detto Luca.
Ivana:	Incredibile, no? Io ho fatto notare che .... molto caldo e sicuramente non .... essere facile lavorare con .... umidità.
Anna:	E loro ti hanno risposto?
Ivana:	Sì, e sembravano anche simpatici! Pensa che uno di loro, pure un bel ragazzo, mi ha detto che lui al caldo ci .... abituato e, alla fine, mi ha ringraziato gentilmente prima di uscire!
Anna:	Insomma, un ladro gentiluomo!

4 **Raccontate in breve *(50-60 parole)* quello che è successo a Ivana.**

5 **Osservate queste frasi tratte dai dialoghi. Che cosa notate?**

Ivana dice:	Ivana ha detto che...
"...questo televisore è proprio come il mio!"	⇨ ...quel televisore era proprio come il suo...
"Non deve essere facile lavorare..."	⇨ ...non doveva essere facile lavorare...

6 **Completate la tabella.**

Discorso diretto e indiretto (I)

DISCORSO DIRETTO	DISCORSO INDIRETTO
PRESENTE ⇨ Maria ha detto: "Non *sto* tanto bene".	**IMPERFETTO*** Maria ha detto che non *stava* tanto bene.
IMPERFETTO ⇨ Disse: "Da giovane *viaggiavo* spesso".	**IMPERFETTO** Disse che da giovane *viaggiava* spesso.
PASSATO PROSSIMO ⇨ Disse: "*Ho lavorato* per 40 anni".	**TRAPASSATO PROSSIMO*** Disse che .... per 40 anni.
TRAPASSATO PROSSIMO ⇨ Mi ha detto: "*Ero entrato* prima di te".	**TRAPASSATO PROSSIMO** Mi ha detto che *era entrato* prima di me.
FUTURO (o PRESENTE come futuro) ⇨ Ha detto: "*Andrò* via".	**CONDIZIONALE COMPOSTO*** Ha detto che *sarebbe andato* via.
CONDIZIONALE SEMPLICE O COMPOSTO ⇨ Ha detto: "*Mangerei* un gelato". Ha detto: "*Sarei uscito*, ma piove".	**CONDIZIONALE COMPOSTO** Ha detto che ....* un gelato. Ha detto che *sarebbe uscito*, ma pioveva.

Come vedete, nel passaggio dal discorso diretto a quello indiretto, se il verbo introduttivo è al passato ci sono una serie di cambiamenti da fare (vedere anche l'Appendice a pagina 200).
*Il cambio di tempo verbale non è necessario se gli effetti dell'azione permangono ancora nel presente. Per esempio:

PRESENTE ⇨ Mara ha detto (poco fa): "Non *sto* bene".	**PRESENTE** Mara ha detto che non *sta* bene. (Mara ancora non sta bene nel momento in cui riferiamo le sue parole)

7 **Trasformate oralmente le frasi al discorso indiretto.**

1. "Mio padre è andato in pensione." Enrica ha detto che...
2. "Probabilmente venderò la mia macchina." Amedeo disse che...
3. "Quando ero piccola andavo spesso al mare." Amelia mi ha raccontato che...
4. "Non avete studiato abbastanza." Il professore ha detto che...
5. "Passeremmo volentieri le nostre vacanze a Capri." I signori Bassani dissero che...

1 - 5

B Io no...

1 **Leggete e commentate la canzone *Io no* di Jovanotti, un artista amatissimo dai giovani, nella quale comunica in un linguaggio moderno alcuni messaggi importanti.**

C'è qualcuno che fa di tutto
per renderti la vita impossibile.
C'è qualcuno che fa di tutto
per rendere questo mondo invivibile.
Io no... Io no...
C'è qualcuno che dentro a uno stadio
si sta ammazzando per un dialetto.
E c'è qualcuno che da quarant'anni
continua a dire che tutto è perfetto.
C'è qualcuno che va alla messa
e si fa anche la comunione,
e poi se vede un marocchino per strada
vorrebbe dargliele con un bastone.
Ma a questo punto hanno trovato un muro
un muro duro, molto molto duro.
Siamo noi, siamo noi...
E c'è qualcuno che in una pillola
cerca quello che non riesce a trovare,
allora pensa di poter comprare
ciò che la vita gli può regalare.
Ci sono bimbi che non han futuro
perché da noi non c'è posto per loro.
Ci sono bimbi che non nasceranno
perché gli uomini si sono arresi.
Ma a questo punto hanno trovato un muro
un muro duro, molto molto duro.
Siamo noi, siamo noi...
Vorrei vedere i fratelli africani
aver rispetto per quelli italiani.
Vorrei vedere i fratelli italiani
aver rispetto per quelli africani,
per quelli americani,
per quelli africani.
E quelli americani per quelli italiani.
Quelli milanesi per quelli
palermitani, napoletani.
Roma, Palermo, Napoli, Torino.
Siamo noi, siamo noi...

Jovanotti

2 **In coppia, lavorate sulla canzone.**

1. Di quali problemi/aspetti sociali parla Jovanotti e in quali versi in particolare?
☐ droga, ☐ razzismo, ☐ violenza, ☐ ecologia, ☐ politica, ☐ povertà, ☐ aborto,
☐ criminalità, ☐ divario tra le generazioni, ☐ divario tra Nord e Sud, ☐ disoccupazione.
2. Scegliete i versi che vi piacciono di più e spiegatene il perché.

CD 2 23

3 **Ascoltate i mini dialoghi e abbinateli alle immagini.**

CD 2

4 **Quante espressioni che esprimono indifferenza riuscite a ricordare dopo l'ascolto? Scrivetele sotto. Dopo ascoltate di nuovo per verificare le vostre risposte.**

Esprimere indifferenza

Non mi interessa affatto!	....
....	....
....	*Me ne infischio!*

Role-play

5 **Sei *A*: informi *B* a proposito di...**

un film giapponese che si dà in un cinema vicino

un concerto che Jovanotti terrà nella vostra città

una gita al mare a cui siete stati invitati

un salone di auto che apre domani

un'importante vittoria della Roma

una presentazione di un romanzo

Sei *B*: rispondi ad *A* usando anche le espressioni del punto precedente.

6 **Nel passaggio dal discorso diretto a quello indiretto cambiano anche gli indicatori di spazio e di tempo. In coppia, completate le frasi con *quel giorno, dopo, quelle, il giorno precedente*.**

Discorso diretto e indiretto (II)

DISCORSO DIRETTO	DISCORSO INDIRETTO
"*Queste* scarpe sono mie."	Ha detto che .... scarpe erano sue.
"*Ora* non possiamo fare niente."	Disse che *allora* non potevano fare niente.
"*Oggi* i miei non lavorano."	Ha detto che .... i suoi non lavoravano.
"Partirò *domani*."	Ha detto che sarebbe partito *il giorno dopo*.
"L'ho visto *ieri*."	Ha detto che l'aveva visto ....
"Tornerò *fra* tre giorni."	Ha detto che sarebbe tornato tre giorni ....
"Li ho visti due ore *fa*."	Ha detto che li aveva visti due ore *prima*.

Nota: Il cambiamento di questi indicatori non è sempre obbligatorio:
Carlo dice (oggi): "Verrò *domani*". Carlo ha detto (oggi) che verrà *domani*.

Ulteriori informazioni in Appendice a pagina 200.

7 **Trasformate le frasi dal discorso indiretto a quello diretto.**

1. Disse che lì dentro non c'era niente.
2. Ha detto che quella sera avrebbe guardato la tv.
3. Ha promesso che il giorno dopo avrebbe finito tutto.
4. Ha detto che solo allora capiva.
5. Mi ha detto che l'aveva incontrato due giorni prima.

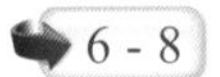
6 - 8

C In una pillola...

1 **In *lo no* abbiamo trovato il verso** "c'è qualcuno che in una pillola cerca quello che non riesce a trovare". **Secondo voi, come e per quali motivi un giovane inizia a fare uso di droghe, leggere o pesanti?**

2 **Questo grafico descrive il problema della droga in Italia. In coppia, inserite i numeri dati in basso. (La soluzione è in fondo alla pagina). C'è qualche dato statistico che vi colpisce?**

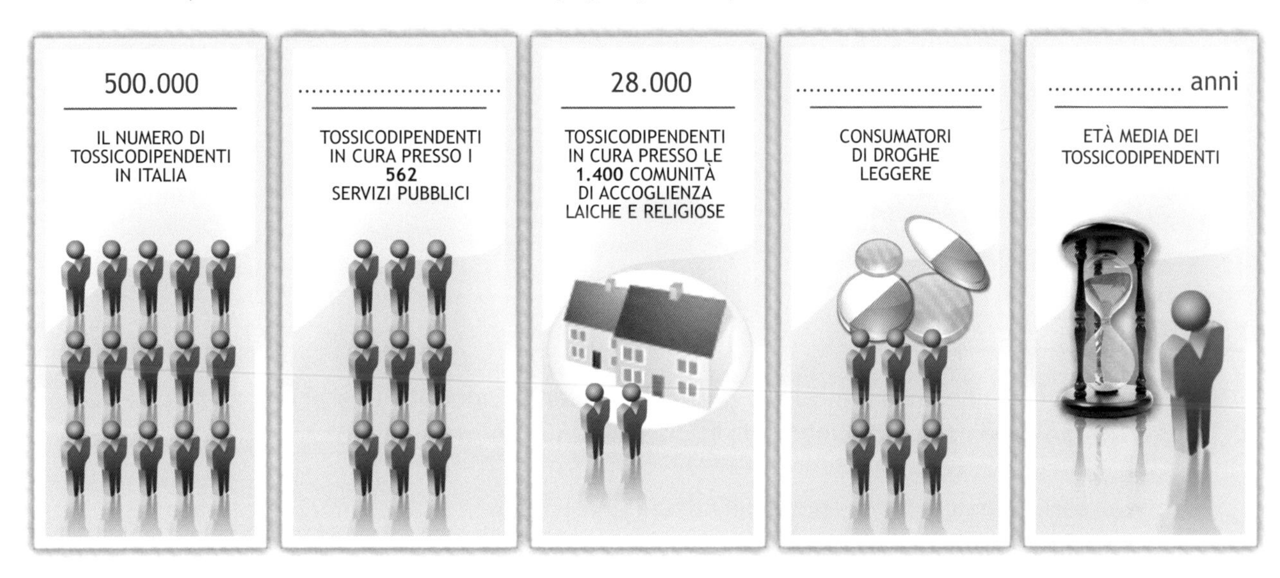

30, 300.000, 3.500.000

3 **Osservate questa pubblicità. Secondo voi, di che cosa si tratta e che scopo ha?**

4 **Per vedere se le vostre ipotesi erano giuste, girate pagina e leggete l'intero testo.**

Soluzione dell'attività 2
in ordine: 300.000, 3.500.000, 30

5 **Lavorate in coppia. Cercate nel testo parole o frasi che hanno un significato simile a:**

stanchezza, sforzo:

....

ci puoi riuscire:

....

non perdere tempo:

....

risolvere il problema:

....

criminalità organizzata:

....

spaccio (commercio) di droga:

....

per sempre, definitivamente:

....

USCIRE DALLA DROGA SE VUOI INSIEME POSSIAMO

Non sarà facile. Ti costerà fatica, ma ce la puoi fare. Altri prima di te ci sono riusciti. Grazie alla loro volontà, grazie all'affetto di chi gli è stato vicino, grazie alle strutture a disposizione di chi vuole liberarsi dalla droga. Non rimandare neanche di un minuto. Ogni giorno che passa diminuiscono le possibilità di trovare una via d'uscita. Ogni giorno che passa il tuo corpo e la tua mente diventano sempre più deboli e la malavita che controlla il traffico di stupefacenti sempre più ricca. Trova il coraggio di chiedere aiuto, trova la forza di dire una volta per tutte: CON ME HAI CHIUSO.

Presidenza del Consiglio dei Ministri

D Paure...

CD 2

1 **Secondo voi, di che cosa hanno più paura gli italiani? Ascoltate una prima volta questo servizio radiofonico e sottolineate le parole veramente pronunciate.**

arresti immigrazione prigione delinquenti rapina spacciatori accusato
tossicodipendenti criminalità giudice minaccia pena carabinieri furto

CD 2

24

2 **Ascoltate di nuovo e indicate le affermazioni veramente presenti.**

1. Agli italiani fanno più paura le minacce "vicine". ☐
2. Il CENSIS ha condotto molte ricerche su questo argomento. ☐
3. In Italia ci sono moltissimi zingari. ☐
4. Gli italiani non hanno paura della microcriminalità. ☐
5. I tossicodipendenti non sono i criminali più temuti. ☐
6. C'è anche chi ha paura degli immigrati. ☐
7. La microcriminalità è un fenomeno degli ultimi anni. ☐
8. La mafia è considerata un pericolo lontano, non quotidiano. ☐
9. I piccoli reati creano negli italiani un senso di insicurezza. ☐
10. Ci sono molti più furti al Sud. ☐

3 **Qual è la punizione peggiore per un ladro? Forse non quella che pensate. Completate questa notizia di cronaca con:** carabinieri, accusato, giudice, prigione, pena, arresti.

20 Cronache LA STAMPA

Evade dagli arresti domiciliari: "Non sopporto più i miei suoceri!"

MESSINA - Quando la convivenza coi suoceri diventa una (1)................... più dura di quella vera: almeno è stato così per un 29enne di Messina, Alessandro Boldi, "evaso" da casa dei genitori di sua moglie, dove era agli arresti domiciliari per tentato furto, perché non ne poteva più della convivenza con loro. Che fare, si è chiesto? "Meglio in carcere che continuare a stare coi miei suoceri", si è risposto il giovane ed è andato dritto alla caserma dei carabinieri. "Maresciallo, mi (2)...................... . Non ne posso più di loro", ha pregato. E i militari, infatti, lo hanno arrestato per evasione.
La storia è iniziata quando Boldi, (3)........ .... di tentato furto, aveva ottenuto di poter scontare la sua (4)...................... in casa. Quando il giudice gli ha chiesto dove volesse abitare, l'uomo aveva indicato come domicilio proprio quello dei suoceri. Una scelta di cui Boldi si è pentito: disperato dalle continue liti, non aveva altra scelta che evadere. Poi, è andato direttamente alla stazione dei (5)......................, ai quali ha chiesto di metterlo in galera.
Ma non è mica così semplice evitare i suoceri: il (6)...................... lo ha sì condannato per l'evasione, ma non lo ha mandato in carcere come Boldi sperava: lo ha rispedito nuovamente agli arresti domiciliari...

da *La Stampa*

4 **Nel testo precedente abbiamo letto** "ai quali ha chiesto di metterlo in galera" **e** "il giudice gli ha chiesto dove volesse abitare". **In coppia, scegliete le forme giuste nella colonna a destra.**

Discorso diretto e indiretto (III)

DISCORSO DIRETTO	DISCORSO INDIRETTO
"*Parla* più piano!"	Mi ha detto *di parlare/che parlavo* più piano.
"*Vengono* spesso a farmi visita."	Disse che *vanno/andavano* spesso a farle visita.
Le chiese: "*Hai visto* Marco?"	Le chiese se *avesse visto/abbia visto* Marco.
Mi ha chiesto: "A che ora *tornerai*?"	Mi ha chiesto a che ora *sarei tornato/tornerò*.

Le risposte in Appendice alle pagine 200 e 201.

9 e 10

E Anche noi eravamo così.

1 **Osservate queste due foto. Secondo voi, è stato più difficile rifarsi una vita per gli italiani che emigrarono all'estero un secolo fa o per chi emigra oggi, in Italia o in altri paesi?**

2 **Leggete il testo, scritto da un famoso giornalista italiano.**

"Vu' cumprà"

È brutto chiamare gli stranieri "vu' cumprà" o è anche un po' affettuoso? Sono troppi, non sappiamo come sistemarli, ma non sarebbe meglio se tentassimo di conciliare una regola giusta con un comportamento più corretto? Proprio noi, che mandavamo in giro i nostri compatrioti con il passaporto rosso, ammucchiati sui piroscafi che li portavano, in ogni senso, in "terre assai luntane"?

Quante offese avevano sopportato i piccoli siciliani e i piccoli napoletani, sbarcati con la valigia di fibra e il bottiglione dell'olio a Ellis Island. Li chiamavano "testa di brillantina", per quei capelli lucidi e divisi dalla riga come li portava Rodolfo Valentino nel *Figlio dello sceicco*; "dago", che vuol dire uno che viene dall'Italia; o "maccaroni", che non ha bisogno di spiegazioni. Molti non sapevano né leggere né scrivere, molti di loro ancora adesso dicono "giobbo" per lavoro.

Pensavo a queste storie seguendo le cronache del parlamento e anche della malavita: e mentre davo il solito obolo al solito giovanotto dalla pelle scura che ti offre l'accendino. Tra loro ci saranno pure dei delinquenti, ma circolano lavavetri che hanno una laurea in ingegneria, o cameriere che possiedono un diploma. Certo, è una massa di disperati, che tentano di sopravvivere: so, quasi sempre, da dove vengono, quali tragedie lasciano alle spalle. Buttarli fuori è una crudeltà, ma lo è anche lasciarli andare alla ventura, quando c'è una mezza Italia che è una grande Harlem, o la periferia di Washington con tante antenne tv, e centinaia di migliaia di "vu' cumprà" bianchi, che sono nostri fratelli...

adattato da *I come italiani* di Enzo Biagi

3 **Lavorate in piccoli gruppi e svolgete uno dei seguenti compiti:**

a. un gruppo seleziona 6 parole chiave del testo;

b. un gruppo riassume il testo in una frase;

c. un altro gruppo riassume il testo in un breve paragrafo;

d. un altro ancora esprime in 10-15 parole le sue reazioni e i suoi commenti su quello che ha letto.

Alla fine, confrontate il risultato del vostro lavoro con quello degli altri gruppi.

4 **Rispondete alle domande.**

1. Anche il vostro è un paese multietnico come l'Italia odierna? Ci sono differenze sociali che dipendono dalla nazionalità?
2. Nel passato, milioni di italiani emigrarono all'estero. Anche nel vostro paese si è verificato lo stesso fenomeno? Parlatene.
3. Ci sono milioni di italiani sparsi per il mondo. Da voi è presente una comunità italiana? Cosa ne sapete?

5 **All'inizio del testo della pagina precedente abbiamo letto "**...se tentassimo di conciliare una regola giusta...**". Come si trasformerebbe questa frase al discorso indiretto? Osservate:**

Il periodo ipotetico nel discorso indiretto

DISCORSO DIRETTO		DISCORSO INDIRETTO
"Se *avessi* tempo, *viaggerei*."	⇨	Diceva che se *avesse* tempo, *viaggerebbe*. Diceva che se *avesse avuto* tempo, *avrebbe viaggiato*.
"Se *vinceremo*, *saremo* campioni."	⇨	L'allenatore ha detto che se *vinceranno*, *saranno* campioni.
Napoleone: "Se *vincerò*, *diventerò* imperatore".	⇨	Napoleone disse che se *avesse vinto*, *sarebbe diventato* imperatore.

Anche in questo caso, se il verbo introduttivo fa riferimento al presente i tempi non cambiano.

Ulteriori spiegazioni in Appendice a pagina 201.

11 - 14

F Vorrei che tu fossi una donna...

1 **Leggete la frase del titolo. Secondo voi, chi potrebbe averla pronunciata?**

2 **Un altro problema dell'Italia moderna è il calo delle nascite: gli italiani fanno sempre meno figli rispetto ad altri popoli e sicuramente rispetto al passato. Perché, secondo voi?**

3 **Vediamo ora cosa dice una donna incinta al bambino che aspetta.**

Vorrei che tu fossi una donna. Vorrei che tu provassi un giorno ciò che provo io: non sono affatto d'accordo con mia madre la quale pensa che nascere donna sia una disgrazia. Lo so: il nostro è un mondo fabbricato dagli uomini per gli uomini, la loro dittatura è così antica che si estende perfino al linguaggio. Si dice uomo per dire uomo e donna, si dice bambino per dire bambino e bambina, si dice omicidio per indicare l'assassinio di un uomo e di una donna. [...] Eppure, o proprio per questo, essere donna è così affascinante. È un'avventura che richiede un tale coraggio, una sfida che non annoia mai. [...] Dovrai batterti continuamente. E spesso, quasi sempre, perderai. Ma non dovrai scoraggiarti. Battersi è molto più bello che vincere, viaggiare è molto più bello che arrivare: quando sei arrivato o hai vinto, avverti un gran vuoto. E per superare quel vuoto devi metterti in viaggio di nuovo, crearti nuovi scopi.

Ma se nascerai uomo io sarò contenta lo stesso. E forse di più perché ti saranno risparmiate tante umiliazioni, tanti abusi. Se nascerai uomo, ad esempio, non dovrai temere d'essere violentato nel buio di una strada. Non dovrai servirti di un bel viso per essere accettato al primo sguardo, di un bel corpo per nascondere la tua intelligenza. Non subirai giudizi malvagi quando dormirai con chi ti piace. Naturalmente ti toccheranno altre schiavitù, altre ingiustizie: neanche per un uomo la vita è facile, sai. Poiché avrai i muscoli più saldi, ti chiederanno di portare fardelli più pesanti. Poiché avrai la barba, rideranno se tu piangi e perfino se hai bisogno di tenerezza. Ti ordineranno di uccidere o essere ucciso alla guerra. Eppure, o proprio per questo, essere un uomo sarà un'avventura altrettanto meravigliosa. Se nascerai uomo, spero che sarai un uomo come io l'ho sempre sognato: dolce coi deboli, feroce coi prepotenti, generoso con chi ti vuole bene.

ridotto da *Lettera ad un bambino mai nato* di Oriana Fallaci

4 **Senza preoccuparvi delle parole sconosciute, indicate a quale paragrafo corrisponde ogni affermazione.**

	1°	2°
1. Per le donne la vita è difficile da sempre.		
2. Una bella presenza è sempre un vantaggio.		
3. A volte la lingua è poco democratica.		
4. Il risultato non è quel che conta di più.		
5. La vita non è facile neanche per gli uomini.		
6. Bisogna sempre guardare avanti.		
7. Avrai più libertà.		
8. Sono le difficoltà a rendere la vita interessante.		

5 Rispondete.

1. "*...viaggiare è molto più bello che arrivare*". Siete d'accordo?
2. "*Poiché avrai la barba, rideranno se tu piangi...*". Secondo voi, gli uomini non hanno il diritto di piangere? Cosa ne pensano le donne?
3. Oriana Fallaci scrisse questo libro negli anni '70. Cos'è cambiato da allora per la donna? Qual è la sua posizione sociale oggi? Esiste vera parità dei sessi?
4. Secondo voi, è più difficile essere donne o uomini? Scambiatevi idee.

G Vocabolario e abilità

1 Vocabolario. Scrivete i sostantivi che derivano dai verbi e viceversa.

arrestare	convivenza ....
minacciare	evasione ....
aiutare	assassinio ....
rubare*	droga ....

* relativo al verbo, ma con un'altra radice

CD 2

2 Ascolto Quaderno degli esercizi (p. 168)

Role-play

3 Situazione

Una tua cugina (*A*) ti confida che da tempo esce con un ragazzo che in passato ha avuto problemi con la giustizia. Ormai dopo tre anni i due ragazzi pensano di sposarsi, però, c'è un piccolo problema: lei non sa come annunciarlo a suo padre che è un tipo tradizionalista. Tu (*B*) cerchi di sapere di più su questa relazione e proponi qualche idea per rendere l'annuncio e l'incontro tra i due uomini il più facile possibile.

4 Scriviamo

1. Raccontate una notizia di cronaca, vera o immaginaria, possibilmente originale e curiosa. *(120-140 parole)*
2. Siamo quasi alla fine di questo libro. Che cosa vi è piaciuto di più e cosa di meno, qual è stata l'unità più interessante? Scrivete una breve e-mail agli autori (redazione@edilingua.it) per esporre brevemente *(60-80 parole)* le vostre impressioni e proporre qualche idea!

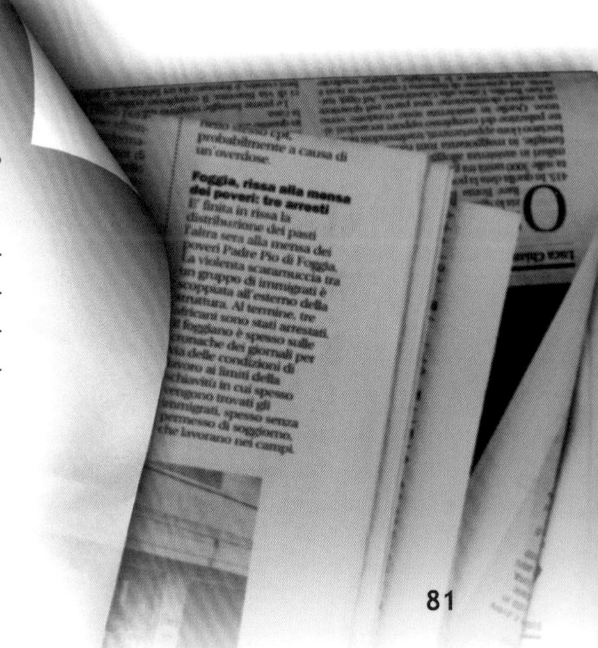

Aspetti e problemi dell'Italia moderna

L'Italia è sicuramente uno dei paesi più belli del mondo. Tant'è vero che gli italiani stessi lo chiamano "Belpaese". Per quanto questa penisola sia unica, però, non è perfetta: vediamo in breve alcuni dei suoi problemi.

Una delle tante agenzie per il lavoro temporaneo in Italia

Uno dei grandi problemi dell'Italia di oggi è la "**sottoccupazione**", cioè il lavoro precario*, saltuario* e il lavoro nero*. I giovani alla ricerca di un lavoro, infatti, sono spesso costretti a lavorare senza contratto o con contratti a tempo determinato. Questo tipo di situazione preclude* ai giovani la possibilità di formarsi una famiglia, avere dei figli, avere in definitiva una vita "normale" come i loro genitori.

Un altro aspetto negativo dell'Italia è il grande **divario*** tra Nord e Sud. Altissimo livello di disoccupazione e basso grado di sviluppo economico del Sud sono purtroppo realtà che hanno una lunga storia e varie cause.

Uno dei problemi più gravi e profondi del Sud, ma che coinvolge l'intero Paese, è la **criminalità organizzata**, di cui la Mafia siciliana, o *Cosa Nostra*, è l'espressione più eclatante* e nota, grazie anche a numerosi film celebri. *Cosa Nostra* affonda le sue radici nell'Ottocento e controlla ancora oggi gran parte dell'attività economica dell'isola, come pure il traffico di droga e di armi, contando spesso sul sostegno di politici e giudici corrotti*. Chi cerca di combatterla sa di rischiare la vita e la lista delle vittime della Mafia è tristemente lunga. La vera forza della mafia è quindi l'*omertà*, la legge, cioè, del silenzio e della paura. Negli ultimi anni, lo Stato ha arrestato molti "boss" mafiosi, grazie alle testimonianze di uomini della malavita "pentiti". La mafia ha varie forme di organizzazione e, a seconda delle zone in cui si è radicata, nomi differenti: in Campania si chiama *camorra*, in Calabria *'ndrangheta*, mentre in Puglia si parla di *Sacra Corona Unita*.

Un "pentito" durante un processo di Mafia

Nonostante i non pochi problemi, l'immagine dell'Italia come "paese delle meraviglie" è ancora molto forte all'estero e ogni anno sono migliaia gli **immigrati** clandestini* che cercano di sbarcare sulle coste italiane in cerca di una vita migliore, che spesso però non trovano. Infatti, sono diventate sempre più rigorose le leggi che cercano di fermare l'immigrazione clandestina; allo stesso tempo, lo Stato italiano e le varie istituzioni fanno il possibile per aiutare gli immigrati regolari a integrarsi* (corsi d'italiano, assistenza sanitaria e così via).

Un altro preoccupante problema dell'Italia di oggi e... di domani è sicuramente il **calo delle nascite**. Il Belpaese ha, infatti, la più bassa percentuale di bambini per coppia in Europa: appena 1,20! Se da una parte nascono pochi bambini, dall'altra, vivendo più a lungo che in passato, gli italiani stanno diventando una nazione di anziani. Il crescente numero dei pensionati supera già quello dei giovani sotto i 25 anni e le previsioni per il futuro sono tutt'altro che ottimistiche. Negli ultimi anni la tendenza si è leggermente invertita, proprio grazie agli stranieri.

1. "Sottoccupazione" significa
- ☐ a. avere un salario molto basso
- ☐ b. mancanza di lavoro
- ☐ c. fare un lavoro precario
- ☐ d. lavorare per ditte poco importanti

2. *Cosa Nostra*
- ☐ a. non esiste più dagli anni Novanta
- ☐ b. ha spesso potenti alleati
- ☐ c. ha circa trecento anni di vita
- ☐ d. controlla l'economia italiana

EUROPEI SEMPRE MENO

Proiezione della popolazione dell'Unione Europea dal al 2050 (in milioni)

	OGGI	2020	2050
Unione Europea	371,6	363,8	303,5
Austria	8,0	7,9	6,6
Belgio	10,1	9,9	8,4
Danimarca	5,2	5,1	4,3
Finlandia	5,1	5,0	4,2
Francia	58,0	59,3	52,3
Germania	81,5	79,1	63,4
Gran Bretagna	58,5	58,0	50,5
Grecia	10,4	10,4	9,1
Irlanda	3,6	3,7	3,1
Italia	57.3	52.8	40.5
Lussemburgo	0,4	0,4	0,4
Paesi Bassi	15,4	15,4	13,7
Portogallo	9,9	9,9	8,6
Spagna	39,2	39,2	30,5
Svezia	8,8	8,8	8,0

3. Lo Stato è riuscito a colpire la mafia grazie
- ☐ a. alla collaborazione di alcuni ex mafiosi
- ☐ b. all'omertà diffusa nelle zone del Sud
- ☐ c. ai giudici corrotti
- ☐ d. ad alcuni famosi film americani

4. L'immigrazione clandestina in Italia
- ☐ a. ha una lunga storia alle spalle
- ☐ b. è scoraggiata dallo Stato
- ☐ c. è costituita soprattutto da asiatici
- ☐ d. ha portato problemi di ordine pubblico

5. In Italia
- ☐ a. il tasso delle nascite è nella media europea
- ☐ b. presto ci saranno troppi pensionati
- ☐ c. ci sarà un aumento della popolazione
- ☐ d. i giovani saranno più degli anziani

Una foto "storica" e drammatica degli anni Novanta, quando arrivavano ogni giorno in Italia navi cariche di profughi.

Glossario: precario: temporaneo, provvisorio, incerto, senza garanzie per il futuro; saltuario: che non è continuo nel tempo; nero: detto di lavoro o attività illegale; precludere: impedire, ostacolare; divario: differenza; eclatante: clamoroso, che si manifesta con grande evidenza; corrotto: non onesto; clandestino: chi risiede illegalmente in un Paese; integrarsi: inserirsi in un ambiente sociale, politico, culturale nuovo.

Attività online

Autovalutazione
Che cosa ricordate delle unità 9 e 10?

1. Sapete...? Fate l'abbinamento.

1. esprimere indifferenza
2. chiedere conferma
3. confermare qualcosa
4. esprimere un parere soggettivo
5. esprimere simpatia per qualcuno

a. Ma veramente è successo così?
b. Poverino, non l'ha fatto apposta.
c. Francamente, me ne infischio!
d. Non scherzo, ha detto così!
e. A quanto ne so è onesto.

2. Abbinate le frasi.

1. Ieri mi ha telefonato Franca!
2. Lo vedi così elegante, ma è un maleducato.
3. Ha sposato il medico che l'aveva in cura.
4. E come si è giustificato?
5. È vero che gli affari vanno male?

a. Ha inventato una storia, come al solito.
b. Sì, andiamo di male in peggio.
c. E a me, che me ne importa?
d. Eh, non tutto il male vien per nuocere.
e. Si sa, l'abito non fa il monaco!

3. Completate o rispondete.

1. Quale parte dell'Italia ha avuto uno sviluppo più lento? ....
2. Come si chiama la criminalità organizzata della Campania? ....
3. Famosa Galleria di Firenze: ....
4. Nel discorso indiretto "domani" diventa: ....

4. Completate le frasi con le parole mancanti.

1. Sono più severe le pene per gli s................................ di droga che per i t................................ .

2. È finito in c................................ perché il g................................ non ha creduto alla sua storia.

3. Con l'arrivo di i................................ provenienti da varie parti del mondo, l'Italia è diventata un paese veramente mu................................ .

4. L'arresto del famoso b................................ è stato un duro colpo per la c................................ organizzata calabrese.

5. Al *Metropolitan Museum* sono state esposte o................................ dei maggiori a................................ italiani del Rinascimento.

Verificate le vostre risposte a pagina 194. Siete soddisfatti?

I trulli di Alberobello (Puglia)

Che bello leggere!

Per cominciare...

 1 Lavorate in coppia. Secondo voi, a quale genere letterario appartiene ciascun libro?

 2 Vi piace leggere? Che genere preferite? Come scegliete un libro?

CD 2  3 Ascoltate una volta il dialogo e indicate le affermazioni corrette.

1. Il cliente
   - a. cerca un libro in particolare
   - b. vuole comprare tre libri
   - c. chiede consiglio alla commessa
   - d. conosce bene la commessa

2. All'inizio la commessa
   - a. chiede al cliente un consiglio
   - b. gli consiglia un libro che le piace
   - c. gli fa una domanda personale
   - d. gli chiede la data di nascita

3. La commessa cerca di indovinare
   - a. l'autore preferito dal cliente
   - b. il genere di libri che preferisce
   - c. il suo lavoro
   - d. il suo segno zodiacale

4. Alla fine il cliente
   - a. consiglia alla commessa di leggere di più
   - b. la ringrazia dei suoi consigli
   - c. le chiede di che segno è
   - d. chiede un libro sull'astrologia

In questa unità...

1. *...impariamo a chiedere e dare consigli sull'acquisto di un libro, a parlare dell'oroscopo e a parlare di libri e testi letterari;*
2. *...conosciamo il gerundio semplice e composto, l'infinito presente e passato, il participio presente e passato e le parole alterate;*
3. *...troviamo informazioni sulla storia della letteratura italiana.*

A È Gemelli per caso?

CD 2

1 **Le battute della commessa sono in ordine, ma quelle del cliente no! In coppia, ricostruite il dialogo. In seguito ascoltatelo per confermare le vostre risposte.**

[1] *cliente:* Scusi, mi potrebbe aiutare? Sono un po' confuso.
[ ] *cliente:* In che senso?!
[ ] *cliente:* Sì, è vero, sono indeciso tra questi libri. Li comprerei tutti e tre perché leggere mi piace molto. Avendo più tempo libero, forse...
[ ] *cliente:* Dice? A pensarci bene, forse è meglio qualcosa di diverso... magari un romanzo d'amore.
[ ] *cliente:* Dio mio, cosa intende?!
[ ] *cliente:* Ma che Ariete, signorina! Piuttosto, saprebbe dirmi qualcosa su questo libro di Andrea Camilleri?
[ ] *cliente:* Ah! ... Senta, mi permette di darle un consiglio? ... Se leggesse qualche libro, oltre all'Oroscopo, credo che non guasterebbe...
[ ] *cliente:* Ah, no, no... E di questo di Beppe Severgnini cosa ne pensa?
[ ] *cliente:* Veramente ho un sorella che... ma che c'entra questo?
[ ] *cliente:* Ho capito. Allora prenderò questo di Niccolò Ammaniti. Ne ho sentito parlare bene.

commessa: Certo, signore... Ma, è Gemelli per caso?
commessa: Niente, ho notato che ha cambiato più volte idea.
commessa: Mica è Ariete? Gli Arieti, lavorando molto, hanno poco tempo per altro.
commessa: Ad essere sincera, a me i libri gialli non piacciono, a volte, li trovo un pochino violenti...
commessa: Mmm... Cancro?
commessa: Voglio dire, è nato sotto il segno del Cancro? Sono molto romantici.
commessa: Mah... non avendolo letto... non saprei. Severgnini vende molto bene. Però a me i suoi libri sembrano tutti uguali...
commessa: Allora scommetto che è Vergine!
commessa: Mi riferisco al segno ovviamente: quelli della Vergine si fidano molto dei gusti altrui.

2 **Lavorate a coppie. Cercate, a vostra scelta, tra le battute del cliente o della commessa, le espressioni che significano:**

cliente	**commessa**
che relazione ha?	*per caso* ....
cosa intende dire?	*a dire la verità* ....
sarebbe utile, farebbe bene	*sono sicura* ....

3 **Enrico, il cliente della libreria, parla ora con una sua amica, Carmen: completate il dialogo con le parole date.**

Carmen: Perché sorridi? È divertente il libro?

Enrico: Veramente sto pensando alla commessa della libreria.

Carmen: Cosa aveva di tanto divertente?

Enrico: Niente, una volta .... 2-3 libri, non .... quale prendere, ho chiesto il suo aiuto.

Carmen: Lo so, per te .... è sempre stato un problema.

Enrico: Comunque, lei ha cominciato a chiedermi se ero dei Gemelli, del Cancro, della Vergine...

Carmen: Che tipo! Ma poi ti ha aiutato a scegliere?

Enrico: ....? Figurati! Non .... altro che riviste di astrologia, non avrebbe potuto. Alla fine gliel'ho detto chiaro e tondo: "Sa, oltre all'oroscopo ci sono anche altri libri da leggere!".

Carmen: No!!! E lei?

Enrico: .... stupita, ha subito risposto: "Ma io sono dei Pesci. E si sa che i Pesci non leggono molto"! E io, a quel punto, non ho potuto resistere e le ho chiesto: "E se ci fossero libri impermeabili?!".

sapendo

scelti

aiutarmi

guardandomi

avendo letto

decidere

4 **Nel dialogo introduttivo abbiamo visto: "*Avendo* più tempo libero..." e "*lavorando* molto...". Non è difficile capire di quali verbi si tratta. Osservate:**

Gerundio semplice

lavor**are**	legg**ere**	usc**ire**
lavor**ando**	legg**endo**	usc**endo**

Il gerundio semplice (o presente) è indeclinabile. Indica un'azione contemporanea a quella del verbo principale della frase con cui condivide quasi sempre il soggetto: *Uscendo, ho incontrato Gianna.* (io) / *Solo studiando, supererai l'esame.* (tu)

Verbi irregolari al gerundio in Appendice a pagina 201.

5 **Cosa esprime il gerundio? Lavorando in coppia, fate l'abbinamento. In Appendice a pagina 201 troverete la soluzione.**

azioni simultanee	Mi guardava **sorridendo**.
modo (come?)	**Cercando**, potresti trovare una casa migliore.
causa (perché?)	**Essendo** stanco, ho preferito non uscire.
un'ipotesi (se...)	Camminava **parlando** al cellulare.

6 **Nelle pagine precedenti abbiamo anche visto "non *avendolo letto...*". Osservate e completate le frasi con i gerundi dati alla rinfusa.**

Gerundio composto

avendo bevuto
essendo andato/a/i/e

Il gerundio composto (o passato) esprime un'azione avvenuta prima di un'altra:
Avendo letto il libro, posso dire che non mi è piaciuto.
Essendo arrivati in ritardo, non sono potuti entrare.

Di più sul gerundio in Appendice a pagina 202.

1. .... a casa, ho incontrato Alfredo e Anna. *Essendo*
2. .... una moglie bella, è molto geloso. *Tornando*
3. .... tardi, sono stati rimproverati dal padre. *Avendo studiato*
4. .... una persona in gamba, presto avrà una promozione. *Avendo*
5. .... molto, sapeva tutte le risposte. *Essendo tornati*

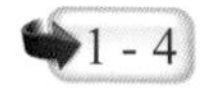

B Di che segno sei?

1 Lavorate in coppia. Come si chiamano i segni zodiacali in italiano? Completateli consultando anche il testo del punto 2.

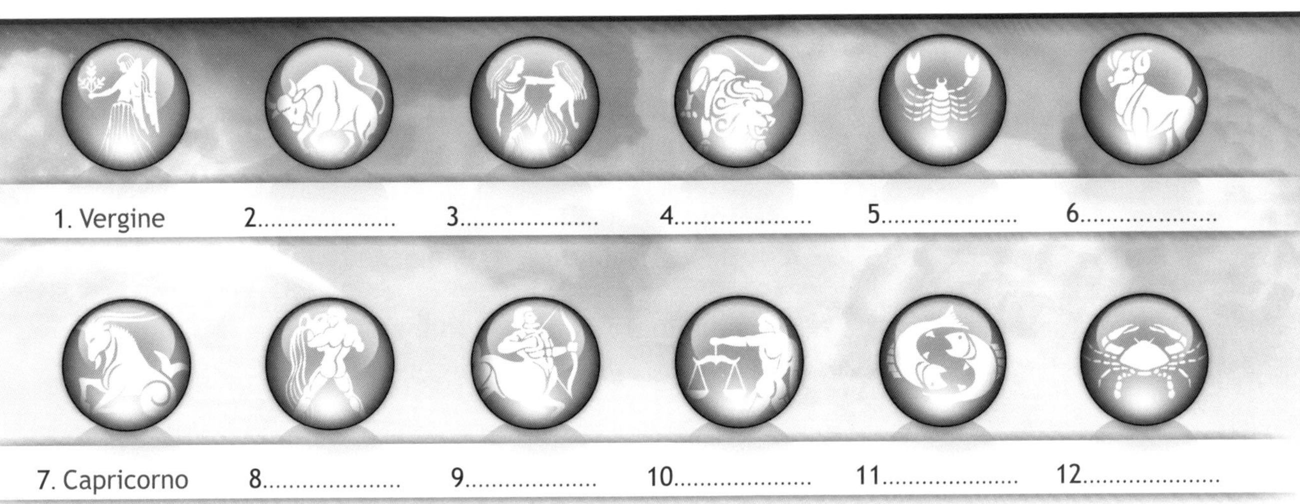

2 Leggete il vostro segno zodiacale. Siete davvero così? Parlatene.

Ariete Le parole d'ordine per loro sono passionalità e coraggio. Grandi lavoratori, preferiscono dedicare all'amore pochi, ma intensi momenti.

Toro I nati sotto il segno del Toro amano molto gli amici e la semplicità. Pazienti e poco romantici, preferiscono storie lunghe e tranquille.

Gemelli Spiritosi e intelligenti. Particolarmente sensibili agli stati d'animo e ai pensieri di chi li circonda, giocano sulle frasi e le parole a doppio senso.

Cancro Sono i più romantici e sognatori dello zodiaco; cercano negli altri tenerezza e protezione. Hanno bisogno di emozioni e di parole dolci e sono molto fedeli.

Leone Amano esibire la loro bellezza, esteriore e interiore. Sono seducenti e hanno un'energia straordinaria. Ma si annoiano facilmente.

Vergine Le loro caratteristiche sono la puntualità, la precisione e l'altruismo. Non sempre trovano il coraggio di esprimere i loro sentimenti, perciò preferiscono scriverli.

Bilancia Non molto stabili, soprattutto in momenti di particolare stanchezza. In compenso, sono estroversi e creativi. Tolleranti, sanno evitare gli scontri con gli altri.

Scorpione Sono provocatori, ma anche molto ambiziosi e attratti dal potere. Spesso si lasciano catturare da relazioni difficili, ma sanno sempre riprendersi dalle difficoltà.

Sagittario Molto ottimisti, non perdono mai il loro buon umore. Si innamorano facilmente, ma si sposano tardi, a volte dopo lunghi fidanzamenti.

Capricorno Sono capaci di sopportare la fatica. Tipi molto concreti non sprecano tempo né energia. Di solito vivono a lungo e con gli anni sembrano ringiovanire.

Acquario Sono eccentrici, fantasiosi e attratti dalla libertà di pensiero: gli studi lunghi non sono per loro. Sanno stupire con sorprese e idee originali.

Pesci Essendo forse troppo romantici, per loro i sentimenti contano più della razionalità. Alcune volte si comportano in modo imprevedibile.

3 In genere, credete all'oroscopo? Quando e quanto può influenzarvi?

4 **Nelle pagine precedenti abbiamo visto: "...*leggere* mi piace molto", "a *pensarci* bene...". Abbinate le frasi alle corrispondenti funzioni. In Appendice a pagina 202 troverete la soluzione.**

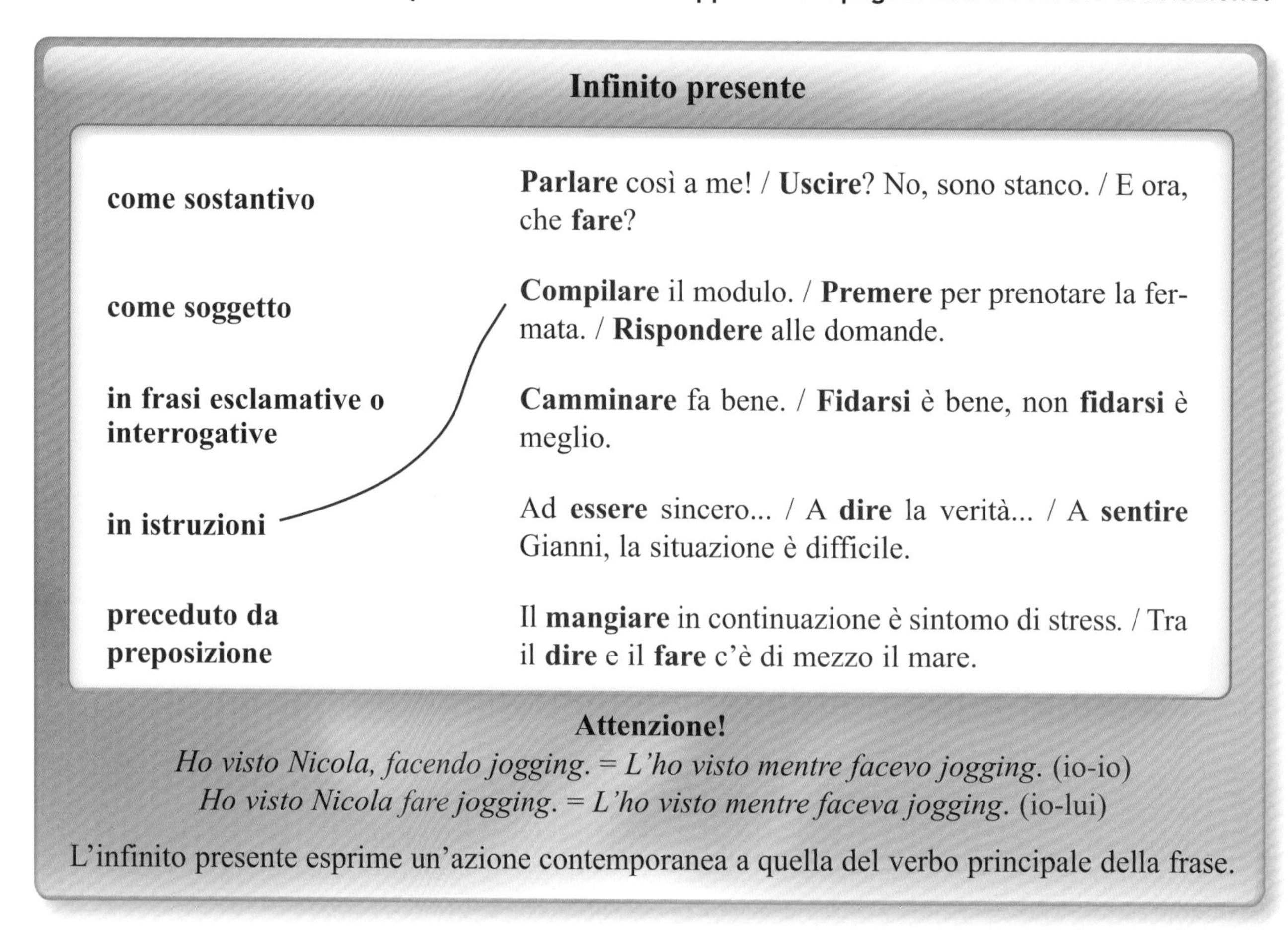

Infinito presente

come sostantivo	**Parlare** così a me! / **Uscire**? No, sono stanco. / E ora, che **fare**?
come soggetto	**Compilare** il modulo. / **Premere** per prenotare la fermata. / **Rispondere** alle domande.
in frasi esclamative o interrogative	**Camminare** fa bene. / **Fidarsi** è bene, non **fidarsi** è meglio.
in istruzioni	Ad **essere** sincero... / A **dire** la verità... / A **sentire** Gianni, la situazione è difficile.
preceduto da preposizione	Il **mangiare** in continuazione è sintomo di stress. / Tra il **dire** e il **fare** c'è di mezzo il mare.

Attenzione!
Ho visto Nicola, facendo jogging. = L'ho visto mentre facevo jogging. (io-io)
Ho visto Nicola fare jogging. = L'ho visto mentre faceva jogging. (io-lui)

L'infinito presente esprime un'azione contemporanea a quella del verbo principale della frase.

5 **L'infinito, come abbiamo visto, può essere coniugato anche al passato. Osservate:**

Infinito passato

È venuta dopo **essere passata** dai suoi genitori.
All'una dovevo **aver** già **consegnato** il libro.
Per non **essersi svegliato** in tempo, ha perso il treno.
Dopo **averlo conosciuto**, non penso che a lui.

L'infinito passato esprime un'azione avvenuta prima di un'altra.

6 **Osservate le due schede e completate le frasi.**

1. Dopo .... il lavoro, andremo a mangiare.
2. .... dolci?! Ma te l'ho detto che sto a dieta!
3. Ho sentito i miei genitori .... molto bene di te.
4. Per .... tardi, i miei mi hanno rimproverato.
5. Che cosa ....? Non ho parole...

5 - 8

C Due scrittori importanti

1 **Completate con:** *corrente, finita, evidente, affascinante, esponenti, divertenti.* **Poi indicate a quale dei due testi corrisponde ogni affermazione.**

Alberto Moravia (1907-1990)

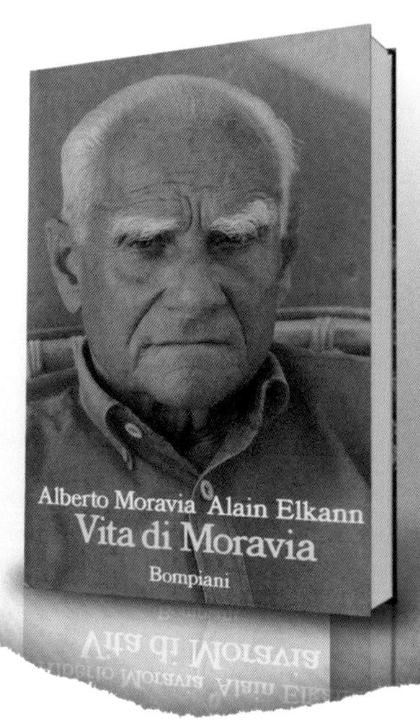

Nato a Roma, è stato uno dei massimi narratori italiani e tra i più noti e tradotti nel mondo. È diventato famoso a soli 22 anni con il suo primo romanzo, *Gli indifferenti*, forse il suo capolavoro. Il libro, ribaltando lo spirito di ottimismo propagandato dal fascismo, è una critica della borghesia italiana di quel periodo, annoiata e inutile.
Il suo stile severo, semplice e privo di eccessi ha fatto di Moravia uno dei maggiori ....(1) del neorealismo italiano. A questa ....(2) letteraria appartengono libri come *Agostino*, *La Romana* e *La Ciociara*, che il grande Vittorio De Sica trasformò in film con Sofia Loren. I *Racconti romani* e i *Nuovi racconti romani* sono strane e ....(3) storie della Roma del dopoguerra. Con libri come *La Noia* e *L'amore coniugale*, Moravia torna a criticare la classe borghese. Nelle sue ultime opere si orienta verso le tematiche della psicoanalisi. Molti dei suoi racconti sono diventati film di successo.

Italo Calvino (1923-1985)

Calvino è forse il più giocoso e ....(4) degli scrittori italiani del secondo '900. Nacque a Cuba, ma crebbe a Sanremo e durante l'occupazione tedesca si unì ai partigiani. ....(5) la guerra, pubblicò il suo primo romanzo, *Il sentiero dei nidi di ragno*, ispirato proprio a quell'esperienza. Negli anni '50, Calvino scrisse forse le sue opere più note: *Il visconte dimezzato*, *Il barone rampante* e *Il cavaliere inesistente*, pubblicati in seguito in un unico volume con il titolo *I nostri antenati*. Questi "romanzi fantastici", come li definiva Calvino, sono una parodia della letteratura cavalleresca e sono pieni di allusioni al mondo contemporaneo. Dei libri successivi, dove l'elemento fiabesco è ancora più ....(6), forse il più originale è *Le città invisibili* in cui, tra fantasia e realtà, Marco Polo descrive le città da lui visitate. Altre sue opere da ricordare sono *Se una notte d'inverno un viaggiatore*, *Marcovaldo*, la grande raccolta di *Fiabe italiane* e *Gli amori difficili*.

	Moravia	*Calvino*
1. Il suo talento è stato riconosciuto molto presto.	☐	☐
2. Ha affrontato temi reali attraverso storie di fantasia.	☐	☐
3. Pubblicò la sua prima opera durante il periodo fascista.	☐	☐
4. Ha combattuto per la Liberazione d'Italia.	☐	☐
5. Con il passare degli anni i suoi temi sono cambiati.	☐	☐
6. Tra le sue opere c'è una famosa trilogia.	☐	☐

2 **Rispondete.**

1. Che cosa hanno in comune i due scrittori? Che cosa li differenzia?
2. Chi dei due scrittori vi sembra più interessante? Quale dei titoli citati vi piacerebbe leggere e perché?

3 **Nei due testi precedenti abbiamo incontrato parole come** *corrente, affascinante, divertenti*: **si tratta di participi presenti. Da quali verbi derivano? In coppia, osservate la tabella sulla formazione del participio presente e completate gli esempi.**

Participio presente

parl**are**	sorrid**ere**	divert**ire**
⇨ parl**ante/i**	⇨ sorrid**ente/i**	⇨ divert**ente/i**

aggettivo: *Il libro era veramente* .... (INTERESSARE) / *È molto* .... (PESARE).

sostantivo: *I miei* .... (ASSISTERE) / *Una brava* .... (CANTARE).

verbo: *Una squadra* .... (VINCERE) (*che vince*). / *Il pezzo* .... (MANCARE) (*che manca*).

In Appendice a pagina 202 troverete la soluzione.

4 **Nel secondo testo della pagina precedente abbiamo letto anche** "*Finita* la guerra, pubblicò il suo primo romanzo". **Secondo voi, che cosa significa, che valore ha "finita"?**

Participio passato

Il participio passato si usa nei tempi composti, nella forma passiva e anche come:

aggettivo: *Ho comprato una macchina usata. / Michele è un ragazzo molto distratto.*

sostantivo: *Andiamo a fare una passeggiata in centro.*

participio assoluto, quando esprime un'azione avvenuta prima di un'altra:

Arrivati i miei genitori, andrò a letto. (= dopo che saranno arrivati i miei genitori)
Una volta partito, non sono più tornato indietro. (= dopo essere partito / essendo partito)

5 **Completate le frasi con il participio presente o passato dei verbi.**

1. Devo comprare una nuova .... laser. *(stampare)*
2. Solo una volta .... di casa, ho notato che nevicava. *(uscire)*
3. Ho aperto un nuovo conto .... alla Banca di Roma. *(correre)*
4. .... l'aspirina, il mal di testa mi è finalmente passato. *(prendere)*
5. Essendomi perso, ho chiesto indicazioni ad un .... *(passare)*

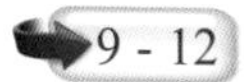
9 - 12

D Andiamo a teatro

1 Vi piace il teatro? In cosa si differenzia dal cinema?

CD 2

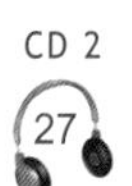

2 Ascoltate il testo su due grandi autori del teatro italiano e indicate le affermazioni corrette.

1. Le opere di Pirandello si basano sull'idea che:
   - a. la realtà sia falsa
   - b. la realtà sia oggettiva
   - c. la realtà sia relativa

2. Secondo lui, gli uomini hanno costante bisogno di:
   - a. mentire a se stessi
   - b. ingannare gli altri
   - c. non crearsi illusioni

3. De Filippo debuttò al *San Carlo* di Napoli con *Napoli milionaria*:
   - a. prima della II guerra mondiale
   - b. durante la II guerra mondiale
   - c. dopo la II guerra mondiale

4. Filumena Marturano, alla fine:
   - a. convince Domenico a riconoscere il loro figlio
   - b. riesce a farsi sposare da Domenico
   - c. convince Domenico che sono tutti e tre figli suoi

3 Completate il testo inserendo una parola in ogni spazio.

Il grande Eduardo sul palcoscenico

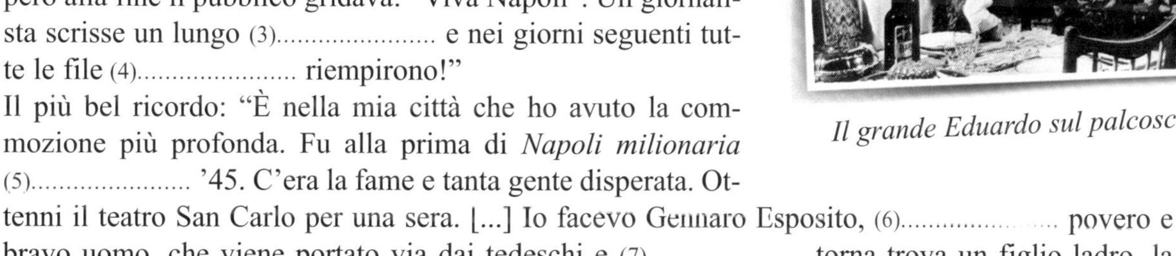

Il successo: "Nel 1942, con i miei fratelli decidemmo di passare al teatro, con una compagnia nostra e con copioni scritti da noi. Debuttammo a Milano, (1)...................... *Odeon*. Ma chi ci conosceva? Le poltrone (2)...................... per metà vuote, però alla fine il pubblico gridava: "Viva Napoli". Un giornalista scrisse un lungo (3)...................... e nei giorni seguenti tutte le file (4)...................... riempirono!"
Il più bel ricordo: "È nella mia città che ho avuto la commozione più profonda. Fu alla prima di *Napoli milionaria* (5)...................... '45. C'era la fame e tanta gente disperata. Ottenni il teatro San Carlo per una sera. [...] Io facevo Gennaro Esposito, (6)...................... povero e bravo uomo, che viene portato via dai tedeschi e (7)...................... torna trova un figlio ladro, la moglie che fa il mercato nero, si è arricchita e (8)...................... ha tradito, e la figlia che ha fatto l'amore con un soldato americano. Gennaro, con tolleranza, (9)...................... capire ai familiari che non è finito niente, che la (10)...................... continua. Recitavo e sentivo intorno a me un silenzio terribile. (11)...................... dissi l'ultima battuta: "Deve passare la notte" e scese il sipario, ci fu silenzio ancora (12)...................... otto, dieci secondi, poi scoppiò un applauso furioso e anche un pianto irrefrenabile; tutti piangevano e anch'io piangevo. Avevo detto il dolore di tutti."

tratto da un'*intervista a Eduardo De Filippo*

Luigi Pirandello, al centro, con i tre fratelli De Filippo (da sinistra: Peppino, Eduardo e Titina). Pirandello aveva un'immensa stima per i De Filippo, che avevano già interpretato con successo una sua commedia, *Il berretto a sonagli*. Secondo lui costituivano una forza nuova e autentica del teatro.

4 **Abbinate le parole ai disegni. Che cosa notate?**

a. teatro b. teatrino c. libro d. librone e. ragazzo f. ragazzaccio

5 **Osservate la tabella. Erano giuste le vostre ipotesi?**

Le parole alterate

In italiano possiamo modificare una parola cambiando la sua terminazione: *gatto-gattino*, *bene-benino* ecc. Queste alterazioni possono essere relative alla **dimensione**, oppure alla **qualità**:

diminutivo: **-ino/a**: *pensierino*, *stradina* **-ello/a**: *alberello*, *storiella* **-etto/a**: *piccoletto*, *libretto*	**accrescitivo:** **-one** (*m.**): *simpaticone*, *pigrone* **-ona** (*f.*): *casona* * molti nomi femminili diventano maschili: *la donna - il donnone*	dimensione
peggiorativo/dispregiativo: **-accio/a**: *tempaccio*, *giornataccia*, *caratteraccio*, *parolacce*	**vezzeggiativo:** **-uccio/a**: *casuccia*, *cavalluccio*, *boccuccia*	qualità

6 **Completate le frasi con la corretta forma alterata delle parole date.**

1. Che ....! È da tre ore che piove a dirotto! *(tempo)*
2. Oggi non sto bene, mangio solo una .... *(minestra)*
3. Non ti aspettare un .... da tuo zio, lo sai che è senza lavoro. *(regalo)*
4. Quando ero bambino dormivo spesso nel .... con i miei. *(letto)*
5. Hai acceso anche il camino? Ecco perché c'è questo bel .... *(caldo)*

13 - 16

E Librerie e libri

1 **Ascolteremo un'intervista a un libraio. Quelle di seguito sono alcune delle domande. Cosa rispondereste voi?**

1. Il vostro è un popolo che legge molto? Secondo voi, leggono di più le donne o gli uomini?
2. Quali generi di libri scelgono di più gli uomini e quali le donne?
3. Che tipo di libri preferiscono leggere i giovani?

CD 2 28

2 **Ascoltate ora l'intervista. In quali punti avete dato una risposta simile a quella del libraio?**

CD 2 28

3 **Ascoltate di nuovo e completate le informazioni con poche parole (massimo quattro).**

1. Gli italiani storicamente sono poco ....
2. Bene o male si invoglia poco il bambino o la bambina a confrontarsi con letture ....
3. Il lettore "forte" è un... Intanto si dice da sempre ....
4. Le grandi case editrici spesso scelgono di pubblicare cose già in qualche modo sapendo e scegliendo ....
5. Il pubblico femminile si confronta ...., romanzi d'amore.
6. I giovani, come al solito, sono anche il tipo di pubblico più ....

4 **Che rapporto avete con la lettura? Dove e quando vi piace leggere? Scambiatevi idee.**

5 **Leggete il testo e indicate le affermazioni veramente presenti.**

L'avventura di un lettore

Da tempo Amedeo tendeva a ridurre al minimo la sua partecipazione alla vita attiva. [...] L'interesse all'azione sopravviveva però nel piacere di leggere; la sua passione erano sempre le narrazioni di fatti, le storie, l'intreccio delle vicende umane. Romanzi dell'Ottocento, prima di tutto, ma anche memorie e biografie; e via via fino ad arrivare ai gialli e alla fantascienza, che non disdegnava ma che gli davano minor soddisfazione anche perché erano libretti brevi: Amedeo amava i grossi tomi e metteva nell'affrontarli il piacere fisico dell'affrontare una grossa fatica. [...]
Nel libro trovava un'adesione alla realtà molto più piena e concreta, dove tutto aveva un significato, un'importanza, un ritmo. Amedeo si sentiva in una condizione perfetta: la pagina scritta gli appariva la vera vita, profonda e appassionante, e alzando gli occhi ritrovava un casuale ma gradevole accostarsi di colori e sensazioni, un mondo accessorio e decorativo, che non poteva impegnarlo in nulla. La signora abbronzata, dal suo materassino, gli fece un sorriso e un cenno di saluto, lui rispose pure con un sorriso e un vago cenno e riabbassò subito lo sguardo. Ma la signora aveva detto qualcosa:
– Eh?
– Legge, legge sempre?
– Eh...
– È interessante?
– Sì.
– Buon proseguimento!
– Grazie.
Bisognava che non alzasse più gli occhi. Almeno fino alla fine del capitolo. Lo lesse d'un fiato. [...]
– Ma...
Amedeo fu costretto ad alzare il capo dal libro.
La donna lo stava guardando, ed i suoi occhi erano amari.
– Qualche cosa che non va? – lui chiese.
– Ma non si stanca mai di leggere? – disse la donna. – Non sa che con le signore si deve fare conversazione? – aggiunse con un mezzo sorriso che forse voleva essere solo ironico, ma ad Amedeo, che in quel momento avrebbe pagato chissà cosa per non staccarsi dal romanzo, sembrò addirittura minaccioso. "Cos'ho fatto, a mettermi qui!", pensò. Ormai era chiaro che con quella donna al fianco non avrebbe più letto una riga.

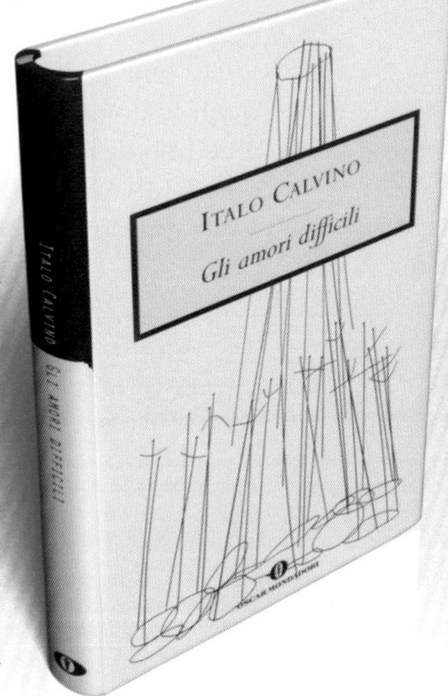

adattato da *Gli amori difficili* di Italo Calvino

1. Amedeo preferisce leggere libri lunghi e voluminosi.
2. Amedeo è un tipo sportivo.
3. Ha comprato un libro per leggerlo in spiaggia.
4. Per Amedeo, la letteratura è più importante della vita reale.
5. La signora legge una rivista di moda.
6. La signora sta prendendo il sole al mare.
7. Amedeo ha voglia di parlare del suo libro con la signora.
8. La signora vorrebbe che Amedeo parlasse con lei.
9. Amedeo finisce il libro prima di parlare con la signora.
10. La signora è in compagnia delle sue amiche.

F Vocabolario e abilità

1 **Vita da libri! Osservando i disegni e con l'aiuto delle parole date, raccontate le varie fasi della vostra vita come se foste... un libro! Potete cominciate così:** "Un giorno uno scrittore mi ha scritto... Poi..."

tipografo presentare lettore pubblicare stampare libraio impaginare
redattrice autore esporre vetrina editore comprare grafico correggere

CD 2

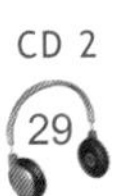

2 **Ascolto** Quaderno degli esercizi (p. 179)

3 **Situazione**

Sei *A*: dopo questa unità... hai voglia di leggere uno dei libri di cui si è parlato. Vai in una libreria italiana e chiedi all'impiegato di aiutarti a scegliere. A pagina 203 trovi alcuni titoli e autori interessanti e qualche indicazione sulle domande da fare.
Sei *B*: lavori in libreria e conosci abbastanza bene la letteratura italiana. A pagina 208 trovi alcune delle informazioni di cui ha bisogno *A*.

4 **Scriviamo**

Scrivi un'e-mail a un amico italiano per parlargli di un libro italiano che hai letto e che ti è piaciuto molto. Inoltre, chiedi informazioni e consigli su altri titoli che potresti leggere. *(80-120 parole)*

Test finale

Tale è l'attualità della Divina Commedia *che è ancora recitata da famosi attori.*

La letteratura italiana in breve

Ecco le tappe* più importanti della storia della letteratura italiana:

1300
Dante Alighieri (1265-1321) è il "padre" della letteratura ed anche della lingua italiana. La sua opera più nota, *La Divina Commedia*, uno dei capolavori della letteratura mondiale, fu presa come punto di riferimento per quella che sarebbe diventata la lingua italiana moderna.

1500
Il Rinascimento, oltre che nell'arte, ebbe grandi esponenti anche nella letteratura: tra tutti Ludovico Ariosto (1474-1533), autore del poema *Orlando Furioso*, ironico addio al mondo medievale dei cavalieri e dell'epica*.

1700
In Italia il teatro si sviluppa grazie a Carlo Goldoni (1707-1793) e alle sue commedie teatrali (*La locandiera*, *Il servitore di due padroni*) che vengono rappresentate ovunque, ancora con grande successo.

1800
È il periodo del Romanticismo*: nella poesia, Ugo Foscolo (1778-1827) e Giacomo Leopardi (1798-1837) esaltano il valore delle illusioni di fronte ad una realtà ostile*.
Nella prosa, Alessandro Manzoni (1785-1873) scrive il primo romanzo della letteratura italiana: *I promessi sposi*, ancora oggi letto da tutti gli studenti italiani.
Con Giovanni Verga (1840-1922) inizia una nuova stagione, quella del Verismo*, in cui la realtà è descritta in maniera più analitica, ma con esiti ugualmente pessimistici come per il Romanticismo.

1900-1950
Italo Svevo (1861-1928) con *La coscienza di Zeno* dà vita al primo romanzo psicologico, genere fino ad allora sconosciuto in Italia.
Nella poesia, i nomi più illustri di questo periodo sono Giuseppe Ungaretti ed Eugenio Montale, due tra i maggiori poeti europei del Novecento.
Nella narrativa, accanto a Moravia e Calvino, dobbiamo menzionare* anche Natalia Ginzburg, Leonardo Sciascia e Cesare Pavese.

1950-2000

Il nome della rosa, di Umberto Eco, è stato un grandissimo "best seller" a livello mondiale. Tra i "nuovi" autori amati dai lettori dobbiamo ricordare Alessandro Baricco e, più recentemente, Niccolò Ammaniti. Infine è interessante notare il fenomeno Camilleri: un anziano autore di romanzi gialli che è stato molto spesso in testa alle classifiche dei libri italiani più letti. Molto famose anche all'estero sono alcune scrittrici italiane contemporanee: Oriana Fallaci (*Lettera ad un bambino mai nato*, *Un uomo*, *Insciallah*), Elsa Morante (*Menzogna* e sortilegio**), Dacia Maraini (*Bagherìa*, *La lunga vita di Marianna Ucrìa*), e Susanna Tamaro (*Va' dove ti porta il cuore*, *Anima mundi*).

I premi Nobel

Sei sono gli italiani a cui è stato assegnato finora il Nobel per la letteratura: il primo è il poeta Giosuè Carducci nel 1906, la seconda è la romanziera Grazia Deledda nel 1926, seguita da Luigi Pirandello nel 1934, ed infine i poeti Salvatore Quasimodo (*Ed è subito sera*) nel 1959 ed Eugenio Montale (*Ossi di seppia*) nel 1975.
Nel 1997, a sorpresa, il Nobel è stato assegnato a Dario Fo, scrittore ed attore di teatro satirico, a volte rivoluzionario, ma sempre originale e divertente. Tra le sue opere più note sono *Mistero Buffo* e *Morte accidentale* di un anarchico*.

1. Perché Dante è considerato il padre della lingua italiana?
2. Qual è il primo romanzo della letteratura italiana?
3. Tra i premi Nobel italiani ci sono più scrittori o poeti?

Non è un caso che la Società Dante Alighieri, *la maggiore istituzione per la promozione e la diffusione della lingua e della cultura italiana nel mondo (fondata nel 1889), porti il nome del più grande poeta del nostro paese.*

Umberto Eco

Dario Fo

Glossario: tappa: momento importante all'interno di uno sviluppo storico; epica: genere di poesia che narra, racconta avvenimenti eroici; Romanticismo: movimento culturale nato in Germania alla fine del XVIII secolo e diffusosi in Europa nel XIX secolo, caratterizzato da un nuovo modo di vedere il mondo in cui sentimento e fantasia occupano un posto importante; ostile: nemico, contrario; Verismo: movimento letterario nato in Italia alla fine dell'Ottocento; menzionare: ricordare, nominare; menzogna: bugia, falsità; sortilegio: magia, incantesimo; accidentale: casuale, che avviene per caso.

Attività online

Autovalutazione
Che cosa ricordate delle unità 10 e 11?

1. Abbinate le frasi.

1. Secondo te, lui potrebbe prestarci i soldi?
2. Stasera studierò fino a tardi!
3. Ma perché ha detto una cosa del genere?
4. Però, non ha fatto tutto quello che aveva promesso.

a. Così, per attaccare discorso.
b. A pensarci bene, no, hai ragione.
c. Chi, Giorgio?! Ma figurati!
d. Bravo, ogni tanto non guasta!

2. Sapete...? Fate l'abbinamento.

1. esprimere fastidio
2. esprimere indifferenza
3. precisare
4. chiedere una spiegazione

a. Lui non è d'accordo? E con ciò?
b. Nel senso che è molto più esperto di te.
c. Ti sembra strano? In che senso?
d. Ma quale errore, ma per favore!

3. Scegliete la parola adatta per ogni frase.

1. Ci sono *scrittori/esponenti/lettori/editori* che firmano i loro libri con un altro nome, uno pseudonimo.
2. La *libreria/biblioteca/letteratura/lettura* italiana è una delle più apprezzate al mondo, con molti 'tesori' da scoprire.
3. La parte grafica è importante: a volte basta una bella *trama/vetrina/copertina/casa editrice* per vendere più facilmente un libro.
4. I due giovani sono stati arrestati per *criminalità/rapina/pena/carcere* e saranno portati subito davanti al giudice.

4. Completate o rispondete.

1. Chi è considerato il padre della letteratura italiana?

....

2. Un autore teatrale italiano:

....

3. Il gerundio semplice di *partire*:

....

4. Il participio presente di *passare*:

....

Verificate le vostre risposte a pagina 194. Siete soddisfatti?

Cattedrale di Siena (Toscana)

Autovalutazione generale
Quanto ricordate di quello che avete imparato in *Progetto italiano 2a* e *2b*?

1. Dove o in quale occasione sentireste le seguenti espressioni e parole?

1. "Il tasso d'interesse è molto basso."
- ☐ a. in banca
- ☐ b. in un annuncio di lavoro
- ☐ c. in un teatro

2. "Ha l'ingresso indipendente."
- ☐ a. in palestra
- ☐ b. in un'agenzia immobiliare
- ☐ c. in banca

3. "La frequenza è obbligatoria."
- ☐ a. in palestra
- ☐ b. all'università
- ☐ c. in un museo

4. "I cani sono ammessi?"
- ☐ a. in libreria
- ☐ b. all'università
- ☐ c. in albergo

5. "Quali erano le Sue mansioni?"
- ☐ a. durante un colloquio di lavoro
- ☐ b. in un museo
- ☐ c. in libreria

6. "Il prezzo comprende il volo e il soggiorno."
- ☐ a. in albergo
- ☐ b. in un'agenzia di viaggi
- ☐ c. in un'agenzia immobiliare

2. Abbinate le due colonne. Attenzione: c'è una risposta in più.

1. Allora, mi hai preso in giro?
2. Strano quello che è capitato a Giulio, no?
3. Avete già chiesto le ferie?
4. Hai sentito della nuova legge sul lavoro?
5. Mi presteresti il tuo motorino?
6. Direttore, posso parlarLe?
7. Luisa si sposa tra un mese.
8. Tu e Mirco dovreste parlare.

a. E perché mai? Tanto ha sempre ragione lui!
b. A proposito, vuoi venire con noi a Capri?
c. A quanto pare, non passerà.
d. Ma non si può andare avanti così!
e. Detto tra noi, si è inventato tutto.
f. Ma no, stavo solo scherzando!
g. Non mi dica che vuole un aumento?!
h. E con ciò? Io ormai sto con Maria.
i. Ma stai scherzando? Me lo hanno rubato!

3. Inserite le parole date nella categoria giusta. Ogni categoria ha 3 parole.

1. *banca* ....
2. *albergo* ....
3. *università* ....
4. *opera* ....
5. *museo* ....
6. *libreria* ....
7. *agenzia immobiliare* ....

prenotazione interessi racconto soprano scultura doppi servizi libretto
tesi monolocale corsi mezza pensione tenore appunti cantina
statua romanzo sportello dipinto giallo pernottamento prelevare

4. Completate le frasi con la parola mancante.

1. Perché non me lo hai riportato? Non ti ho detto che .... serviva per oggi?
2. Secondo me dovresti dir ...., in fondo ha tutto il diritto di sapere come stanno le cose.
3. Ragazzi, domani .... di voi porti il proprio dizionario di inglese per il compito in classe.
4. .... lui non ci si può proprio fidare: è un irresponsabile!

5. Mi ha spiegato i motivi per .... non è venuto e non posso dargli tutti i torti.
6. Se rimpiango i vecchi tempi? .... penso continuamente!
7. .... l'abbiamo fatta: siamo in finale!
8. È rimasta un po' di torta: .... vuoi un pezzo?

5. Completate con il tempo e il modo giusto dei verbi dati, non sempre in ordine, per ogni frase.

1. Ti ...., ma non avevo con me il cellulare. Comunque non pensavo .... di una cosa tanto urgente: mi dispiace! *(trattarsi / chiamare)*
2. Quei ladruncoli .... dall'anziana portiera che è riuscita a farli scappare .... con un ombrello. *(sorprendere / minacciarli)*
3. Una volta .... all'aeroporto, mio marito si è accorto di .... i biglietti a casa! *(arrivare / dimenticare)*
4. Mio padre mi diceva sempre: "Solo .... duramente e onestamente .... strada nella vita, figlio mio". *(fare / lavorare)*

6. Unite le frasi attraverso le congiunzioni giuste, come nell'esempio.

1. Va bene, ti racconterò tutto	prima che	a. non avessi mangiato.
2. Luisa non ha voluto giocare	purché	b. venga a saperlo da una terza persona.
3. Non l'ho aiutato	a meno che	c. tu mi prometta che rimarrà tra noi!
4. Ti ho portato un panino	nel caso	d. le sue condizioni fisiche fossero buone.
5. Diglielo tu	affinché	e. i tuoi non lo sappiano già.
6. Non prendere certe decisioni	nonostante	f. impari a cavarsela da solo.

7. Completate le frasi con i derivati delle parole date tra parentesi.

1. Gli .... hanno promosso un'iniziativa per la salvaguardia del verde cittadino. *(ambiente)*
2. È una persona seria e competente, un vero .... *(professione)*
3. Preferirei vivere in campagna perché amo la .... *(tranquillo)*
4. La casa che vorremmo comprare ha una camera da letto veramente .... *(spazio)*
5. Si è messo a piovere ...., ci siamo bagnati dalla testa ai piedi. *(improvviso)*
6. Sto studiando il tedesco e trovo molta .... a memorizzare le parole nuove. *(difficile)*

8. Completate con il tempo e il modo giusto dei verbi dati.

dire dovere essere potere potere promuovere studiare trasferirsi

1. Ma lo sai che sono proprio contento per te! .... con il massimo dei voti perché te lo sei meritato dopo .... tanto.
2. Se tu non .... così disordinato, non .... ogni volta cercare per ore tra le tue cose!
3. Sapevi che Marta .... fuori città? A me non .... mai niente nessuno!
4. I curriculum vitae .... spedire via fax allo 0642568958 oppure .... mandare come allegati per posta elettronica a info@impresa.it.

Controllate le soluzioni a pagina 194.
Siete soddisfatti di quello che avete imparato fin qui?

Vi aspettiamo tutti in *Progetto italiano 3*!

nuovo

PROGETTO ITALIANO

2b

T. Marin
S. Magnelli

Corso multimediale
di lingua e civiltà italiana

B2
QUADRO EUROPEO DI RIFERIMENTO

Quaderno degli esercizi

www.edilingua.it

Andiamo all'opera?

1. Completa con l'imperativo.

1. Se i signori hanno deciso, (ordinare) .... pure!
2. Dottoressa Bindi, se deve parlare con il direttore, (andare) .... pure!
3. Signor Citterio, se deve proprio andare, (prendere) .... la mia moto!
4. Signorina, dobbiamo aspettare ancora un po', (avere) .... pazienza!
5. Signora, se vuole arrivare puntuale, (partire) .... con il treno delle quattro!
6. Signora Rossi, (essere) .... gentile, (abbassare) .... il volume della radio!

2. Scegli il verbo adeguato e formula dei consigli usando l'imperativo indiretto.

chiudere - riposarsi - fare - preparare - girare - spegnere - scrivere

1. - Scusi, per Piazza di Spagna? - È facile, ... alla prima a destra e dopo cento metri si troverà davanti la fontana della Barcaccia!
2. - Ho l'impressione che il direttore non legga tutte le mie email.
   - La prossima volta .... e-mail più brevi, signor Negri!
3. - Oggi, ho un forte mal di testa. - Signorina, ... il computer e .... una passeggiata nel parco!
4. - Direttore, cosa offriamo ai nostri ospiti? - Signorina, ... un buon caffè per tutti!
5. - Oggi mi sento proprio stanco. - Se è così stanco, ... un po'!
6. - Fa un po' freddo in questo ufficio. - .... la finestra, signora Giglio!

3. Completa secondo il modello.

Bere/camomilla/farà bene.
Mario, bevi una camomilla: ti farà bene.
Signorina, beva una camomilla: Le farà bene.
È meglio che Lei beva una camomilla.

1. Prendere/taxi/se/non volere aspettare.
   a. Pietro, ...
   b. Signorina, ...
2. Andare via/non voglio più vedere/te-Lei.
   a. Gianfranco, ...
   b. È meglio che Lei ....

3. Raccontare/tutto quello/avere visto.
   a. Signor Baldi, ...
   b. Desidero che tu ....
4. Telefonare subito/quando/essere a Roma/dobbiamo parlare/a te-a Lei.
   a. Fulvio, ...
   b. È bene che Lei ....
5. Chiedere/se/avere qualche dubbio
   a. Signor Modena, ...
   b. È opportuno che tu ....
6. Uscire adesso/prima che/chiudere i negozi
   a. Mario, ...
   b. Signora, ...

4. Completa le frasi con l'imperativo indiretto e i pronomi, secondo il modello.

Gianni, per favore, portami gli occhiali che sono sul tavolo!
Signorina, per favore, mi porti gli occhiali che sono sul tavolo!

1. Vedi quella piazza? Attraversala e sei arrivato!
   Vede quella piazza? .... ed è arrivato!
2. Piero, dicci la vertà!
   Signor Pivetti, per favore, ... la verità!
3. Se vedi Angela, salutamela!
   Se vede Angela, ...!
4. Claudio, dammi una mano!
   Signor Pizzi, ... una mano, per favore!
5. Vattene, non voglio più vederti!
   ...., non voglio più vederLa!
6. Siediti pure! Io preferisco restare in piedi.
   Signora, per favore, ... Io preferisco restare in piedi.

5. Completa con l'imperativo e i pronomi combinati.

1. Signor Ghezzi, abbiamo saputo che ha fatto tante belle fotografie a Barcellona. (mostrare - a noi - le fotografie) ...., per favore!

Barcellona, Casa Battlò

2. Professoressa, i ragazzi non hanno capito bene il congiuntivo. Per favore, (spiegare - ai ragazzi - il congiuntivo) .... di nuovo!
3. Signor Donati, il direttore ha bisogno di questi documenti, per favore (portare - i documenti - al direttore) ....

4. Signorina, siccome non posso venire stasera alla festa di suo padre, per favore, il regalo (dare - a lui - il regalo) .... Lei!
5. Ha portato quei documenti che le avevo chiesto? (fare vedere - i documenti - a me) ....!
6. Ha detto al direttore che domani non può venire in ufficio? (dire - a lui - che non può venire) .... subito!

6. Completa con l'imperativo diretto e indiretto alla forma negativa.

1. Ivan e Gloria, non (stare) .... tante ore davanti al computer, fa male!
2. Signor Bialetti, non se La prenda! La prego, non (arrabbiarsi) ....!
3. Non (temere) ...., Marco: non racconterò niente di quello che ho visto!
4. Signori, non (preoccuparsi) ....: troveremo una soluzione!
5. Ragazzi, se volete andare in Piazza del Duomo, non (prendere) .... il 13, ma il 15!
6. Avvocato, non (venire) .... in ufficio se non sta ancora bene! Ci occuperemo noi degli appuntamenti di oggi.
7. Signor Marti, non (bere) .... tanti caffè, la rendono nervoso!
8. Signor Renzi, non (andarsene) ...., tra cinque minuti saranno tutti qui!

7. Il direttore è partito per una vacanza e ha lasciato un post-it alla sua segretaria. Riscrivi le frasi usando l'imperativo indiretto.

1. Non usare la fotocopiatrice: non funziona!
2. Non dire che sono in vacanza: di' che sono fuori per lavoro
3. Non rispondere alle mail del sig. Borghi! Lo farò io.
4. Non prendere appuntamenti nuovi: aspettami!
5. Non fare tardi in ufficio!
6. Non lavorare troppo: prenditi dei momenti di pausa!

1. ....
2. ....
3. ....
4. ....
5. ....
6. ....

8. Riscrivi il testo in blu usando la forma di cortesia.

Milano, Chiesa di Santa Maria delle Grazie

Santa Maria delle Grazie è una tra le più belle chiese d'Italia. Oltre all'architettura di Donato Bramante, è possibile ammirare una delle più grandi opere di Leonardo da Vinci, *L'ultima cena* (o *Cenacolo*), iniziata nel 1495 e finita nel 1498.

Affresco *L'ultima cena*, Leonardo da Vinci

Se vuoi visitarla, non prendere il taxi perché la chiesa non è lontana dalla stazione Centrale. Per arrivarci prendi la linea 2 (linea verde) della metropolitana e scendi, se non sbaglio, dopo cinque fermate, alla stazione Cadorna. Quando esci dalla stazione, prendi a destra Via Giosuè Carducci e vai sempre dritto fino a quando non incontri Corso Magenta. Gira a destra e segui la strada, dopo cinque minuti ti troverai la Chiesa Santa Maria delle Grazie sulla destra.

....

....

....

....

....

....

9. Completa il racconto di Gino Falorni con le parole del riquadro.

faccia • giri • mi dica • mi porti • mi scusi • se ne va • ti dispiace • vuole

HOME CHI SIAMO CONTATTI FOTO GALLERY

Più avanti, per favore!

Via di Porta Pinciana. Ore 12.00. Mi ferma un signore.
«Buongiorno, (1).. in Via Veneto...» mi dice indeciso.
Parto e dopo qualche minuto arrivo a destinazione. Sto per fermarmi, ma prima che lo faccia, il signore mi dice che ha cambiato idea:
«No, senta, (2).. in Via Boncompagni e vada un po' più avanti fino all'incrocio con Via Piemonte.»
Faccio come mi chiede e arrivo a Via Piemonte, ma ecco un nuovo cambiamento di programma.
«Senta, (3).., vada un po' più avanti per favore, fino a... Piazza Fiume.»
Parto di nuovo. Arrivo a Piazza Fiume.
«Qui va bene?» chiedo
«Benissimo» mi risponde.
«(4).. per caso che vada un po' più avanti?»
«No grazie, (5).. quant'è.»
«Sicuro?» gli chiedo prima di fermarmi.
«Sicurissimo» mi conferma.
Gli dico il prezzo; e lui, questa volta, fortunatamente, paga e (6).. Pochi

secondi dopo, mentre sto mettendo i soldi nella giacca, qualcuno mi chiama: «Signore, signore...»
Mi giro. C'è un ragazzo. Abbasso il vetro.
«Mi scusi» mi fa gentilmente «potrebbe venire un po' indietro, così parcheggio la macchina?»
«Come no!» gli rispondo ridendo «Però vado un po' più avanti se non (7)..!»
Il ragazzo mi guarda confuso.
«Beh... (8).. come vuole...» mi dice.
«Più avanti! Più avanti! Oggi preferisco così!»

Adattato da *Racconti di un tassista romano*, www.donnareporter.com

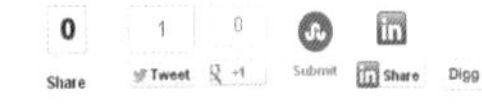

10. Scegli l'aggettivo o il pronome indefinito corretto.

1. Ha provato qualsiasi/tanti vestiti e alla fine non ne ha preso ciascuno/nessuno.
2. Signora, vuole vedere un altro/parecchio colore?
3. Altri/Tutti i giorni incontro Gianna sull'autobus, ma fa sempre finta di non vedermi.
4. Mi ha detto che avrebbe invitato alcune/nessuna persone, ma non immaginavo altre/tante.
5. Teresa ha molti/tutti libri sulla storia d'Italia nella sua libreria.
6. Allo spettacolo di ieri sera c'era poca/troppa gente. Non c'era un posto libero!

11. Completa con gli aggettivi o i pronomi indefiniti del riquadro.

nessuna • parecchi • ciascuno • tutto • pochi • tutti • nessuna • molte

1. Mia madre ha comprato i biglietti per l'Opera: uno per ....
2. Non ho .... intenzione di passare un'altra notte in questo albergo, è troppo rumoroso!
3. Apri il frigorifero e prendi .... quello che vuoi.
4. Gli ho scritto .... e-mail, ma finora non ho ricevuto .... risposta.
5. Durante il corso d'italiano ho conosciuto .... ragazzi, ma .... veramente simpatici.
6. Sono contento perché dopo lo spettacolo applaudivano ....

12. Senza cambiare il significato della frase, sostituisci le parole in blu con un altro aggettivo indefinito, secondo il modello. Consulta anche l'Appendice grammaticale.

Ho invitato alcuni amici alla festa di stasera.
Ho invitato qualche amico alla festa di stasera.

1. Diverse volte sono così stanca che mi addormento sul divano.
   .... giorni sono così stanca che mi addormento sul divano.
2. Certi libri di letteratura non riesco proprio a leggerli.
   .... libri di letteratura non riesco proprio a leggerli.
3. Ho regalato a Sara alcune piante per il suo giardino.
   Ho regalato a Sara .... pianta per il suo giardino.
4. Voglio che tutti gli amici di Roberta vengano alla sua festa di compleanno.
   Voglio che .... amico di Roberta venga alla sua festa di compelanno.
5. Oggi, non c'è nessuno studente che non abbia il cellulare.
   Oggi, ... gli studenti hanno il cellulare.
6. Ora che è disoccupato, Marco è disposto a fare qualunque lavoro.
   Ora che è disoccupato, Marco è disposto a fare .... lavoro.

13. Completa con i pronomi indefiniti opportuni. Consulta anche l'Appendice grammaticale.

1. .... è contento di vederci.
2. .... può fare questo esercizio: è facile!
3. Se .... di noi dà una mano, finiremo prima.
4. Marina oltre ad essere bella ha .... di particolare che la rende simpatica a tutti.
5. Ti prego, mangia! Abbi cura di te! Sono due giorni che non tocchi ....!
6. Ho una sete tremenda, berrei volentieri .... di fresco!
7. Possiamo andare a casa mia, non c'è ...., i miei sono a teatro.
8. Nella mia compagnia alcuni giocano a calcio e .... a pallavolo.

14. Completa con la forma giusta dei verbi.

1. Luisa è un'ottima cuoca: qualsiasi cosa (fare) ...., anche in poco tempo, è sempre buono.
2. Ieri, qualcuno (telefonare) ...., ma non mi ha detto il nome.
3. Qualunque cosa (dire) .... Davide, tutti sono sempre d'accordo con lui.
4. Alfredo viene da me tutte le volte che (avere) .... un problema.
5. Chiunque (venire) .... con noi, si divertirà.
6. È importante che ciascuno di voi (arrivare) .... in orario.

15. Completa il testo della notizia che hai ascoltato e letto nelle sezioni D2 e D3 del *Libro dello studente*.

a cui • applausi • aria • atto • costume • palco • posto • pubblico • qualche • spettacolo • tenore

Al termine dell' (1)............................ *Celeste Aida*, dell'opera di Giuseppe Verdi, per (2).......................... fischio, il tenore Roberto Alagna, Radames, lascia il (3).............................
Al suo (4)............................ è entrato in scena il secondo (5)............................, Antonello Palombi, vestito in abiti civili, senza avere il tempo di indossare il (6)............................ di Radames. Il primo atto è poi finito tra gli (7)............................ e qualche fischio di disapprovazione.
Nell'intervallo tra il secondo e il terzo (8)............................ il sovrintendente, Stephane Lissner, si è scusato di persona con il (9)............................, ha espresso rincrescimento per l'accaduto e ha ringraziato il sostituto Antonello Palombi per aver consentito di proseguire lo (10)............................
Una considerazione (11)............................ il pubblico della Scala ha risposto positivamente. "Una cosa così, alla Scala, non si era mai vista", ha commentato il maestro Riccardo Chailly.

16. Completa con le preposizioni.

A Roncole, (1).............. 38 km (2).............. Parma, si trova la casa dove nacque Giuseppe Verdi, compositore di fama mondiale, la sera (3).............. 10 ottobre 1813. (4).............. stessa abitazione, di architettura povera ma molto caratteristica, il padre Carlo gestiva un'osteria. L'edificio, dichiarato monumento nazionale, si conserva come era allora. (5).............. 2000, (6).............. i cento anni (7).............. morte, lo storico edificio è stato rimesso a nuovo dall'architetto Pierluigi Cervellati. Vicino (8)..............casa, si trova la Chiesa (9).............. San Michele Arcangelo dove Verdi imparò (10).............. suonare e si esercitò in gioventù.

Adattato da *http://corrieredibologna.corriere.it*

17. Collega con dei connettivi le frasi date e cerca di formarne una. Se necessario, elimina o sostituisci alcune parole e trasforma i verbi nel modo e nel tempo opportuni.

1. - ho letto finalmente quel libro ....
   - Mara mi aveva parlato molto del libro ....
   - il libro non mi ha entusiasmato ....

2. - devo finire questo lavoro ....
   - mi avevano affidato questo lavoro tre mesi fa ....
   - io non l'ho ancora finito ....

3. - Giuseppe Verdi fu un compositore italiano ....
   - l'opera più famosa è l'*Aida* ....
   - mi piace moltissimo Giuseppe Verdi ....

4. - Rodolfo ha dimenticato il cellulare in macchina ....
   - Rodolfo non ha saputo della festa di Serena ....
   - Serena ha cercato Rodolfo tutto il giorno ....

5. - Anna parla molto bene l'italiano ....
   - ho capito che Anna non è italiana ....
   - Anna ha ancora un leggero accento straniero ....

6. - Tiziana non ha capito bene la lezione ....
   - ho detto a Tiziana che la aiuterò ....
   - io, però, ho tantissime altre cose da fare ....

18. Completa con le parole del riquadro.

aveva visto • in • di • di cui • disse • fece • propose • sul • tornò • in

Cristoforo Colombo era stato da poco in America. (1).............................. gli Indios che avevano degli strani oggetti (2).............................. ferro. Nel loro dialetto, li chiamavano «napoletana», o «moka», che voleva dire «macchina-di-ferro-dal-nero-succo-che ti sveglia» e (3).............................. bevevano quantità incredibili. Cristoforo Colombo voleva provarlo e subito (4)..............................: «Manca lo zucchero», poi (5).............................. uno scambio, e diede trecento sveglie (6).............................. cambio di tre di queste macchine.
Colombo (7).............................. in Spagna, e appena giunto alla corte della regina Isabella, la salutò con la caffettiera in mano e le (8).............................. una grossa macchia* (9).............................. vestito. La regina arrabbiata disse: «Que fais?» (cosa fai?), e da quel giorno la bevanda si chiamò Quefé e poi Caffè. Alla corte spagnola il caffè diventò subito di gran moda.
Dalla Spagna il caffè volò in Francia, dove i nobili iniziarono a berne (10).............................. gran quantità. Qui l'abate Sieyès inventò il cappuccino, che all'inizio al posto del latte aveva l'acqua.

*macchia: zona sporca su una superficie pulita.

Adattato da *Bar Sport* di Stefano Benni

19. Completa con le congiunzioni adeguate.

1. Sono venuto .... ho saputo che stavi male.
   - [ ] finché
   - [ ] appena che
   - [ ] che
   - [ ] poiché
2. Mettiamo tutto a posto .... arrivino i miei!
   - [ ] dopo che
   - [ ] senza che
   - [ ] prima che
   - [ ] quando
3. Da .... lavoro ho molto meno tempo libero.
   - [ ] tanto
   - [ ] quando
   - [ ] mentre
   - [ ] appena

4. .... studiavo, ha telefonato Gianni per chiedermi di uscire.

☐ Dove ☐ Comunque ☐ Sebbene ☐ Mentre

5. .... vivevo in Inghilterra, sentivo la mancanza del buon caffè.

☐ Non appena ☐ Quando ☐ Prima che ☐ Dopo che

6. .... sarai così nervoso, non riuscirai a trovare una soluzione ai tuoi problemi.

☐ Mentre ☐ Perché ☐ A condizione che ☐ Se

CD 2 7

20. Ascolta il brano e indica quali sono le affermazioni presenti.

1. Maria Callas studiò canto a New York.
2. Tornò in Grecia quando aveva dieci anni.
3. Il suo debutto ufficiale avvenne ad Atene.
4. Meneghini, suo marito, era molto più grande di lei.
5. In Italia, debuttò alla Scala di Milano
6. In America il suo valore fu riconosciuto tardi.
7. Maria Callas e Aristotele Onassis ebbero un figlio.
8. Il suo carattere, a volte, venne criticato.
9. Nel suo lavoro era molto esigente con se stessa.
10. Girò anche un film.

Test finale

A Scegli l'alternativa corretta.

1. (1)................................... la cortesia, (2)................................... a sentire!

(1) a) Mi fai
b) Mi faccia
c) Fammi

(2) a) mi stia
b) mi sta
c) mi stai

2. Signora Stefania, non (1)................................... ascolto alle critiche e (2)................................... la Sua strada!

(1) a) dia
b) dare
c) da

(2) a) segui
b) segue
c) segua

3. Signor direttore, se (1)................................... volta non arrivo puntuale in ufficio non (2)...................................!

(1) a) alcune
b) qualche
c) quale

(2) a) preoccuparsi
b) si preoccupi
c) si preocupa

4. Ho (1)..................................... problemi per la testa che mi arrabbio facilmente con (2)......................
   ....
   (1) a) pochi
   b) qualsiasi
   c) tanti
   (2) a) chiunque
   b) uno
   c) certi

5. In (1)..................................... città d'Italia tu vada, c'è sempre (2)..................................... di interessante da vedere.
   (1) a) qualsiasi
   b) ognuna
   c) ciascuna
   (2) a) qualche
   b) alcuni
   c) qualcosa

6. Carla, (1)..................................... telefoni, io non ci sono per (2).....................................
   (1) a) chiunque
   b) qualunque
   c) ognuno
   (2) a) alcuno
   b) nessuno
   c) ciascuno

B Scegli la parola adeguata.

Perché amare l'Opera *di Andrea Fasoli*

Mi sono chiesto (1) nessuna/tante/tutte volte perché mi sono innamorato dell'Opera Lirica, e soprattutto come fanno (2) diverse/tutte/qualsiasi persone a non amare questa stupenda forma d'arte.
L'Opera Lirica è un vero e proprio film, spesso drammatico, alcune volte comico, con un vantaggio rispetto ai film: la trama è sempre la stessa, ma possono cambiare gli interpreti.
L'*Otello* di Verdi lo cantano da due secoli (3) tanti/pochi/altri cantanti, così come *Tosca*, *Il Barbiere di Siviglia*, e, tranne (4) troppi/pochi/qualche casi, ogni volta il pubblico prova forti emozioni.
Si può imparare ad amare l'Opera anche ascoltando un solo (5) aria/brano/testo, magari cantato non dal solito (6) tenore/compositore/maestro.
Uno dei primissimi brani che ho ascoltato, e grazie al quale ho amato l'Opera, proviene dal *Simon Boccanegra*, (7) opera/capolavoro/racconto di Verdi sconosciuta al grande (8) spettatore/palco/pubblico, ma molto apprezzata dagli appassionati.
All'inizio, l'Opera ci trasmette emozioni molto intense: la figlia di Fiesco è morta, e lui è distrutto dal dolore. Verdi trasforma questo dolore in musica; lui, che (9) persi/perse/perda moglie e figli, quel dolore lo conosceva.
Ecco perché non si può non amare l'Opera.
Perché si parte da un'idea, da un brano, e si può conoscere il mondo comodamente seduti in teatro e ritornare ad imparare a sognare. (10) Quanti/Chi/Quale l'ha detto che l'invenzione più bella è la televisione?

Adattato da *www.operalibera.altervista.org/infolirica*

C **Risolvi il cruciverba.**

Orizzontali

3. Un noto teatro milanese.
5. La prima volta di fronte al pubblico.
6. Sport di tre lettere.
8. La facciamo per aspettare il nostro turno.
9. Il testo di un'opera lirica.

Verticali

1. Il calcio, ma con squadre di cinque giocatori.
2. Spazio dove stanno gli attori o i cantanti durante lo spettacolo.
3. Alla fine dello spettacolo, per esprimere la propria approvazione e soddisfazione il pubblico fa un lungo...
4. Il contrario di *destra*.
7. Luciano Pavarotti è stato un famoso ... italiano.

Risposte giuste .... /32

Attività Video - episodio *A scuola di canto*

Per cominciare...

1 Guarda i primi 30 secondi dell'episodio. Gianna e Lorenzo camminano per Milano. Quali dei luoghi e dei monumenti riconosci in questa prima parte dell'episodio?

- ☐ Navigli
- ☐ Basilica di S. Ambrogio
- ☐ Teatro alla Scala
- ☐ Castello Sforzesco
- ☐ Galleria Vittorio Emanuele
- ☐ Piazza del Duomo

2 Di seguito trovi alcune battute dell'episodio. Puoi indovinare se sono di Lorenzo (L) o di Gianna (G)? Inoltre, fai un'ipotesi su cosa succederà in seguito.

☐ 1. Guarda, questa tua passione per il canto lirico io proprio non la capisco.
☐ 2. Senti che bella atmosfera!
☐ 3. Non dicevi che la lirica non ti piaceva?
☐ 4. Un CD di lirica ce l'ho pure io, a casa ...
☐ 5. Adesso ho capito quest'improvvisa passione per la lirica!
☐ 6. Lascia perdere, guarda!

Guardiamo

1 Guarda l'episodio e verifica le ipotesi fatte precedentemente.

2 Osserva alcune scene tratte dall'episodio e mettile in ordine.

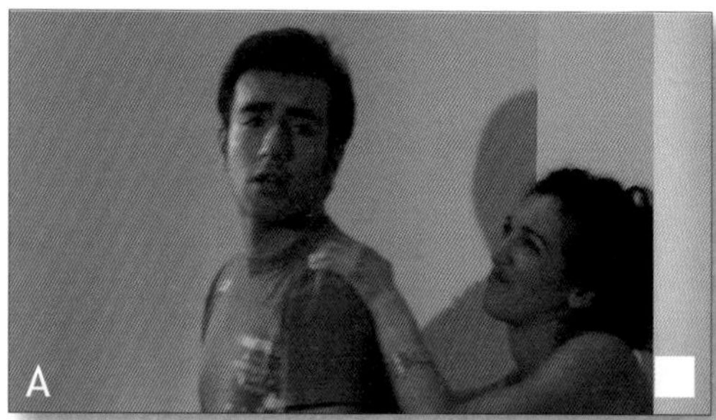
A ☐

B ☐

C ☐

D ☐

Facciamo il punto

Rispondi alle domande.

1. Perché Gianna va in un istituto musicale?
2. Cosa pensa Lorenzo della musica lirica?
3. Cosa fa Lorenzo quando Gianna va in segreteria?
4. Secondo Gianna, perché Lorenzo non potrà "conquistare" la cantante?

Andiamo a vivere in campagna

Unità 7

1. Presente o imperfetto? Scegli la forma corretta del congiuntivo.

1. Penso che Paola torni/tornasse per pranzo, non credo si sia fermata in ufficio.
2. Credeva che voi abbiate/aveste ragione, ma si sbagliava.
3. Mi sembrava che Andrea sia/fosse tuo amico.
4. Non mi aspettavo che Lucia e Maria vadano/andassero a vivere in Italia, ho sempre pensato che vogliano/volessero abitare in Francia.
5. Per noi quest'estate è meglio che facciamo/facessimo il giro del Sud Italia. Ci hanno detto che il Meridione è bello.
6. Temo che Carlo lavori/lavorasse anche questo sabato e non possiamo/potessimo venire con voi in campagna.

2. Trasforma i verbi in blu al congiuntivo imperfetto e completa il dialogo tra Daniela e Teresa, la moglie di Tommaso.

Teresa: Ciao Daniela! Come va?

Daniela: Bene. E tu? ... Lo sai che qualche giorno fa ho incontrato Tommaso? Mi ha detto che vuole cambiare casa.

Teresa: Sì, l'ho scoperto da poco anch'io. Non immaginavo proprio che (1)................................... farlo.

Daniela: Beh, a me ha detto che non è per niente contento della zona in cui abitate.

Teresa: Lo so, l'ha detto anche a me. Ma all'inizio non sembrava che (2)................................... scontento.

Daniela: Figurati che dice che ci mette mezz'ora per trovare parcheggio.

Teresa: Ah, davvero? Non sapevo che (3)................................... così tanto tempo.

Daniela: Ha detto che siete tutti d'accordo.

Teresa: Certo, lui credeva che (4)................................... tutti d'accordo, ma io non ho voglia di cambiare ancora una volta casa.

Daniela: Beh, forse pensava che vi sarebbe piaciuto a tutti. Non credo che voglia decidere da solo.

Teresa: Sì, forse. Ma sarebbe ingiusto se (5)................................... solo lui; dovremmo almeno parlarne prima.

Daniela: Certo che, se vi trasferite in una bella casa in campagna, potrai avere un giardino, un cucciolo e vivere a contatto con la natura!

Teresa: Sì, è vero, ma la scelta migliore sarebbe che (6)................................... in una zona di campagna ben collegata alla città grazie ai treni. Sai che non mi piace guidare.

3. Completa con il congiuntivo imperfetto.

1. Credevo che qui (fare) .... la migliore pizza della città, ma non mi sembra tanto buona.
2. Speravo che Costanza (venire) .... prima delle due, ma probabilmente avrà incontrato traffico.
3. All'inizio, sembrava che (potere) .... essere una serata interessante, poi, invece, ci siamo annoiati da morire.
4. Era difficile che Sofia ci (dire) .... la verità, è la migliore amica di nostra figlia, con noi sarà sempre diffidente.
5. Ho avuto l'impressione che loro (stare) .... poco bene: erano così silenziosi.
6. Vorrei che glielo (dare) .... tu il regalo: lo conosci meglio di me.

4. Completa con il congiuntivo trapassato.

1. Avevo l'impressione che (sbagliare) .... strada e infatti, dopo mezz'ora ci rendemmo conto che ci eravamo persi.
2. Mi pareva che Gina (andare) .... a Milano in vacanza, invece era andata ad un convegno per lavoro.
3. Non immaginavamo che lo spettacolo (durare) .... così tanto: per quello eravate così in ritardo!
4. Pensava che quel libro non mi (servire) ...., invece era uno di quelli che avevo consultato di più.
5. Ci sembrava che loro (partire) .... in aereo, invece erano andati in treno.
6. Credevo che mi (dare, tu) .... appuntamento per le sette, non per le sei.

5. Unisci la prima con la seconda colonna e completa le frasi con i verbi al congiuntivo trapassato.

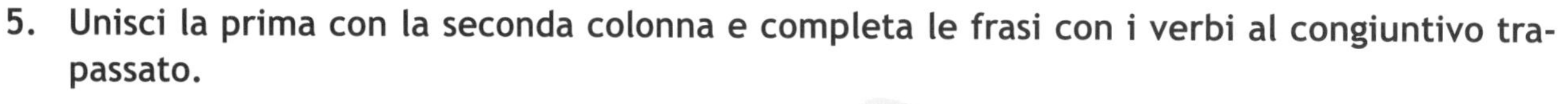

andare • capire • finire • mandare • partire • uscire

1. Non sapevo che Paola .... già ....,
2. Sapevo che eri stato in vacanza,
3. Non immaginavamo che il film .... così presto,
4. Luana credeva che il mazzo di fiori
5. Se ieri sera non ....,
6. Era incredibile che loro non .... come arrivare a casa nostra:

a. ma mi sembrava che tu .... in Spagna e non in Olanda.
b. glielo .... io e non tu.
c. glielo avevamo spiegato cento volte!
d. mi sarei riposato e ora non sarei così stanco.
e. altrimenti non l'avrei chiamata.
f. altrimenti saremmo venuti a prendervi al cinema.

6. Completa con il congiuntivo presente o imperfetto.

1. Credevo che alla Facoltà di Lingue non si (studiare) .... tanto, ma dopo il primo esame ho capito che mi sbagliavo.
2. Non sapevo che per te (essere) .... così importante questo viaggio.
3. Nonostante (piovere) ...., esco a fare una passeggiata.
4. I genitori vogliono che (fare) .... l'università, ma Giovanni non ha nessuna voglia di continuare a studiare.
5. A mia moglie, qualunque appartamento (vedere) ...., un po' fuori città, non le andava bene. Era chiaro: voleva che (continuare) .... ad abitare con i suoi.
6. • Pronto? Antonio, dove siete? Avete deciso di non venire?
   • Niente affatto! Aspettiamo che (arrivare) .... la baby sitter e usciamo.

7. Completa con il congiuntivo presente, passato, imperfetto o trapassato.

1. Sapevo che cercavi una casa da comprare, ma non pensavo che (volere) .... una villa in mezzo al verde.
2. Avevo paura che non (capire) .... quanto gli avevamo detto, invece conoscevano benissimo la lingua italiana.
3. Siamo felici che tu e Stefano (arrivare) .... presto nonostante il traffico.
4. Siete andati a vedere quel film che vi avevo consigliato? Spero che vi (piacere) ....
5. Pensavo che glielo (dire) .... tu a Loredana, per questo io non ho detto niente.
6. Non ho fatto la spesa, ma spero che a casa (esserci) .... qualcosa da mangiare.

8. Completa con il modo e il tempo opportuni.

1. Già negli anni '70 gli ambientalisti dicevano che il pianeta (avere) .... seri problemi ecologici, ma molti credevano che (essere) .... troppo pessimisti!
2. Ci pareva strano che Nicola non (telefonare) ...., ma non potevamo immaginare che gli (rubare) .... il cellulare.
3. Non vi abbiamo invitato perché pensavamo che non (venire) ....
4. Non mi sembra vero! È possibile che dopo due giorni di sciopero le strade (essere) .... già piene di rifiuti?
5. Quando Mario vide l'appartamento non poteva credere che (costare) .... così poco.
6. Quando abbiamo comprato quella casa, non potevamo immaginare che il nostro quartiere (trasformarsi) .... in uno dei più caotici della città.

9. Completa gli annunci con le parole date. Poi collega ogni persona descritta (a-d) all'annuncio (I-IV) e all'immagine (1-4) corrispondente, come nell'esempio dato.

abitabile - cottura - doccia - mq - posto - vista - zona - servizi

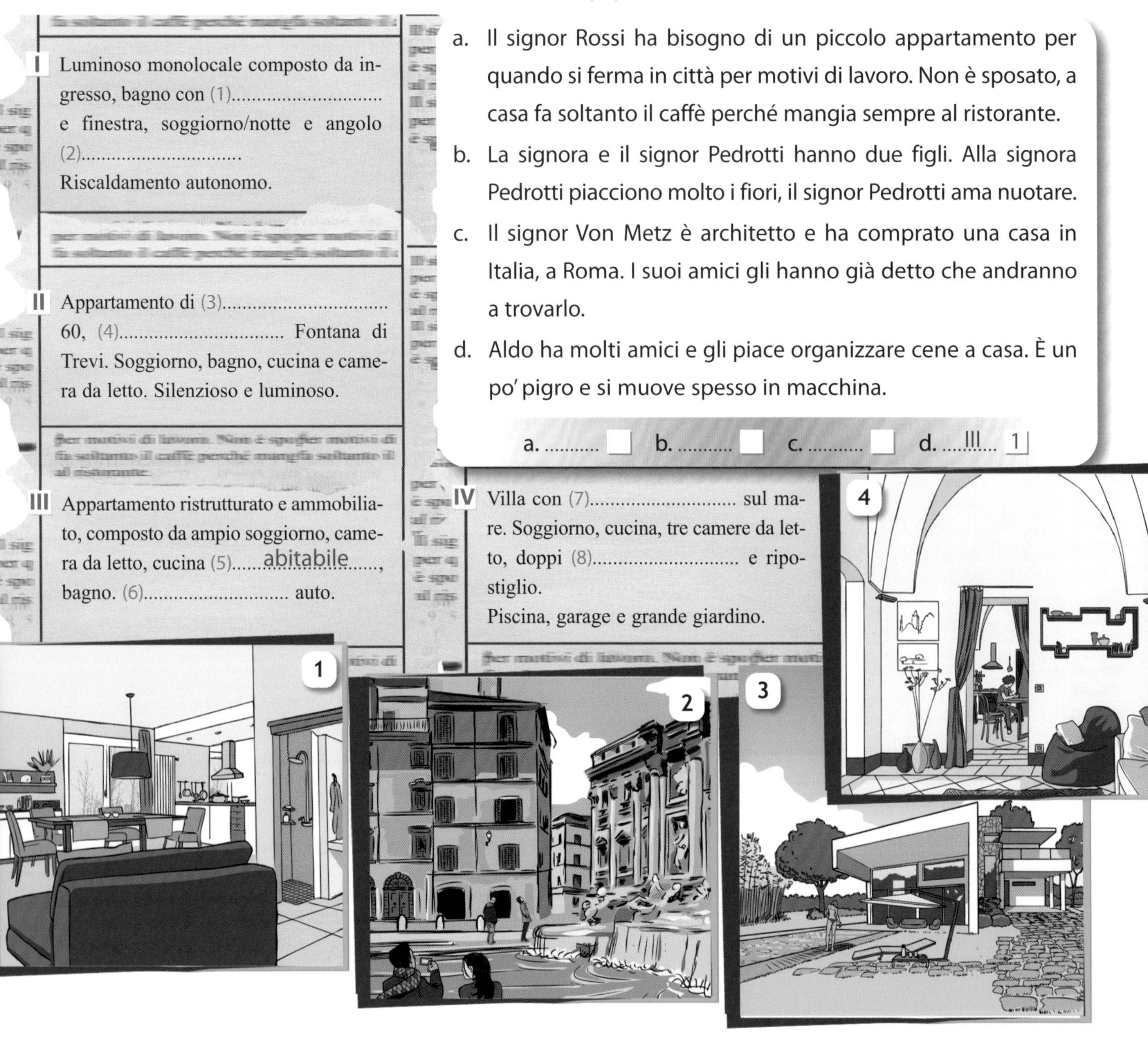

10. Completa con il congiuntivo o l'indicativo.

1. Non immaginavo che (avere, tu) .... l'età per andare in pensione.
2. Mentre (parlare, io) .... con il cliente, è entrata Silvia nel negozio.
3. Era strano che Gloria (andarsene) .... senza salutare nessuno, neppure Francesco.
4. Quando Anna era piccola, anche se le (piacere) .... vivere in campagna preferiva la città perché (avere) .... più amiche.

5. Era naturale che a Ferragosto non si (trovare) .... nessuna camera libera a Capri!
6. Con tutta la gente che tornava dalle vacanze, era logico che in autostrada (esserci) .... un traffico indescrivibile.

Capri

11. Completa le frasi scegliendo l'elemento corretto. Consulta anche l'Appendice grammaticale.

1. Studiava così poco che ho sempre dubitato che .... finire l'università; invece poi si è laureato con ottimi voti.
   a. potesse b. avesse potuto c. potrebbe d. poteva
2. .... che partissero tutti insieme, perché avrebbero potuto dividere le spese del viaggio in macchina.
   a. Era peggio b. Era preferibile c. Era difficile d. Era un peccato
3. .... il ministro avesse deciso di incrementare i mezzi di trasporto extraurbano, ma dopo qualche giorno si è capito che era una falsa notizia.
   a. Bisognava che b. Era chiaro che c. Aspettavano che d. Dicevano che
4. Non mi sembrava normale che Daniela .... ogni giorno la febbre.
   a. aveva avuto b. abbia avuto c. avesse d. avrebbe
5. .... credere che Paolo avesse guidato tutto il giorno per essere presente al mio matrimonio.
   a. Era un peccato b. Era difficile c. Era necessario che d. Era probabile
6. Tutti .... che Lorenz venisse con noi.
   a. dicevamo b. speravamo c. sapevamo d. faceva piacere

12. Associa le frasi scegliendo la congiunzione corretta. Consulta anche l'Appendice grammaticale.

1. Le ore passarono	nel caso in cui	a. chiudano.
2. Ci guardò	malgrado	b. non avesse capito quello che dicevamo.
3. Le lasciò la macchina	affinché	c. ce ne accorgessimo.
4. Non ha mangiato niente	senza che	d. avesse voluto tornare prima a casa.
5. Li accompagnai	prima che	e. avesse fame.
6. Vada in segreteria	come se	f. arrivassero in tempo alla stazione.

13. Completa con il verbo al congiuntivo negli spazi blu e con i connettivi dati negli spazi rossi.

come se • prima che • a condizione che • a meno che • benché • affinché • senza che

1. Gli studenti parteciparono volentieri alla Giornata in bicicletta .... (esserci) .... il bisogno di insistere.
2. Ti lascio la lista della spesa .... (andare) .... tu al supermercato quando torni dal lavoro.
3. .... Roberto non (essere) .... mai .... a Milano, si muoveva .... ci (nascere) ....
4. Vi posso accompagnare io, ... non (chiamare) .... già .... un taxi.
5. Mirco accettò di venire con noi al mare .... ci (andare) .... con la sua macchina.
6. Fabio, se ce la fai, compra lo shampoo .... (chiudere) .... la farmacia.

14. Completa le frasi secondo il modello. Consulta anche l'Appendice grammaticale.

vorrei • più bello che • Chiunque • ovunque • l'unico che • Qualunque

Era il più preparato e quindi anche il solo che (potere) potesse dire qualcosa.

1. Le tue parole sono state il premio .... (potere, io) .... ricevere.
2. .... cosa Giulia (decidere) ...., noi saremo sempre d'accordo con lei.
3. Conosce molto bene questi luoghi ed è .... (essere) .... in grado di arrivare al paese più vicino.
4. Signorina, ... che (inviare) .... questi inviti subito, è urgente!
5. .... (raccontare) .... quelle cose, diceva soltanto bugie.
6. Potevo vivere .... (esserci) .... sole e mare, ma alla fine ho scelto il sole e il mare della Sicilia.

15. Completa le frasi con la forma giusta dei verbi dati.

1. L'esame era stato più facile di quanto (immaginare, noi) ....
2. Cerco una casa in campagna che (avere) .... una grande cucina, come quelle di una volta.

3. Antonella vorrebbe sapere se anche tu (venire) .... al concerto jazz.
4. Dici che non è successo niente: magari (avere, tu) .... ragione. Io sono molto preoccupato.
5. Che Guido (essere) .... simpatico lo sapevo, ma non immaginavo che (raccontare) .... storie così divertenti.

6. Mi chiedo se la festa (essere) .... meglio organizzarla venerdì o sabato. Tu cosa dici, Tiziana?

16. Completa con il modo e il tempo adeguati.

1. Quando ho aperto la borsa, mi sono accorto che qualcuno mi (rubare) .... il cellulare.
2. Sebbene Piero (fare) .... un errore, merita sempre la nostra amicizia!
3. Anche se (andare) .... di fretta, avresti potuto almeno salutare.
4. Scusatemi, ragazzi! Pensavo di (finire) .... prima, ma c'era un sacco di lavoro!
5. Speravo che Luisa (accettare) .... il mio invito, desidero tanto (uscire) .... con lei.
6. Lilli, era meglio che tu (aspettare) .... ancora un po' prima di andare via! In certe situazioni bisogna (avere) .... pazienza!

17. Inserisci nel testo le espressioni date.

in altri termini   in grado di   nel caso in cui
all'infinito   prossimo all'   risorse

Da uno studio presentato dal WWF sembra che il nostro pianeta sia in condizioni critiche, (1).. esaurimento delle risorse. (2).., i nostri consumi sono superiori alla capacità della Terra di rigenerarsi. Fino a questo momento abbiamo continuato a consumare le (3).. del pianeta con la sicurezza che si ricreassero (4).. Ma non è così e in pochi decenni il mondo non sarà più (5).. ospitarci. L'unica soluzione, (6).. un fenomeno così tragico si verifichi, sarà cercare casa su un altro pianeta?!

18. Scegli l'elemento corretto e completa il racconto.

In quella primavera ormai giunta alla fine avevamo avuto temperature record, segno, senza dubbio, dell'effetto serra. Anche quel sabato pomeriggio faceva così caldo che ....(1) camminasse sui marciapiedi di Torino, era costretto a fermarsi per bere un po' d'acqua, possibilmente fresca. Quella difficile situazione era divenuta insopportabile anche in altre città d'Italia.
Alessandro ....(2) per Corso Regina Margherita, appena dietro i Giardini Reali, e con quel caldo pensava all'ultima ora di lezione, nel giardino della scuola, con il professore di ecologia. Dopo che l'insegnante ....(3), inutilmente, di cominciare un discorso sull'inquinamento, non vedendo alcun interesse da parte degli studenti, aveva rinunciato e si era seduto lasciando gli studenti ai loro giochi.
Alessandro, al contrario, preferì fare compagnia al prof.
«Alessandro, perché non ti unisci ai tuoi compagni?» gli aveva domandato il docente.
«Se non la disturbo, ...(4) parlare un po' con lei» gli aveva detto Alessandro.
«Di cosa vuoi parlarmi?»
«Cosa ne pensa dell'..................................(5)?» aveva iniziato Alessandro.
«È una domanda complessa...»
«È possibile una via d'uscita? Cosa possiamo fare?» chiese Alessandro.
«Si potrebbe fare molto, ma poca è la volontà. La gente preferisce comprare cellulari sempre più moderni, cambiare automobile ....(6) fosse un paio di scarpe, mangiare fino a scoppiare, piuttosto che pensare al bene del pianeta. Naturalmente, parlo in generale.»
«Secondo lei, dunque, dovremmo fermare lo sviluppo, il progresso?»
«No, ...(7) pensare ad un altro tipo di crescita, più rispettosa dell'ambiente, più eco-sostenibile. Non possiamo immaginare un futuro basato sul petrolio e il carbone. ... Il nostro avvenire dovrà basarsi sul sole, sul vento.» L'insegnante di ecologia era totalmente preso da quel discorso.
«Certo!» disse il ragazzo. «Le ....(8) rinnovabili, se usate bene, potrebbero portare ricchezza anche nei Paesi che ancora non l'hanno conosciuta. Dovrebbe essere un dovere dei Paesi industrializzati creare un mondo più democratico, dove tutte le case hanno pannelli fotovoltaici* che producono energia. Un mondo dove i grandi aiutano i piccoli a crescere. Certo, come dicono in tanti, questo rinnovamento ....(9) moltissimo, ai cittadini, alle industrie, agli stati. Ma, alla fine, sono più importanti i soldi o il mondo?» Alessandro guardava il professore negli occhi.

*pannelli fotovoltaici

«Sei veramente un ragazzo eccezionale. Sarebbe bellissimo immaginare quello che hai detto e potrebbe, forse, anche divenire realtà, se ....(10) governano la Terra lasciassero spazio ai giovani.» Il professore aveva fatto una pausa, mentre si puliva gli occhiali. «In questo modo, se utilizziamo le risorse rinnovabili, si potrebbe sperare in una diminuzione delle ....(11). Ma non dobbiamo aspettare molto, dobbiamo agire subito. Bisognerebbe partire con l'insegnamento dell'ecologia in tutte le scuole, ridurre i consumi di elettricità, gas e acqua, e diffondere la buona cultura ....(12). Solo così potremmo creare quel mondo democratico ....(13) hai parlato. Fino a quando ci sono persone che ignorano il pro-

blema» e indicò gli studenti che ridevano e scherzavano lì vicino, «questo progetto di pianeta più pulito non si potrà mai realizzare.»
«Gli ....(14) di domani!» aveva esclamato il ragazzo, con ironia.
Il docente si era alzato in piedi ed osservava il cortile della scuola.
«Prof, un'ultima domanda» disse Alessandro. «Chi può convincere questa gente della serietà del problema, cosa può cambiare questa situazione di degrado?»
«La politica. La politica può motivare le persone a cambiare e pensare al proprio futuro e a quello dei loro figli.»
Alessandro era rimasto stupito, il suo prof aveva ragione.

Adattato da D. Oberoffer, *Una conversazione sull'ecologia (www.ewriters.it)*

1. chiunque - ognuno - qualsiasi - qualunque
2. ebbe camminato - camminasse - stava camminando - stava per camminare
3. cercò - cercasse - cercava - ebbe cercato
4. ho voluto - volessi - vorrei - voglia
5. riciclare - effetto serra - aria condizionata - abitare in campagna
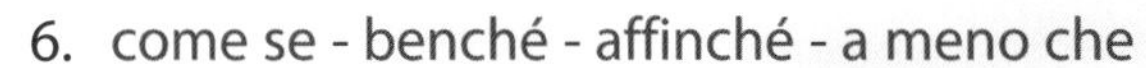
6. come se - benché - affinché - a meno che
7. anche se - è meglio che - prima di - bisogna
8. energie - conseguenze - città - aziende
9. costava - costerebbe - costasse - è costato
10. quello che - tutti che - coloro che - qualunque
11. capacità - piogge - temperature - montagne
12. ambientale - teatrale - economia - globale
13. che - dove - di cui - per il quale
14. adolescenti - adulti - alberi - ambienti

CD 2
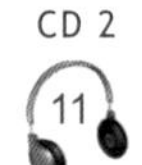
11

19. Ascolta il brano e indica l'affermazione giusta.

1. Il WWF
a. non è la più grande associazione ambientalista del pianeta
b. cerca di fermare la distruzione del pianeta
c. costruisce un nuovo mondo naturale
d. protegge soltanto gli animali in via di estinzione

2. Il WWF fu fondato
a. da un naturalista, un re, una regina e un pittore
b. da un biologo e un pittore
c. da un chimico e un pittore
d. dal principe Filippo di Edimburgo e un pittore

3. Il WWF porta avanti oltre 1.200 progetti
a. in Italia
b. nel mondo
c. per la difesa degli animali
d. per la protezione del mare

20. Completa con le preposizioni semplici o articolate.

a. L'associazione *Earth Day Italia* organizza oggi (1)................. Milano un grande concerto live (2)................. festeggiare la Giornata della Terra. (3)................. palco insieme per la prima volta Fiorella Mannoia e Khaled, cantante algerino (4)................. pop rai. Quest'anno i Paesi coinvolti sono 175 e il concerto sarà preceduto da una maratona web, (5)................. cui saranno trasmessi originali video (6)................. raccontare la Giornata della Terra (7)................. ogni angolo del pianeta. I biglietti per il concerto sono (8)................. vendita su *www.ticketone.it* e i soldi andranno (9)................. sostenere i progetti green di *Earth Day Italia*. Il concerto sarà anche trasmesso in streaming (10)................. sito dell'associazione.

Adattato da *www.mainfatti.it/Giornata-della-Terra*

b. Clima caldissimo ancora (1)................. un paio di giorni. Infatti (2)................. lunedì e martedì le temperature diminuiranno (3)................. 3-4 gradi. Sarà (4)................. merito (5)................. temporali che colpiranno soprattutto il Centro e il Nord Italia. Ma chi andrà (6)................. ferie in agosto non dovrà preoccuparsi. (7)................. metà settimana la bella stagione tornerà (8)................. la gioia dei tanti che passano le ferie al mare.

Adattato da *la Repubblica*

Test finale

A Scegli l'alternativa corretta.

1. Credevamo che (1)........................., non immaginavamo (2)......................... ancora qui!
   (1) a) foste già partiti; b) siate già partiti; c) partireste
   (2) a) di trovarvi; b) che mi trovaste; c) trovare

2. Secondo Luigi, l'iniziativa "Spiagge pulite" (1)......................... il prossimo fine settimana; io invece credo che (2)......................... domani, venerdì.
   (1) a) si tenga; b) si terrà; c) tenersi
   (2) a) si facesse; b) si fa; c) si faccia

3. (1)......................... Carlo non avesse voglia di andare in ufficio, è dovuto andarci perché (2)......................... finire un lavoro per il giorno dopo.
   (1) a) Nel caso; b) Come se; c) Sebbene
   (2) a) bisognava; b) era bene; c) probabilmente

4. Chi poteva immaginare che la temperatura (1)......................... tanto in questi giorni? Che ne dici: (2)......................... in spiaggia?
   (1) a) saliva; b) salisse; c) sia salita
   (2) a) andiamo; b) andremmo; c) andassimo

5. (1)........................... aver ritrovato il mio cane. Non pensavo che (2)........................... trovare la strada di casa da solo.

(1)	(2)
a) Sono felice di	a) possa
b) Sono contento che	b) potesse
c) Sono certo	c) abbia potuto

6. Le (1)........................... sempre dei fiori perché voleva che (2)........................... di lui.

(1)	(2)
a) mandi	a) si accorgesse
b) mandassi	b) si accorgeva
c) mandava	c) si accorga

B Inserisci le parole date negli spazi rossi e coniuga i verbi fra parentesi negli spazi blu.

vendere • piste ciclabili • ognuno • raccolta differenziata • elettrica

PER UN MONDO MIGLIORE

Aldo_92 — Quote

Secondo me, sarebbe meglio che tutti noi (1. smettere)................................ di usare le automobili.

Mi piace 2

FRANCO — Quote

Aldo_92, hai proprio ragione: io penso di (2)................................ la mia macchina e comprare una bicicletta (3)................................ .

Mi piace 1

Ecologista — Quote

Secondo me, (4. essere) .... molto importante cosa fa ciascuno di noi per l'ambiente. Molti pensano che la colpa (5. essere) .... solo delle industrie o dei politici.

Mi piace 3

Elsa_2011 — Quote

Pienamente d'accordo con Ecologista. Non dobbiamo dimenticare la responsabilità di (6)................................ di noi: è giusto che tutti (7. riciclare) .... i rifiuti e facciano la (8)................................ .

Mi piace 0

Roberto — Quote

Potremmo creare delle (9)................................, nonostante questa soluzione mi (10. sembrare) .... difficile da realizzare, perché nessuno (11. volere) .... rinunciare alle proprie comodità.

Mi piace 2

Natura — Quote

Sì, tutte le proposte mi sembrano buone. Ma non vorrei che (12. fare) .... l'errore di credere che possiamo fare tutto da soli. È necessario che i governi (13. prendere) .... importanti decisioni e facciano scelte radicali.

Mi piace 3

C **Risolvi il cruciverba.**

Orizzontali

1. Mezzo di trasporto a due ruote che non inquina.
3. Riutilizzare la carta, il vetro, le lattine di alluminio, ecc.
5. Un appartamento arredato.
6. Un sinonimo di *muoversi, cambiare posto*.
8. Agenzia che vende e affitta case e appartamenti.
9. Li leggiamo se vogliamo prendere in affitto un appartamento.
10. Zona della città dove non possono entrare né le auto né le moto, ma soltanto le persone a piedi.

Verticali

1. Così è... anche chiamata la nostra Italia.
2. Azienda agricola che ospita anche turisti.
4. Il contrario di *sprecare*.
7. Causa l'aumento della temperatura sul nostro pianeta: l'effetto ...

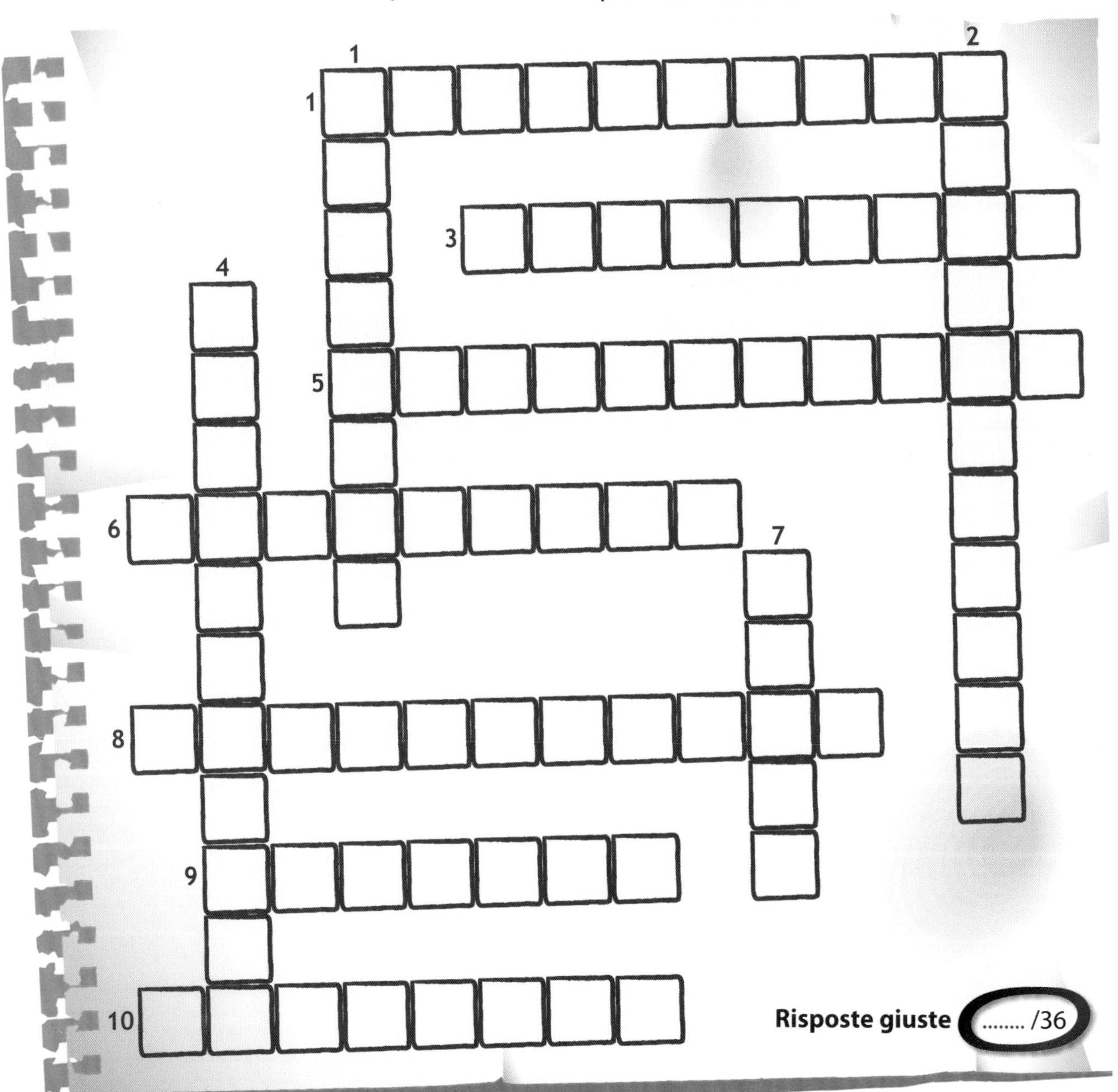

Risposte giuste .... /36

Attività Video - episodio *Che aria pulita!*

Per cominciare...

1 **Guarda i primi 30 secondi senza audio. A coppie, descrivete la situazione. Cosa potete capire dall'espressione dei due protagonisti? Cosa prevedete che succederà nel corso dell'episodio?**

2 **Abbina le parole alle immagini.**

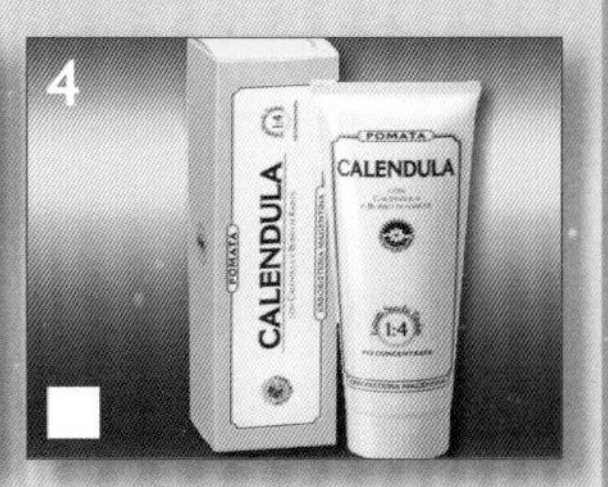

a. ape b. pomata c. miele d. cavallo

Guardiamo

1 **Guarda l'intero episodio e verifica le ipotesi fatte.**

2 **Rispondi alle seguenti domande.**

1. Da bambino, Lorenzo ha scoperto di avere un problema. Quale?
2. Che differenza c'è tra l'atteggiamento di Lorenzo e quello di Gianna mentre visitano l'agriturismo?
3. Cosa chiede Lorenzo al proprietario dell'agriturismo? Perché Gianna lo interrompe?

Facciamo il punto

Osserva le immagini e le battute e scegli l'alternativa giusta.

1. Lorenzo usa l'espressione evidenziata per dire che...:
   - a. non ha voglia di andare in campagna
   - b. non gli piace la campagna

2. Lorenzo usa l'espressione evidenziata per dire che...:
   - a. l'aria non è per niente pulita
   - b. l'aria è anche troppo pulita

3. Gianna usa l'espressione evidenziata per dire che...:
   - a. Lorenzo rovina sempre tutto
   - b. Lorenzo non è stato gentile

8 Tempo libero e tecnologia

1. Rispondi alle domande formulando dei periodi ipotetici di 1° tipo.

Etna

1. • Dove andrai in vacanza?
   • Se (avere) .... i soldi, (fare) .... il giro della Sicilia.
2. • Vuoi un altro caffè?
   • Se ne (bere) .... un altro, non (dormire) .... tutta la notte.
3. • Quando arrivate, dove andrete?
   • Se (arrivare) .... di notte, (andare) .... direttamente in albergo.
4. • Verrai in montagna? Sai, forse verrà anche Claudio!
   • Se (esserci) .... anche lui, (venire) .... sicuramente.
5. • Verrete questa sera a cena da noi?
   • Se la baby sitter non (avere) .... impegni, (venire) .... senz'altro.
6. • Comprerai lo yogurt che mi piace tanto?
   • Se (andare) .... al supermercato, lo (comprare) .... sicuramente.

2. Completa secondo il modello.

Se domani vai al cinema, (venire) vengo con te.
Se andassi al cinema, mi (piacere) piacerebbe venire con te.

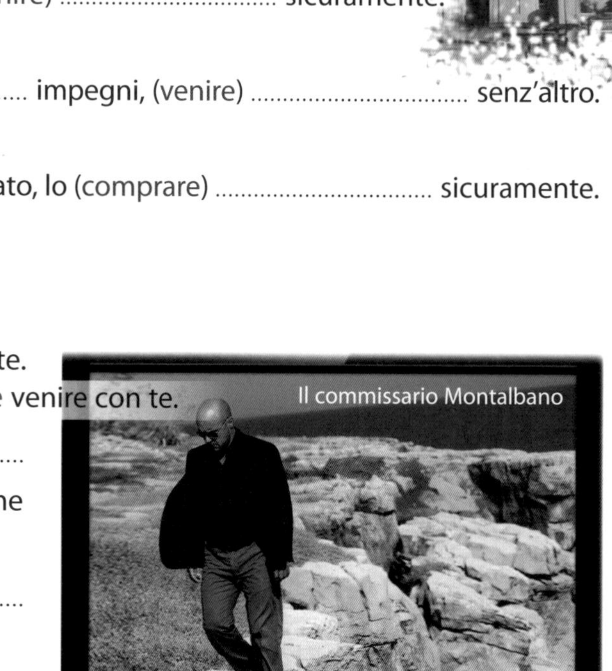
Il commissario Montalbano

1. Se avete tempo, stasera (venire) .... da noi per guardare insieme Montalbano in TV?
   Se avessi tempo, (venire) .... volentieri con voi allo stadio.
2. Se mi invita a cena, (accettare) .... volentieri: mi diverto sempre con lui.
   Se mi invitasse a cena, (accettare) .... volentieri, ma credo che stasera abbia un impegno.
3. Se parla con Gianni, forse lui (potere) .... aiutarla.
   Se parlasse con i suoi, forse (potere) .... aiutarla.
4. Quando siamo in vacanza, se il mare non è freddo, (fare) .... il bagno tutti i giorni.
   Se il mare non fosse così freddo, Katia (fare) .... volentieri il bagno.

5. Se Anna, nel pomeriggio, va al supermercato, le (chiedere) .... di comprarmi il caffé.
   Se Anna andasse al supermercato, le (chiedere) .... di comprarmi il caffè.
6. Francesco, se fa bel tempo, questo fine settimana (andare) .... al mare?
   Se facesse bel tempo, (andare, noi) .... al mare.

3. Completa con il periodo ipotetico di 1° e di 2° tipo e fai il test.

SEI DIPENDENTE DALLA TECNOLOGIA?

1. Se (accendere) .... il computer e (notare) .... che non c'è connessione a Internet
   a. ti annoi e non sai cosa fare
   b. ti preoccupi solo se aspetti una mail importante
   c. finalmente puoi dedicarti ai tuoi passatempi
2. Se (andare) .... su un'isola deserta, porteresti
   a. il tuo computer
   b. il lettore di e-book
   c. qualcosa da mangiare
3. Se (piovere) ....
   a. inviti gli amici per giocare alla Wii
   b. guardi un film alla televisione
   c. finisci quel libro che hai iniziato tempo fa
4. Se improvvisamente ti ricordassi di un vecchio compagno di scuola
   a. lo (cercare) .... su Facebook
   b. gli (telefonare) ....
   c. gli (scrivere) .... una lettera al suo indirizzo che hai conservato nell'agenda
5. Se alla posta hai il numero 284 e ora è il turno del numero 200
   a. (giocare) .... a un videogioco
   b. (ascoltare) .... musica con il tuo iPod
   c. (leggere) .... una rivista
6. Se (accorgersi) .... di avere qualche soldo in più, (comprare) ....:
   a. l'ultimo modello di computer; il tuo è vecchio: l'hai comprato sei mesi fa
   b. un motorino
   c. una bici per fare delle passeggiate

Se hai più risposte A
La tua è una vera dipendenza: non puoi vivere senza computer e cellulare. Attenzione: rischi di perdere il contatto con la realtà.

Se hai più risposte B
Usi Internet, e la tecnologia in genere, nella giusta misura. Pensi che sia utile, ma che si possa farne benissimo a meno qualche volta.

Se hai più risposte C
Non sei assolutamente dipendente dalla tecnologia: per te la vita è solo quella reale. Al giorno d'oggi, però, un po' di tecnologia può essere utile.

4. Completa con le espressioni date nel riquadro.

Ma che schifo! • Questa sì che • Brava • Congratulazioni! • Ma non si può andare avanti così!

1. • Io e Tommaso ci sposiamo il mese prossimo. • ....
2. • Ce l'ho fatta! Ho superato l'esame di Fisica. • .... Sandra! Sono contento per te.
3. • Ieri mi hanno preso la bicicletta. • Cosa? ....
4. • Guarda questa spiaggia piena di rifiuti. • ....
5. • Da oggi comincia la raccolta differenziata nella nostra scuola. • .... è una bella notizia!

5. a. Collega le due colonne per formare dei periodi ipotetici di 2° e 3° tipo.

1. Se Giorgio si fosse fermato allo stop,
2. Se fosse tornato,
3. Se ci fosse lo sciopero,
4. Se tutti fossimo più attenti a non sporcare,
5. Se non avessimo pagato in contanti,
6. Se ci fermassimo in un agriturismo,

a. non ci avrebbe fatto lo sconto.
b. le nostre città sarebbero più pulite.
c. sarebbe meglio anche per i bambini.
d. mi avrebbe telefonato.
e. la metro sarebbe chiusa.
f. avrebbe evitato l'incidente.

b. Trasforma le frasi formulando dei periodi ipotetici di 3° tipo, secondo il modello.

Non ti ho telefonato perché era già mezzanotte.
Se non fosse stata mezzanotte, ti avrei telefonato.

1. Siamo rimasti senza soldi perché non siamo riusciti a trovare un bancomat.
....
2. Mi devi scusare, ma ero occupato e non sono venuto a trovarti.
....
3. Ha passato tutta la serata al computer e non è uscito con gli amici.
....
4. Questa mattina non ho fatto colazione e mi sono sentito male al lavoro.
....
5. Non ha seguito le istruzioni e ha danneggiato la stampante nuova.
....
6. Mimmo ti ha chiesto di pagare il conto perché aveva perso il portafoglio.
....

6. Completa secondo il modello.

Se potessi andare in vacanza, ci (andare) andrei subito.
Se fossi potuto andare in vacanza, ci (andare) sarei andato.

1. Se avessi tempo, (iscriversi) .... a un corso di yoga.
   Se avessi avuto tempo, (iscriversi) .... a un corso di yoga.
2. Se Mario capisse gli errori che fa, non li (ripetere) ....
   Se Mario avesse capito gli errori che ha fatto, non li (ripetere) ....
3. Se (continuare) .... gli studi, potrebbe fare una brillante carriera.
   Se (continuare) .... gli studi, avrebbe potuto fare una brillante carriera.
4. Se Gloria (comportarsi) .... seriamente, mi fiderei di lei ciecamente.
   Se Gloria (comportarsi) .... seriamente, mi sarei fidata di lei ciecamente.
5. Se avessi fumato di meno, oggi non (avere) .... tutti questi problemi di salute.
   Se avessi fumato di meno, non (avere) .... tutti quei problemi di salute.

7. Abbina le due colonne in modo da ottenere dei periodi ipotetici di 1°, 2° e 3° tipo.

1. Se non avessi risparmiato,
2. Se Patrizia non mi invita,
3. Se mangiassi di meno,
4. Se fossi stato a Madrid,
5. Se avesse voluto sapere come stavo
6. Se stasera uscite,

a. ti avrei certamente portato un regalo!
b. non avrei potuto comprare una casa.
c. vengo con voi.
d. mi avrebbe telefonato.
e. non tornate tardi!
f. ti sentiresti meglio.

8. Osserva le immagini e completa le frasi.

a. Cosa fai se ...?

b. Cosa faresti se ...?

9. a. Trasforma le frasi secondo il modello.

Non ho dato retta ai miei amici e adesso mi trovo in questo guaio.
Se avessi dato retta ai miei amici, non mi troverei in questo guaio.

1. Non siamo andati con loro e adesso non siamo ad Assisi.

   ....

2. Non ho mangiato niente e ora mi gira la testa.

   ....

3. Non ho ricevuto nessuna email, ma sono venuto lo stesso.

   ....

Assisi, Basilica di San Francesco

4. Non ho lavorato molto e ora non sono stanco e non ho bisogno di una vacanza.

   ....

5. Il treno non è partito in orario e non sono ancora in ufficio.

   ....

6. Parli in questo modo perché non hai visto la trasmissione.

   ....

b. Indica se nelle seguenti frasi abbiamo un periodo ipotetico della realtà (R), della possibilità (P) o dell'impossibilità (I).

1. Se non sei stanca, propongo di uscire a fare una passeggiata.
2. Sarebbe stato bello se in Italia fossero venuti anche i tuoi.
3. Se Luca conoscesse anche il tedesco, potrebbe lavorare con noi.
4. Se avessi un telefonino dotato di una fotocamera migliore, comprerei quest'ultima applicazione.
5. Se vogliamo parlare con Marco, telefoniamogli!
6. Il film del regista Damiani ti piacerebbe di più se avessi letto il libro di Leonardo Sciascia da cui è tratto.

10. Trasforma le frasi secondo il modello. Consulta anche l'Appendice grammaticale.

Mi ha telefonato Carlo per andare a teatro. Che dici? Vado a teatro?
Mi ha telefonato Carlo per andare a teatro. Che dici? Ci vado?

1. Mi piacerebbe visitare Pompei. Non sono mai stato a Pompei.

   Mi piacerebbe visitare Pompei, ...

2. • Chi ti porta alla stazione domani mattina?
   • Mi accompagna Franco alla stazione.
   • Chi vi porta alla stazione domani mattina?
   • ....

Pompei, Napoli

4. Andrea è un amico speciale. Mi trovo molto bene con Andrea.

   Andrea è un amico speciale e ....

   ....

3. • Vuoi telefonare a Claudia? Hai il numero?
   • Sì, ho il numero di Claudia.
   • Vuoi telefonare a Claudia? Hai il numero?
   • ....

5. Voleva sapere se abitavo a Milano. Gli ho risposto che non abitavo più a Milano da sei mesi.

   Voleva sapere se abitavo a Milano e ....

6. Nonostante avessi preso l'impegno di scrivere un articolo per il giornale della scuola, non sono riuscito a scrivere l'articolo.

   Nonostante avessi preso l'impegno di scrivere un articolo per il giornale della scuola, ...

   ....

11. Trasforma le frasi secondo il modello. Consulta anche l'Appendice grammaticale.

• Ti piace il caffè? • Sì, molto! Bevo 5 o 6 caffè al giorno!
• Ti piace il caffè? • Sì, molto! Ne bevo 5 o 6 al giorno!

Alessandro Gassman

1. • Sei andato a vedere lo spettacolo di Alessandro Gassman?
   • No, ma ho sentito parlare molto bene dello spettacolo di Alessandro Gassman.
   • Sei andato a vedere lo spettacolo di Alessandro Gassman?
   • No, ...
2. Alla mia festa aspettavo molte persone. Non immaginavo però che sarebbero venute tante persone.

   Alla mia festa aspettavo molte persone, ...

   ....
3. Volevo telefonare a Nicola. Però mi sono dimenticato di telefonare a Nicola.

   Volevo telefonare a Nicola, ...
4. Aldo ha mangiato tutti i dolci, non è rimasto neppure un dolce.

   Aldo ha mangiato tutti i dolci, ...
5. • Conosci molte canzoni di Fabrizio De Andrè? • No, conosco solo alcune canzoni di Fabrizio De Andrè.

   • Conosci molte canzoni di Fabrizio De Andrè? • No, ...
6. • Stefania è ancora qui? • No, è andata via di qui un'ora fa.

   • Stefania è ancora qui? • No, ...

12. Leggi il testo sul tempo libero e rispondi alle domande, come nell'esempio, con i pronomi diretti, i pronomi indiretti, *ci* e *ne*.

Quali sono le principali attività a cui gli italiani si dedicano nel loro tempo libero? La scelta è molto varia e dipende anche dal sesso e naturalmente dall'età. Ai primi posti per gli uomini ci sono il cinema (45,4%), gli spettacoli sportivi (39,4%), i locali come discoteche e pub (28,4%), musei e mostre (25,6%), concerti e spettacoli musicali (18,8%), teatro (14,4%).
Le donne dichiarano che preferiscono il cinema (38,7%), musei e mostre (25,7%), discoteche e pub (22,8%), teatro (17,1%), concerti di musica (15,4%).
Sono circa 13,5 milioni gli italiani che guardano la TV per oltre tre ore al giorno. Solo il 35,7% degli uomini e il 45,7% delle donne leggono libri.
6 italiani su 10 dichiarano di praticare sport, mentre sono circa 21 milioni coloro che affermano di non praticare alcuna attività sportiva. Coloro che invece frequentano centri di bellezza, saune e parrucchieri nel tempo libero sono più che altro donne con un'età fra i 45 e i 54 anni.
Ben 20 milioni di italiani dichiarano di non essere soddisfatti del loro tempo libero. Si lamentano delle troppe ore quotidiane dedicate al lavoro, al tempo che ogni giorno trascorrono in macchina e vorrebbero più tempo libero. Coloro che sono più insoddisfatti sono i laureati: infatti l'insoddisfazione per il tempo libero cresce proprio in relazione al titolo di studio.
L'1% degli italiani vede il tempo libero come tempo inutile, il 2,4% sostiene che nel tempo libero soffre di solitudine e il 3,9% dichiara che non vede l'ora di avere un po' di tempo libero per stare da solo e il 13% sostiene che è un momento da dedicare al rapporto di coppia.

Adattato da *www.fipe.it*

1. • *Nel tempo libero sia gli uomini che le donne italiane vanno volentieri al cinema.*
   • Sì, ci vanno volentieri.
2. • *Alle donne non piace seguire spettacoli sportivi durante il tempo libero.*
   • .... piace.
3. • *Più di tredici milioni di italiani preferiscono guardare la TV*
   • .... guardano per più di tre ore al giorno.
4. • *Gli italiani trascorrono molto tempo al lavoro e in macchina?*
   • .... trascorrono molte ore.
5. • *Agli italiani sembrano molte le ore che hanno a disposizione per il tempo libero?*
   • .... vorrebbero di più.
6. • *Alcuni italiani durante il tempo libero soffrono di solitudine?*
   • .... soffrono.
7. • *Il 13% degli italiani pensa che il tempo libero sia tempo da dedicare al proprio partner.*
   • .... pensa.

13. Collega i verbi con i nomi dati e scrivi le frasi sotto le immagini, come nell'esempio.

un word • stampare • scaricare • una foto • allegare • i tasti • salvare • ~~installare~~ • un video da YouTube • un documento • un ~~programma~~ • premere

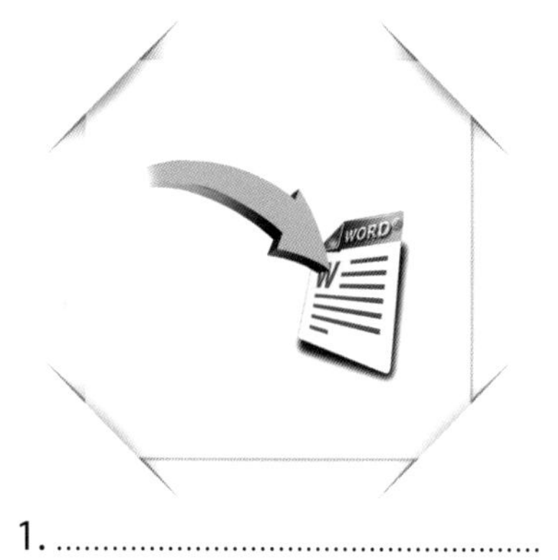

1. ....

2. ....

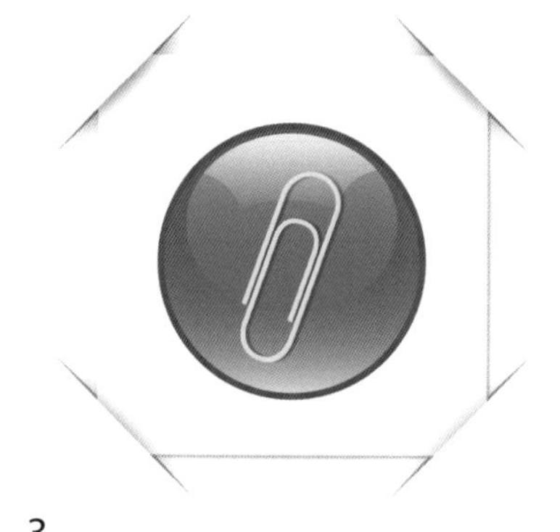

3. ....

4. ....

5. ....

6. installare un programma

14. a. Completa il testo con le parole date.

qualcosa • altre • Ce ne • che • Chi • Nessuna • ne • Niente • in cui • qualcuno • quelli che • sms

L'uomo senza telefonino

Una razza in via d'estinzione o già estinta? Se (1)........................... conoscete almeno uno, scriveteci!
Oggi mi sono fatto un piccolo regalo. Ho lasciato il cellulare sulla scrivania e sono uscito a prendere un caffè. (2)........................... telefonate, sms o mail. Ho riscoperto uno strano silenzio. Il nuovo lusso dei tempi di oggi è questo: vivere senza cellulare. (3)........................... ci riesce? Conoscete (4)........................... che viva senza cellulare e abbia tra i 15 e i 75 anni? Se sì, fermatelo: forse vi potrà raccontare (5)........................... di interessante.
Siamo ormai abituati a parlare da soli per la strada o camminare lentamente, con le teste abbassate sul cellulare, a digitare un (6)..........................., leggere una mail o pubblicare una foto su Facebook, anche quando siamo con (7)........................... persone.
(8)........................... critica: solo immagini quotidiane che mostrano come è cambiato il nostro modo di comunicare. E allora inizia la ricerca di (9)........................... vivono senza il telefonino. (10)........................... sono ancora in Italia? Ci sono ancora dei sopravvissuti al cellulare in un Paese (11)........................... il 90,7% possiede un telefonino e dove ci sono più sim (12)........................... persone?
Prima che sia troppo tardi e che l'uomo senza telefonino scompaia per sempre, scrivete al forum per raccontarci cosa fanno, come e dove vivono.

b. **Ora completa le risposte del forum con le parole date negli spazi in rosso e con i verbi tra parentesi negli spazi in blu.**

ci - gliene - ce ne - ci mette - navigo

Ultimi messaggi

Bird-65 Quote

Sono io

Io non uso alcun cellulare, ma non credo per questo di (1. avere) .... una storia da raccontare. Mi piace il silenzio e odio i telefoni di qualsiasi genere. Però (2)..................... spesso in Internet.

Mi piace 2

Carol Quote

Niente cellulare e niente auto!

Sembra davvero incredibile, ma vedo che (3)..................... sono di persone che vivono senza un telefono cellulare. Mia mamma è una di queste. Lei oltre a non avere il cellulare, non utilizza nemmeno l'auto! Ma possiamo vivere senza cellulare? Certo! E (4. vivere, noi) .... certamente meglio se pochi lo avessero!

Mi piace 1

SoleSilenzioso Quote

Lorenzo

Si chiama Lorenzo. È alto, grosso e intelligente. Per conservare un sorriso, che oggi è rarissimo incontrare, non utilizza per niente il cellulare e poco i social network. Credo che (5. capire) .... l'importanza del vivere senza stress. Per andare al lavoro (a 700 metri da casa sua), ogni mattina, (6)..................... 5 minuti in bici.

Mi piace 1

AndreaTR Quote

È tutto più vero

Ciao, Andrea, 27 anni, da Trieste. Da 8 anni lavoro all'estero, almeno 2 paesi differenti all'anno. Eppure, non ho più il cellulare per scelta da qualche anno. Penso che non (7. esserci) .... niente di più bello e di più vero. Inoltre: scrivere una lettera è molto più creativo e soddisfacente.

Mi piace 2

Alessia Quote

Senza telefonino

Il mio babbo si chiama Franco e non usa il telefonino. Non l'ha mai usato e la cosa non gli ha mai creato nessun problema. Mamma ha provato a regalar.....................(8) uno da usare almeno i fine settimana quando va a camminare in montagna da solo. Ma lui niente, dice che non (9)..................... sta nello zaino :)

L'unico telefono a cui risponde è il fisso del suo ufficio, dalle 8.30 alle 20.30. Poi quando esce FINE. Nessun disturbo, nessuno squillo fastidioso, nessuna disattenzione quando guida, nessun messaggino mentre è in coda, nessuna interruzione quando legge il giornale, nessun cliente che lo cerca anche a casa. Sono sicura che (10. vivere) .... senza il telefonino lo rende più sereno e lo fa stare più in salute. Dovremmo provarci anche noi.

Mi piace 3

15. Completa con le preposizioni, semplici o articolate.

Istat, sono i più giovani gli italiani più tecnologici

Come ogni anno l'Istat fotografa la situazione italiana nel campo (1)............... nuove tecnologie e ... poco sembra cambiare anche (2)............... giovani generazioni.

L'indagine *Cittadini e nuove tecnologie* ci dà un'immagine del nostro paese poco diversa (3)............... quella dell'anno precedente: il 60,5% (4)............... famiglie ha Internet e il 64,3% ha un personal computer.

L'Italia risulta 22° (5)............... Europa a 27 paesi per quanto riguarda l'accesso a Internet (6)............... casa, sono però i più giovani, dai 16 ai 24 anni, a far salire al 18° posto il nostro paese (7)............... loro utilizzo quasi quotidiano di Internet. Anche le famiglie (8)............... almeno un "under 18" sono le più tecnologiche: l'87,9% possiede un personal computer e l'83% ha Internet.

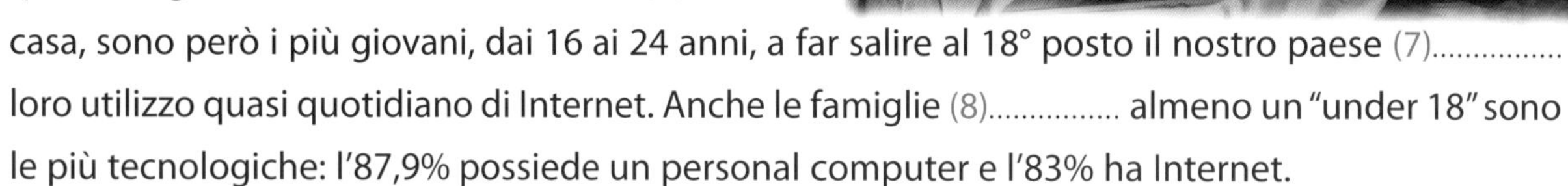

Chi naviga in rete lo fa soprattutto per spedire o ricevere email (85,3%), per cercare informazioni (71,7%) e per inviare messaggi (9)............... chat, social network, blog e gruppi di discussione (55,2%). A seguire, il 56,5% lo utilizza per leggere giornali, news, riviste; il 30,5% (10)............... ascoltare la radio; il 29,7% per guardare programmi televisivi e il 36%, per guardare in streaming un video.

Adattato da *www.minori.it* (Francesca Conti)

CD 2

16. a. Ascolta il brano e completa le frasi (max. 4 parole).

1. Vorrei vedere un ....
2. Design bellissimo, schermo al plasma ....
3. Comunque, è un sistema all'avanguardia che le permette di ricevere ...., collegarsi a Internet ...
4. Lei potrà guardare più canali contemporaneamente e scegliere quello ....
5. Ecco, questo è meno grande, ... in sala.
6. In più, può memorizzare le abitudini ....
7. Senti, giovanotto, ci sarebbe qualcosa ...., magari di meno intelligente ...?
8. Non avrei mai immaginato che .... così.

b. Qual è il significato delle seguenti parole che hai ascoltato nell'esercizio precedente?

1. All'avanguardia
   a. ☐ che ha qualcosa di completamente nuovo
   b. ☐ che propone cose tradizionali
   c. ☐ che vuole essere utile

2. Collegarsi
   a. ☐ mettersi in comunicazione
   b. ☐ separare
   c. ☐ unire

3. Contemporaneamente
   a. ☐ prima
   b. ☐ dopo
   c. ☐ allo stesso tempo

4. Memorizzare
   a. ☐ cancellare
   b. ☐ registrare, ricordare
   c. ☐ scrivere

Test finale

A Scegli l'alternativa corretta.

1. • Se tutti gli uffici del Comune (1)........................... il computer, non ci sarebbe bisogno di aspettare una settimana per un certificato.
   • (2)........................... che ci siano ancora uffici senza computer!

   (1) a) avessero avuto
   b) avessero
   c) abbiano avuto

   (2) a) Ma è incredibile
   b) Complimenti
   c) Non si può andare avanti così

2. Non sarei venuto da te se non (1)........................... sicuro che mi (2)............................

   (1) a) sarei
   b) fossi
   c) sia

   (2) a) aiutavi
   b) hai aiutato
   c) avresti aiutato

3. Se Tommaso non (1)........................... fin da piccolo la TV a un metro di distanza, ora non (2)........................... degli occhiali da vista.

   (1) a) avesse guardato
   b) avrebbe guardato
   c) guardasse

   (2) a) bisognasse
   b) bisognava
   c) avrebbe bisogno

4. Se (1)..........................., (2)............................

   (1) a) era arrivato
   b) arrivasse
   c) fosse arrivato

   (2) a) ne telefonerebbe
   b) ci avrebbe telefonato
   c) si sarebbe telefonato

5. Se (1)........................... tanto questi dolcetti, (2)........................... tutti!

   (1) a) ti piacciono
   b) ti piacessero
   c) ti piaceranno

   (2) a) mangiali
   b) mangiatene
   c) mangiateci

6. • Antonio! Ma quanti libri (1)..........................?
   • Quanti? (2).......................... solo due!

(1)		(2)	
a)	comprarti	a)	Ne ho preso
b)	compravi	b)	Ci ho presi
c)	hai comprato	c)	Ne ho presi

B Abbina le due colonne per formare delle frasi.

1. Fammi sapere
2. Usciremmo più spesso,
3. Se sei stanco,
4. Se Elena avesse messo la sveglia,
5. Se avessi la possibilità,

a. forse sarebbe arrivata in orario.
b. partirei per una vacanza anche domani.
c. se ti serve una mano.
d. vai a casa!
e. se non dovessi lavorare tanto.

C Completa il testo con le parole date negli spazi rossi e i verbi tra parentesi negli spazi blu.

domandò • fai • fare • dissero • se ne • qualsiasi • se • gli • Togli

Ma con il cellulare Giulietta e Romeo si sarebbero salvati di Luciano De Crescenzo

Mio nonno aveva capito tutto del telefono. Un giorno qualcuno (1).................................. spiegò come funzionava. «Vedete, – gli (2).................................. – il telefono è una cassetta che a un certo punto suona, voi, allora, andate a rispondere». «Come? – (3).................................. mio nonno – Lui suona e io devo debbo andare a rispondere...». Insomma, aveva capito la dipendenza tecnologica. È vero che il telefonino non chiede mai il permesso quando squilla e può interromperti in (4).................................. momento. Secondo me, sarebbe necessario insegnare nelle scuole come usare il telefonino, avremmo un domani migliore. Però, a pensarci bene, chissà come (5. cambiare) .... la storia se il telefonino fosse stato inventato prima. Napoleone, ad esempio, non (6. perdere) .... a Waterloo. Con il telefonino avrebbe chiamato Grouchy: «Sono Napoleone. Corri subito che qua ci sono i prussiani!». Giulietta e Romeo non (7. uccidersi) .... Lei avrebbe chiamato il suo amato e gli (8. dire) ....: «Romeo, (9).................................. attenzione, io non sono morta, sto solo dormendo. Non (10).................................. come al tuo solito che ti lasci prender dall'emozione». E per finire neanche Egeo (11. togliersi) .... la vita. Lui aveva mandato il figlio Teseo a uccidere il Minotauro e gli aveva detto: «Quando torni, Teseo, (12).................................. hai ucciso il Minotauro, cambia il colore alle vele. (13).................................. le vele nere e metti quelle bianche. Così io posso capire, anche da lontano, che hai vinto». Purtroppo Teseo (14).................................. dimenticò ed Egeo si uccise buttandosi nel mare. Se (15. esserci) .... il telefonino, oggi quel mare, invece di chiamarsi Egeo, si chiamerebbe Mare Telecom Italia Mobile.

Adattato da *www.corriere.it*

Antonio Canova, Teseo sul Minotauro

D Risolvi il cruciverba.

ORIZZONTALI

2. Detto di computer che possiamo portare con noi.
6. La più importante associazione ambientalista italiana.
7. Inserire un programma nel computer.
8. Numero dei tipi di periodo ipotetico.
9. Il contrario di *Sud*.
10. Sinonimo di *suonare*.

VERTICALI

1. @ in italiano.
3. La utilizziamo per scrivere al computer.
4. E-mail in italiano: posta ...
5. Espressione che usiamo per congratularci.

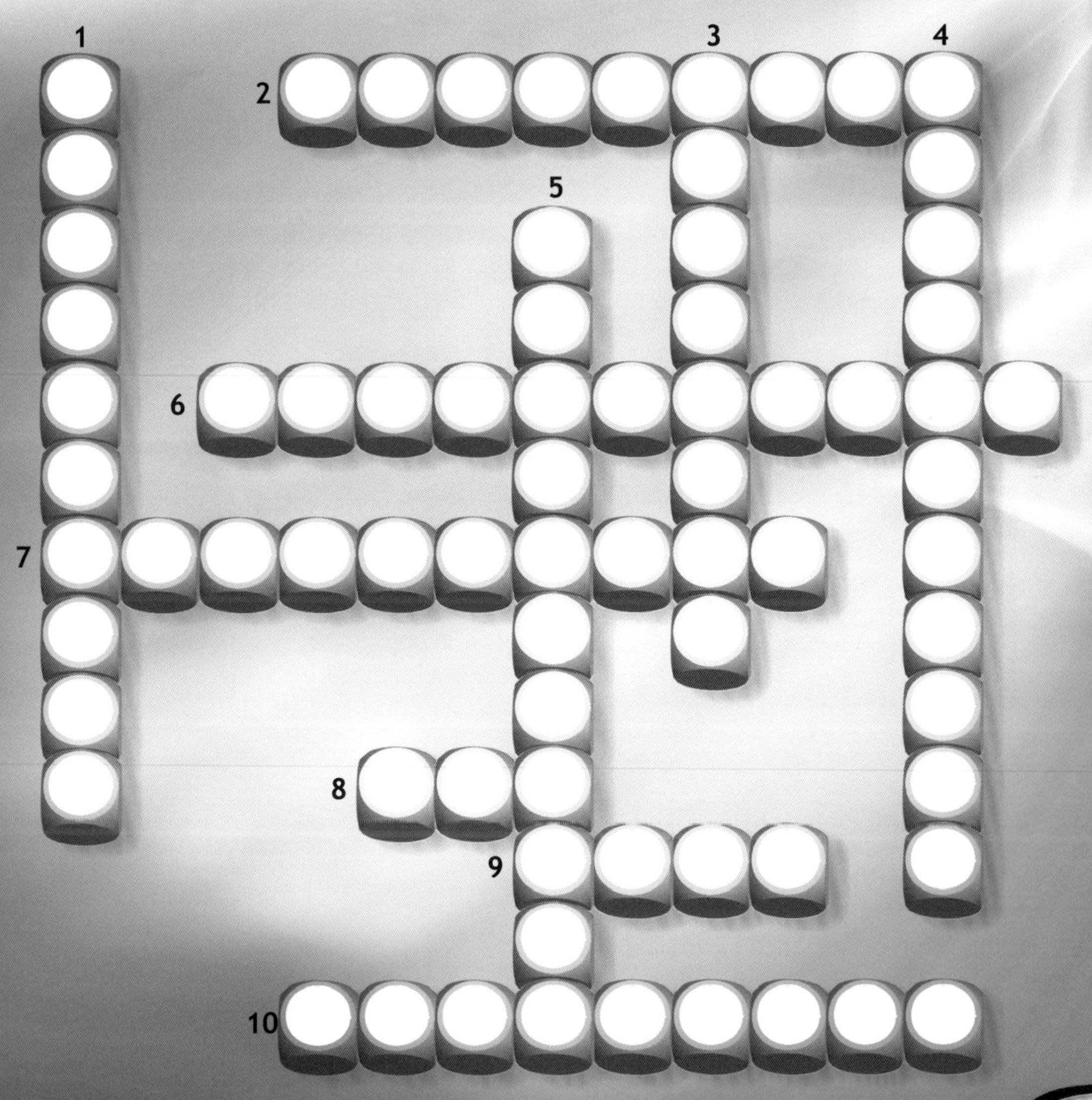

Risposte giuste .... /42

Attività Video - episodio *Lorenzo e la tecnologia*

Per cominciare...

Indica le parole (incontrate anche nell'unità 8 del *Libro dello studente*) di cui ricordi il significato.

☐ schermo ☐ installare ☐ salvare ☐ scaricare ☐ cavo ☐ scheda memoria

Guardiamo

1 Guarda l'episodio e verifica le ipotesi fatte.

2 Osserva le immagini e leggi cosa dice Gianna. In coppia, scrivete le battute di Lorenzo. Se necessario, potete guardare l'episodio una seconda volta.

Facciamo il punto

1 Indica le tre informazioni esistenti.

1. Gianna pensa che Lorenzo parli con lei. ☐
2. Gianna ha lavorato molto. ☐
3. A Lorenzo non è simpatica Ludovica. ☐
4. L'amico di Lorenzo ha un pc molto potente. ☐
5. Lorenzo è un appassionato di tecnologia. ☐
6. Gianna è sorpresa dal messaggio che riceve al cellulare. ☐

2 Fai un breve riassunto orale dell'episodio.

3° test di ricapitolazione (unità 6, 7 e 8)

A Completa con i verbi alla forma giusta.

1. Signorina, la prego, (farmi) .... parlare col direttore!
2. Signor Vitale, (stare) .... attento, non (avvicinarsi) .... troppo a quel cane!
3. Signora Carla, (sedersi) ....! Il dottore La aspetta!
4. Se pensa di far prima, (chiamare) .... pure un taxi!
5. Signora Claudia, (rilassarsi) ....; non è successo niente di grave!
6. La prego, (dirmi) .... almeno se c'è un posto sul prossimo aereo.

.... /7

B Completa le seguenti frasi con gli indefiniti.

1. A pranzo non ho mangiato .... e ora ho una fame da lupi.
2. Di .... cosa avrai bisogno, rivolgiti pure a me!
3. .... cerca di risolvere i suoi problemi come meglio può.
4. Dopo .... chilometro ci siamo accorti di aver sbagliato strada!
5. Direttore, ci sono .... signori che dicono di avere un appuntamento con Lei.
6. È proprio un ragazzo fortunato: ha ...., non gli manca proprio .... !

.... /7

C Leggi le seguenti frasi e formula dei periodi ipotetici (1° - 2° - 3° tipo).

1. Non hai dato un esame e adesso devi studiare tutta l'estate.
   ....
2. Non sei stato sincero e ovviamente non ti hanno creduto.
   ....
3. In centro c'era molto traffico e sono arrivato con mezz'ora di ritardo.
   ....
4. Sono molto impegnato, perciò non leggo tanto.
   ....
5. Laura visiterebbe Venezia durante il Carnevale, ma non trova una camera.
   ....
6. Fa molto freddo, non esco.
   ....

.... /6

D Completa le seguenti frasi con *ci* e *ne*.

1. - Sei mai stato in Sicilia? - No, non .... sono mai stato, però me .... ha parlato spesso Valerio che .... è stato tante volte.
2. Comprare un altro televisore? Non .... vedo la necessità.
3. Con la mia macchina nuova, per andare a Pisa .... abbiamo messo solo un'ora.
4. Io ti consiglio di sposare Marina solo se .... sei veramente innamorato.
5. Hai sentito quello che ha detto Paolo? Ma tu .... credi?
6. Hai visto quella ragazza in macchina? Era Teresa: .... sono sicuro.
7. Con questi occhiali .... vedo benissimo.
8. Manco da una settimana dal mio paese e già .... sento la nostalgia.

.... /10

E Coniuga i verbi tra parentesi al tempo e al modo opportuni.

1. Non pensavo che uno come te (credere) .... alle favole che racconta Luisa.
2. Sei già tornato? E io che credevo che ti (piacere) .... l'Italia.
3. Non riuscivo proprio a capire cosa (volere) .... Piero da me.
4. Credevo (spiegarsi, io) di .... bene e che non ci fosse bisogno di riparlarne.
5. Federica, non immaginavo che (finire) .... già .... gli studi.
6. Avrei voluto tanto che (essere, voi) .... presenti alla scena!
7. Non sapevo che i tuoi genitori (conoscersi) .... all'università!
8. Magari (sapere, io) .... prima la verità!

.... /8

Risposte giuste .... /38

1. a. Trasforma le seguenti frasi alla forma passiva con essere, secondo il modello.

Tutti considerano Leonardo da Vinci un genio.
Leonardo da Vinci è considerato da tutti un genio.

1. Circa due milioni di persone visitano ogni anno la Galleria degli Uffizi.
....
2. I guardiani controllano ogni settore del museo.
....
3. Due donne hanno commesso il furto e ora la polizia le insegue.
....
4. Tutti i telegiornali trasmettono la notizia.
....
5. Il commissario Montalbano conduce le indagini.
....
6. A quanto pare un collezionista privato ha commissionato il furto.
....

Sandro Botticelli, *Ritratto di giovane con medaglia*, 1470-75, Galleria degli Uffizi, Firenze

b. Trasforma, quando possibile, le frasi dell'esercizio 1a, secondo il modello.

Leonardo da Vinci è considerato da tutti un genio.
Leonardo da Vinci viene considerato da tutti un genio.

....
....
....
....

2. Collega le frasi della colonna di sinistra con quelle della colonna di destra.

1. Il campionato è stato	a. apprezzato di più come regalo.
2. Questa canzone sarà presto	b. vinto dalla mia squadra.
3. Un computer nuovo sarebbe stato	c. raccontata in modo molto divertente.
4. È importante che gli inviti siano stati	d. letto da nessuno.
5. Aveva paura che il suo libro non fosse	e. ascoltata da tutti.
6. Nel film quella storia era	f. spediti in tempo.

3. Trasforma le frasi con il verbo alla forma passiva. Dove possibile, usa sia essere che venire.

1. Era preferibile che la signora Numi, l'insegnante di educazione ambientale, accompagnasse i suoi studenti in gita al Parco Nazionale del Pollino.

   ....

   ....

2. In questo paese fanno il miglior gelato.

   ....

3. Credo che Stefano abbia interpretato male le mie parole.

   ....

4. Ogni giorno in Italia rubano circa 350 auto.

   ....

5. Tutti consideravano questo museo uno dei più sicuri del mondo.

   ....

6. Alessandro Volta inventò la batteria elettrica.

   ....

Parco Nazionale del Pollino

4. Riscrivi alla forma passiva le parti in blu dei titoli di giornale.

EDIZIONI LOCALI: BARI - BOLOGNA - FIRENZE - GENOVA - MILANO - NAPOLI - PALERMO - PARMA - ROMA - TORINO

Cerca

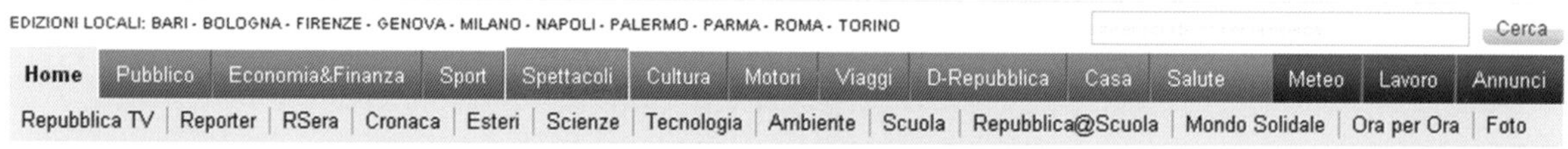

1. Avrebbero rubato circa duemila volumi antichi dalla Biblioteca dei Girolamini, sembra che i Carabinieri abbiano arrestato il direttore De Caro e altre quindici persone!

1. ....

LA SCHEDA Un gigante lungo 240 metri | Il percorso della Jolly Nero
CONDIVIDI

IL NOTIZIOMETRO
temi caldi su facebook
ON

2. La bellezza salverà il mondo? Una domanda a cui cercheranno di dare risposta domani al Caffè letterario di Via Firenze artisti, architetti e scrittori.

3. Gondola si capovolge: i vigili del fuoco e i gondolieri salvano i quattro turisti.

4. Facevano il bagno nella Fontana di Trevi. La polizia ha sorpreso i turisti e ha fatto loro una multa.

5. Il Passo del Brennero, tra Italia e Austria, accoglierà il primo museo in autostrada, on the road. Il videoartista Fabrizio Plessi ha disegnato gli interni della struttura.

6. In aprile il Macro (Museo d'Arte Contemporanea Roma) inaugura le mostre della stagione primavera -estate con lo statunitense Sam Durant.

1. ....
2. ....
3. ....
4. ....
5. ....
6. ....

5. Scrivi alla forma passiva, con venire, alcuni importanti avvenimenti che hanno cambiato la storia dell'Italia e del mondo.

1. Nel 1492, Cristoforo Colombo scoprì l'America.

   ....

2. Nel 1576, Benedetto Gentile ideò la lotterìa.

   ....

3. Nel 1854, Antonio Meucci aveva già costruito il primo telefono.

4. Nel 1903, Giuseppe Bezzera inventa la macchina per il caffè espresso.

   ....

5. Nel 1957, la FIAT mise sul mercato la 500, simbolo del boom economico.

   ....

6. Nel 2002 sono 12 i Paesi dell'Unione Europea che usano l'Euro.

   ....

6. Trasforma le frasi alla forma passiva.

1. Nel museo della nostra città esporranno opere di Caravaggio.

   ....

2. Pensavo che avrebbe restaurato il quadro il professor Biglia.

   ....

3. Non abbiamo speso niente perché Giovanni aveva pagato tutto.

   ....

4. Credo che molti stranieri conoscano le opere artistiche italiane.

   ....

5. Era strano che nessuno avesse visto i ladri rubare le opere d'arte.

   ....

6. Pensavo che Giulia avesse già ordinato i mobili per la villa all'antiquario.

   ....

Caravaggio, *Narciso*, Galleria Nazionale d'Arte Antica, Roma

7. Abbina le frasi delle due colonne.

1. Ma sul serio
2. Non scherzo mai
3. Dimmi che è andato tutto bene:
4. Ti posso garantire che
5. Non c'è dubbio che i ragazzi
6. È davvero incredibile

a. è così, vero?
b. che la nostra squadra sia riuscita a vincere.
c. abbiano detto la verità.
d. quando si tratta del nostro futuro.
e. vuoi cambiare lavoro?
f. è uno spettacolo bellissimo: vale la pena vederlo.

8. Riordina gli elementi in modo da formare delle frasi alla forma passiva con i verbi potere e dovere.

1. pagato - entro la - dovrebbe essere - fine del mese. - il conto del dentista
   Il conto del dentista ....
2. presi - e il venerdì. - i libri - in prestito - il lunedì, - possono essere - il mercoledì
   I libri ....
3. essere rispettati - devono - i professori - dagli studenti - e viceversa.
   I professori ....
4. da tutti. - non - un articolo - essere letto - così difficile - può
   Un articolo ....
5. un libro così - solo - poteva - grande scrittore. - essere scritto - da un
   Un libro così ....
6. da poche persone. - essere comprata - penso che - possa - una villa così grande e confortevole
   Penso che ....

9. Inserisci il termine corretto nelle frasi e poi trasformale dalla forma attiva a quella passiva.

1. Pochi .... professionisti possono fare foto con questi colori.
   ....
2. Quel .... blues che conosco dovrebbe cantare questa canzone così difficile.
   ....
3. Soltanto un .... potrebbe comprare questo quadro di grande valore.
   ....
4. Il tuo amico .... potrebbe dipingere un quadro da regalare a Teresa.
   ....

5. Un bravo e famoso .... deve progettare un edificio così importante.

....

6. Soltanto una brava .... come Francesca potrebbe suonare questo brano.

....

10. Forma delle frasi e trasformale alla forma passiva con il verbo andare, secondo il modello.

1. Il curriculum vitae va inviato per email.
2. Questo lavoro ....
3. Il maglione ....
4. I formaggi ....
5. Questo articolo ....
6. È il museo d'arte moderna più importante d'Italia: ....
7. Al cinema danno il film di Almodovar, credo che ....

- [ ] a. deve essere eseguito entro domani.
- [ ] b. devono essere tenuti in frigorifero.
- [ ] c. deve essere visitato.
- [ ] d. debba essere visto.
- 1 e. deve essere inviato per email.
- [ ] f. doveva essere lavato con acqua fredda.
- [ ] g. deve essere letto con attenzione.

11. Completa le frasi con la forma passiva (si passivante) dei verbi dati.

cucinare • fare • produrre • trovare • vedere • studiare

1. Dalla cupola di San Pietro .... un panorama fantastico.
2. In quel negozio non .... mai sconti.
3. Nel mio Paese .... molto le lingue straniere.
4. In quel ristorante .... benissimo il piatto tipico della regione.
5. Nei mercati all'aperto .... tante cose a buon prezzo.
6. In Italia .... degli ottimi vini.

12. Trasforma, quando possibile, le frasi dalla forma passiva con essere o venire, alla forma passiva con il si passivante.

1. L'aereo è usato da sempre più persone, per viaggiare.
   .... da sempre più persone per viaggiare.
2. Tra un mese verrà pubblicato un libro molto interessante sul restauro del *Giudizio Universale* di Michelangelo.
   .... un libro molto interessante sul restauro del *Giudizio Universale* di Michelangelo.
3. In questo piccolo paese, la posta viene consegnata due volte alla settimana.
   In questo piccolo paese, la posta ....
4. La musica jazz è ascoltata da poche persone.
   La musica jazz ....
5. La buona cucina viene apprezzata da tutti.
   La buona cucina ....
6. Questi bellissimi gioielli sono fabbricati in Italia.
   Questi bellissimi gioielli ....

13. Consulta l'Appendice grammaticale e completa le frasi come da modello.

Milano, Museo del Novecento

C'è un canale TV dove possiamo vedere tanti vecchi film.
C'è un canale TV dove si possono vedere tanti vecchi film.

1. Per continuare dobbiamo scrivere la password nell'apposito spazio.
   ....
2. Se vuoi studiare a Milano, dobbiamo trovare una casa in affitto.
   ....
3. Possiamo fare molto per la tutela dell'ambiente.
   ....
4. Gli amici devono essere rispettati e devono essere aiutati.
   ....
5. Domenica possiamo visitare i musei senza pagare il biglietto.
   ....
6. Questa decisione dovrebbe essere presa in fretta, se vogliamo fare in tempo.
   ....

14. Metti gli infiniti alla forma verbale opportuna, secondo il modello.

Molte tradizioni del passato/perdere.
Si sono perse molte tradizioni del passato.

1. Per costruire quel ponte/usare una nuova tecnica.

   ....

2. Per l'inaugurazione della nuova pinacoteca/spendere un sacco di soldi.

   ....

3. L'antica città di Pompei/scoprire nel 1748.

   ....

4. Durante il corso/organizzare molte attività divertenti.

   ....

Ponte Duca d'Aosta, Roma

5. Molte bugie/dire sul rapporto tra Michele e Veronica.

   ....

6. Molte informazioni/raccogliere sugli ultimi anni di vita di Botticelli.

   ....

15. Andare o venire? Completa le frasi con il verbo giusto.

1. In bicicletta o in moto, il casco .... sempre messo.
2. Il biglietto .... convalidato prima di salire sul treno.
3. Credo che il concerto del Primo maggio .... organizzato ogni anno a Roma.
4. Ho saputo che Claudia ha trovato lavoro: .... assunta tra un mese come segretaria.
5. Questi sono errori che .... corretti per poter parlare bene una lingua straniera.
6. Chiudo la bicicletta perché sarebbe un peccato se mi .... rubata.
7. È giusto che la visione dei film horror .... proibita ai minori di 14 anni?

16. Si passivante (P) o si impersonale (I)? Indica la risposta corretta.

1. Si dice che i prossimi giorni farà molto caldo. ☐
2. Negli ultimi mesi si sono creati molti posti di lavoro. ☐
3. Non si dovrebbe giudicare senza conoscere bene la situazione. ☐
4. Eravamo stanchi, per questo si è dormito fino a tardi. ☐
5. Non si può vedere la città perché c'è la nebbia. ☐
6. Non è vero che in questa casa si mangia male. ☐

17. Collega le due colonne e completa i proverbi.

1. Meglio tardi	a. il monaco.
2. Una rondine	b. i topi ballano.
3. L'abito non fa	c. hanno le gambe corte.
4. Quando il gatto non c'è	d. che mai.
5. Tra moglie e marito	e. non mettere il dito.
6. Le bugie	f. non fa primavera.

18. a. Completa con le parole date.

Pietro Lorenzetti, *Madonna col Bambino*

capolavoro • serata • museo • dipinti • pittore • restauro

A Castiglione d'Orcia, sabato 14 novembre alle ore 16.30, presentazione dei lavori di (1)................................ compiuti sul dipinto trecentesco *Madonna col Bambino* della scuola del celebre (2)................................ senese Pietro Lorenzetti. Il (3)................................ torna in mostra tra gli altri straordinari (4).. di scuola senese della Sala d'Arte San Giovanni.
Alla presentazione seguirà una visita al (5)................................ per ammirare il dipinto restaurato accanto ai capolavori di Simone Martini, Giovanni di Paolo e Vecchietta. La (6)................................ sarà conclusa da un aperitivo.

Adattato da *www.beniculturali.it*

b. Scrivi i nomi che corrispondono ai seguenti verbi.

1. costruire	4. dipingere ....
2. inventare	5. restaurare ....
3. affrescare	6. inaugurare ....

19. Completa con le preposizioni semplici o articolate.

Stress da *Gioconda*, i dipendenti del Louvre smettono di lavorare

Il personale (1)................ museo di Parigi ha chiesto un premio (2)................ direzione per "ripagarlo" dallo stress supplementare causato (3)................ maggiore attenzione che viene loro richiesta (4)................ controllare il dipinto di Leonardo. «Lo stress è chiaramente legato (5)................ numero di visitatori. – ha spiegato un dipendente del Louvre – Quel che è insopportabile è il continuo rumore (6)................ folla, specialmente (7)................ sale più note, come quella dove si trova la *Mona Lisa*. La domenica, quando l'ingresso è gratis, è ancora peggio. Si può arrivare fino (8)................ 65 mila visitatori in un giorno».

Parigi, Museo del Louvre

CD 2
20

20. Ascolta l'intervista al responsabile di un museo italiano e indica l'affermazione giusta tra quelle proposte.

1. Il museo è attrezzato
   - a. per l'ingresso ai portatori di handicap
   - b. per le visite alle collezioni private
   - c. con un bar a ogni piano
   - d. per le attività culturali all'aperto

2. I programmi per i visitatori prevedono anche
   - a. escursioni in siti archeologici
   - b. visite guidate in varie lingue
   - c. opuscoli informativi
   - d. audio e video in una sala speciale

3. Il museo prevede anche
   - a. misure di sicurezza speciali
   - b. sconti per gli studenti
   - c. programmi specifici per le scuole
   - d. carte speciali per gli stranieri

4. Il pezzo forte del museo è
   - a. un ritratto
   - b. un quadro astratto
   - c. una scultura
   - d. un libro raro

21. Collega, come nell'esempio, le frasi con le opportune forme di collegamento (congiunzioni, preposizioni, pronomi, avverbi) eliminando o sostituendo, se necessario, alcune parole. Trasforma dove necessario i verbi nel modo e nel tempo opportuni.

Mio padre aveva un quadro prezioso
mio padre ha venduto il quadro
il prezzo del quadro è stato inferiore al valore reale

Mio padre aveva un quadro prezioso che ha venduto a un prezzo inferiore al suo valore reale.

1. Maurizio è laureato in Storia dell'Arte
   Maurizio cerca lavoro
   non ci sono molte possibilità di lavoro nel suo campo
   Maurizio forse dovrà trasferirsi all'estero

   ....

   ....

2. Ieri è arrivata a casa mia Mary
   Mary è una ragazza inglese di 23 anni
   io ho conosciuto Mary a Londra
   io mi sono innamorato subito di Mary

   ....

   ....

3. Ho molti amici all'estero
   io utilizzo Skype
   mi sento molto più spesso con i miei amici all'estero

   ....

   ....

4. Non sono sicuro di una cosa
   Luca ha capito bene l'ora dell'appuntamento
   ho aspettato Luca più di mezz'ora
   Luca non è arrivato

   ....

   ....

5. Stefano vuole andare a vedere una mostra d'arte
   io preferisco andare al cinema
   accetterò di andare con Stefano
   Stefano deve pagarmi il biglietto

   ....

   ....

6. Teresa è felice
   oggi è il compleanno di Teresa
   il padre di Teresa ha promesso di regalare a Teresa una bicicletta

   ....

   ....

Test finale

A Scegli l'alternativa corretta.

1. Le nuove tecniche di restauro (1).......... su uno degli affreschi di Giotto. L'affresco (2).......... restaurato prima che sia troppo tardi.

   (1) a) saranno applicate
   b) hanno applicato
   c) sono state applicate

   (2) a) andava
   b) si doveva
   c) va

2. Per il concerto di Andrea Bocelli, i biglietti (1).......... acquistare a teatro. Il concerto (2).......... trasmesso anche su Rai 3.

   (1) a) possono essere
   b) vanno
   c) si possono

   (2) a) verrà
   b) si è
   c) è stato

3. • Conosci il proverbio che dice "L'abito non (1).......... il monaco"?
   • Certo! Un proverbio che (2).......... da tutti.

   (1) a) significa
   b) fa
   c) realizza

   (2) a) se ne dovrebbe ricordare
   b) dovrebbe essere ricordato
   c) dovrebbe ricordarsi

4. Le offerte (1)........................... dall'avvocato Berti, ma l'opera (2)........................... da un collezionista di cui non conosciamo il nome.

(1)	(2)
a) sono fatte	a) è stata comprata
b) si sono fatte	b) va comprata
c) sono state fatte	c) si è comprata

5. Direttore, poiché la mostra (1)........................... l'ultima settimana di settembre, gli inviti per l'inaugurazione (2)............................

(1)	(2)
a) si terrà	a) venivano già spediti
b) è stata tenuta	b) si potrebbero già spedire
c) si è tenuta	c) vadano già spediti

6. L' (1)........................... più famosa di Leonardo da Vinci è senz'altro (2)...........................

(1)	(2)
a) opera	a) la *Gioconda*
b) arte	b) la *Primavera*
c) artista	c) il *Giudizio Universale*

B Completa con la forma passiva dei verbi tra parentesi nel modo e tempo indicato.

Il Leonardo ritrovato in America

Un dipinto di Leonardo, che (1. ritenere, indicativo imperfetto) .... perduto da diversi secoli, (2. analizzare, indicativo passato prossimo) .... da alcuni tra i maggiori studiosi di Leonardo da Vinci e (3. esporre, indicativo futuro semplice) .... alla National Gallery di Londra. Nell'opera, il *Salvator Mundi*, (4. raffigurare, indicativo presente) .... Cristo con la mano destra alzata e la sinistra che tiene un globo. (5. Dipingere, condizionale passato) .... da Leonardo a Milano, poco prima di lasciare la città nel 1499, lasciandone anche alcuni studi, i più noti dei quali (6. conservare, indicativo presente) .... al castello di Windsor.

Salvator Mundi, Leonardo da Vinci

L'opera, molti mesi fa, (7. consegnare, indicativo passato prossimo) .... da alcuni collezionisti americani alla National Gallery per un restauro prima della mostra. Gli studiosi del museo ritenevano che fosse di scuola leonardesca. Dopo l'eliminazione di una parte di pittura che (8. aggiungere, indicativo trapassato prossimo) .... in un precedente restauro, i tecnici e importanti studiosi hanno valutato l'opera e l'hanno attribuita a Leonardo stesso, dal momento che i meravigliosi colori, i rossi e gli azzurri ricordano proprio quelli dell'*Ultima Cena*.

Adattato da *www. corriere.it*

C **Risolvi il cruciverba.**

ORIZZONTALI

3. Altro nome per indicare l'*Ultima cena*, uno dei capolavori di Leonardo.
7. Noto museo di Firenze: Galleria degli ...
8. Osservare con entusiasmo un'opera d'arte.
9. Tempo verbale di *fossero stati scoperti*.
10. Espressione per confermare qualcosa: «Non c'è ... che sia così!»

VERTICALI

1. Architetto della *Fontana della Barcaccia* a Roma.
2. Non fa mai giorno quando cantano troppi ...
4. Chi non mangia da giorni è ...
5. Tra il dire e il fare c'è di mezzo il ...
6. Sostantivo di *brevettare*.

Risposte giuste ..../30

Attività Video - episodio *Arte, che fatica!*

Per cominciare...

1 Conosci le opere d'arte rappresentate? In coppia, abbinate i titoli dati alle foto. Attenzione, ci sono due titoli in più.

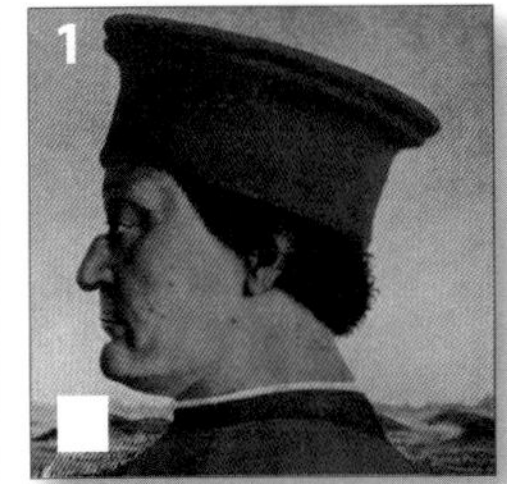

a. La *Nascita di Venere* (Botticelli)
b. *Autoritratto* (Leonardo da Vinci)
c. La *Primavera* (Botticelli)
d. L'*Uomo vitruviano* (Leonardo da Vinci)
e. *Ragazzo con canestro di frutta* (Caravaggio)
f. *Il duca di Urbino* (Piero della Francesca)

2 Perché Gianna e Lorenzo si trovano in un negozio d'arte? In coppia, fate due ipotesi su quello che secondo voi succederà nell'episodio.

Guardiamo

1 Guarda l'episodio e verifica le ipotesi fatte nell'attività precedente.

2 Abbina le seguenti battute a Gianna (G) o a Lorenzo (L).

1. Ma è un po' nuda, no?
2. Luci, colori, c'è tutto.
3. Che te ne pare di questi?
4. Di sicuro non c'è molto colore.
5. Caravaggio è del 1600!

Facciamo il punto

Completa le frasi.

1. Gianna non sceglie l'autoritratto di Leonardo perché ....
....

2. Gianna non sceglie il quadro di Caravaggio perché ....
.... e il suo direttore ....
3. Alla fine telefona il direttore e ....
....

1. Trasforma le seguenti frasi al discorso indiretto, secondo il modello.

Anna ieri ha detto: "Non riesco a trovare la mia borsa."
Anna ha detto che non riusciva a trovare la sua borsa.

1. Carlo ha detto: "Torno verso le due."
   Carlo .... verso le due.
2. Sofia ha detto: "Forse domani non andrò all'università."
   Sofia .... all'università.
2. Marco ci disse: "Gianni era stanco, per questo è restato a casa."
   Marco .... a casa.
3. Sandro disse a suo figlio: "Dovresti studiare di più."
   Sandro .... di più.
4. Walter mi ha detto: "Ricordo bene quel giorno quando siamo andati al mare a pescare."
   Walter .... al mare a pescare.
5. Giulia mi disse: "Francesco non l' ho salutato perché non l'ho riconosciuto."
   Giulia ....

2. Collega i fumetti con le frasi corrispondenti. Consulta anche l'Appendice grammaticale.

1. ☐ Franco ha detto che Gloria era andata volentieri a cena da loro perché non aveva niente da fare.
2. ☐ Franco ha detto che pensava che Gloria andasse volentieri a cena da loro perché quella sera non aveva niente da fare.
3. ☐ Franco ha detto che pensava che Gloria sarebbe andata volentieri a cena da loro perché non aveva niente da fare.
4. ☐ Franco ha detto che credeva che Gloria si fosse trovata bene a cena da loro.
5. ☐ Franco ha detto che Gloria sarebbe andata volentieri a cena da loro, ma doveva studiare.
6. ☐ Franco ha detto che credeva che Gloria fosse contenta di andare a cena da loro.

3. Trasforma le seguenti frasi dal discorso diretto al discorso indiretto. Consulta anche l'Appendice grammaticale.

1. "Lucio, mi sembra incredibile che tu abbia imparato il tedesco in soli due mesi!"
   Sara ha detto a Lucio che ....
2. "Secondo me avresti dovuto telefonare tu a Cinzia."
   Paolo mi disse che ....
3. "Credo sia arrivata in aereo, non in treno."
   Credeva che Gianna ....
4. "Comprerò una macchina a mio figlio!"
   Matteo ha detto che ....
5. "Non riuscirei mai a imparare una lingua come l'arabo: è troppo difficile."
   Valeria disse che ....
6. "Preferisco prendere un taxi; forse così arriverò in tempo."
   Luisa ieri mi ha detto che ....

4. Rileggi cosa ha raccontato Luca ad Anna e prova a immaginare cosa gli ha detto Ivana.

Ieri sono entrati i ladri in casa di Ivana... e la cosa più assurda è che mi ha detto che li aveva visti all'opera: stava entrando nel palazzo quando ha incontrato degli uomini che uscivano portando via un grande televisore uguale al suo. Mi ha raccontato che lei si era anche messa a parlare con loro e gli aveva anche aperto il portone per aiutarli, prima di salire in casa. Poverina, mi ha detto che non si sarebbe mai più fidata di nessuno.

Ivana: «..
....
....
....».

5. Completa il dialogo tra Aldo e Bruno con le parole date.

allarme • a quanto ne so • blindata • faccia tosta • furti • incredibile • questura • colmo

- Ciao Bruno!
- Ciao Aldo, come va? Hai sentito dei (1)................................ che ci sono stati nel nostro quartiere?
- Sì. Pensa che Gianni, nel suo appartamento, oltre ad avere installato un sistema d'(2)................................, ha messo anche la porta (3)................................
- Ah, non sapevo che avesse tanta paura. Beh, almeno così può stare tranquillo.
- Anche lui lo pensava, ma pare che non sia stato sufficiente. Infatti, ieri gli sono entrati i ladri in casa. E il (4)................................ è che i ladri hanno rubato tutto tranne il computer perché era troppo vecchio. E gli hanno anche lasciato un messaggio: "Si compri un computer più moderno!". Pensa che (5)................................!
- Ma è (6)................................! E adesso cosa farà?
- (7)................................, credo abbia già fatto la denuncia in (8)................................

6. Abbina le frasi delle due colonne.

1. Hai sentito che Lucia è partita per il Giappone?
2. Antonio, non comportarti così in pubblico!
3. Hai sentito che Claudio e Anna Maria si sono lasciati?
4. Carlo, domani verrai con me a fare spese?
5. Sergio è veramente bravo: immagina che ha fatto tre esami in due mesi!
6. Che dici? Carlo verrebbe con noi alla presentazione di un libro?

a. Mah... Lo sai bene che non gli importa niente di letteratura.
b. E con ciò? Anch'io ne sarei capace...
c. Perdere l'intero pomeriggio in giro per i negozi? Non mi interessa affatto!
d. Ma chi se ne frega! Che facciano quello che vogliono!
e. Me ne infischio di cosa pensano gli altri!
f. E allora? Io non la vedo da una vita...

7. Trasforma le frasi dal discorso indiretto al discorso diretto. Consulta anche l'Appendice grammaticale.

1. Dario mi ha detto che mi avrebbe telefonato il giorno dopo.

2. Barbara ha detto che il giorno dopo sarebbe tornata più tardi del solito.

3. Francesco raccontò che aveva visto Carmen due giorni prima, ma non gli aveva detto nulla.

4. Stefania ha detto che quella sera era molto felice.

5. Riccardo mi ha detto che lì al parco giochi si stava divertendo tanto.

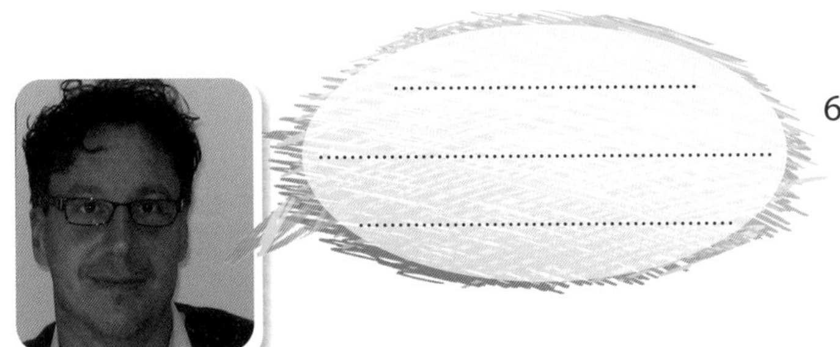

6. L'impiegato ci ha detto che gli dispiaceva, ma in quel momento non poteva aiutarci.

8. Trasforma le seguenti frasi dal discorso diretto al discorso indiretto o viceversa.

1. "Questa sera non esco, guardo la TV perché danno un film di Gabriele Muccino."
   Giovanni mi disse che ....
2. "..."
   Christine mi ha detto per telefono che sarebbe venuta in Italia due giorni dopo.
3. "Prenoterò domani il volo per Milano."
   Alessandra ci aveva detto che ....
4. "..."
   Simone ha detto che gli dispiaceva e che Gianna era uscita proprio in quel momento.
5. "Sono tornata dalle vacanze una settimana fa."
   Milena ha detto che ....
6. "..."
   Sua madre ci aveva detto che se volevamo, potevamo entrare; credeva che Luigi fosse in casa.

Gabriele Muccino

9. a. Trasforma le seguenti frasi al discorso indiretto, secondo il modello.

"Marco, va' a prendere il giornale in edicola!"
Disse a Marco di andare a prendere il giornale in edicola.

1. "La mia casa è sempre aperta per gli amici; vieni pure quando vuoi!"
   Mi disse che ....
2. "Vattene, maleducato!"
   Gli ha detto ....
3. "Non vi preoccupate, portate pure i vostri amici!"
   Ci hanno detto ....
4. "Cosa avete fatto ieri sera?"
   Ci chiese ....
5. "Chi sono quei ragazzi che ti aspettano in piazza?"
   Mi hanno chiesto ....
6. "Franco, nonostante i suoi settant'anni, è ancora attivo come pacifista e animalista?"
   Ci ha chiesto se ....

b. Trasforma le seguenti frasi dal discorso diretto al discorso indiretto o viceversa.

1. Antonio ha ordinato al suo cane di uscire subito dalla macchina.
   "...!"
2. "Perché non si riesce a risolvere il problema della droga?"
   Costanza chiedeva perché ....
3. "È possibile avere uno sconto?"
   La signora chiede se ....
4. Voleva sapere se andavo spesso in quella palestra.
   "...?"
5. "Quanto costa il biglietto per Lisbona?"
   Volevano sapere ....
6. Vincenzo chiese a Sara se dovessero andare in quel momento da Filippo per farsi dire tutta la verità.
   "..?"

10. Completa l'articolo di giornale con le parole del riquadro.

condanna • far finta di • stupefacenti • arresti domiciliari • evasione • parente • spaccio

Magenta. Quando A. F. ha visto la Polizia Stradale di Magenta ha cercato di (1)............................... niente. Gli agenti hanno fermato la Fiat Panda sulla quale viaggiava e l'uomo, di 46 anni, ha detto che andava all'ospedale a trovare un (2)..............................., ma la risposta non ha convinto i poliziotti. Così hanno controllato e hanno scoperto che il 46enne era conosciuto per vari reati (furto e (3)...............................), tanto da essere agli arresti domiciliari e, circa un mese fa, era stato arrestato per (4)............................... Nonostante tutto ha pensato bene di uscire ancora di casa perché doveva trovare degli (5)............................... La Polizia Stradale di Magenta lo ha nuovamente arrestato per evasione. Ieri il giudice lo ha rispedito agli (6)............................... e non in carcere per scontare una (7)............................... di un anno e otto mesi.

Adattato da *www.cittaoggiweb.it/cronaca-nera*

11. Collega la prima colonna con la seconda e forma delle frasi.

1. Ha detto che se aveva un po' di tempo,
2. Ha detto che verrà a trovarci,
3. Ha detto che se avesse avuto un po' di tempo,
4. Ha detto che se avesse un po' di tempo,
5. Ha detto di andarlo a trovare,
6. Ha detto che se ha un po' di tempo,

a. se avrà un po' di tempo.
b. verrebbe a trovarci.
c. viene a trovarci.
d. sarebbe venuto a trovarci.
e. sarebbe venuto a trovarci.
f. se abbiamo un po' di tempo.

12. Trasforma dal discorso diretto al discorso indiretto.

Rushton Hurley è il direttore del programma Merit al Krause Center for Innovation di Palo Alto in California. Lo abbiamo incontrato all'Istituto San Carlo di Milano, scuola sempre attenta alle tecnologie.

La tecnologia aiuta a insegnare?

«Sì, ma a differenza di quanto si crede, non servono competenze tecnologiche, se non di base, per usarla. Da insegnante ho cominciato a chiedermi in che cosa gli strumenti che mi venivano offerti potevano facilitarmi il lavoro, farmi risparmiare tempo. Così sono arrivato alla conclusione che quello che avevo imparato su di me poteva servire ad altri».

Gli adulti rispetto ai ragazzi non hanno maggiori difficoltà con la tecnologia?

«Un po' sì, un insegnante spesso ha paura di perdere la stima dei suoi studenti se non sa dare tutte le risposte. Ma è assurdo: come si può credere di sapere tutto? Se l'insegnante è interessato e curioso, può avere un grande aiuto dai suoi stessi ragazzi. La tecnologia non mi fa un insegnante buono o cattivo, dipende da quello che ci metto dentro, la tecnologia in mano a un bravo insegnante può aumentare il suo talento».

Adattato da *www.famigliacristiana.it* (Elisa Chiari)

Alla domanda della giornalista se la tecnologia aiuti a insegnare, Hurley risponde di ....

....

....

....

La giornalista chiede all'intervistato se gli adulti rispetto ai ragazzi non abbiano maggiori difficoltà con la tecnologia e Hurley risponde che ....

.... Però dice che .... e si chiede ....

.... Inoltre, aggiunge che ....

....

13. Trasforma secondo il modello. Consulta anche l'Appendice grammaticale.

"Se non mi chiamerà, gli telefonerò io."
Sandra ha detto che se non l'avesse chiamata, gli avrebbe telefonato lei.

1. "Se effettui il pagamento in banca, fammelo sapere."
   Ha detto che ....
2. "Se non avessi studiato tanto, non avrei passato questo esame."
   Claudio ha detto che se ....
3. "Chiudi tutte le finestre, se esci di casa per ultimo."
   Fulvia mi ha detto di ....

4. "Se vado a Londra, ti porterò qualcosa in regalo."
   Lo zio mi ha appena detto che se ....
   ....
5. "Se mi lasciaste da solo, forse sarebbe meglio."
   Federico diceva che ....
   ....
6. "Se tu ne avessi voglia, potremmo andare a fare una passeggiata."
   Luisa mi ha detto che se ....

Oxford, Inghilterra

14. Leggi l'intervista fatta a Mohamed e scrivi le risposte al discorso diretto.

Attualmente gli immigrati presenti in Italia sono circa quattro milioni di persone, metà delle quali provengono da paesi appartenenti alla stessa Unione Europea. Sentiamo la testimonianza di Mohamed, un ragazzo egiziano.

Mohamed
(1) risponde che studiava Giurisprudenza all'università.
(2) risponde che si vive bene, ma la vita è molto cara.
(3) dice che conosceva una persona che gli aveva offerto lavoro in una pizzeria.
(4) risponde che secondo lui, il motivo principale è perché si può trovare un lavoro.
(5) dice di sì, qualcosa invia alla sua famiglia, ma poco.
(6) risponde di no, le persone con cui passa il tempo sono le stesse che conosceva già prima di trasferirsi in Italia. Ha pochissimi amici italiani.
(7) dice di sì, c'è stato qualcuno che ha avuto comportamenti poco amichevoli, di intolleranza, nei suoi confronti, ma non per quello pensa che gli italiani siano tutti razzisti.
(8) dice di no, preferisce la compagnia di persone che, come lui, hanno lasciato l'Egitto per trasferirsi in Italia.
(9) risponde che non crede di essersi integrato pienamente e che spesso deve fare i conti con la nostalgia di casa. Gli manca tanto la sua famiglia.
(10) risponde che non ha progetti a lungo termine, ma se avesse la possibilità di scegliere, tornerebbe nel suo Paese.

Cosa facevi in Egitto?
(1) ....
Come si vive in Egitto?
(2) ....
Come mai hai scelto Roma per trasferirti?
(3) ....

Perché molti scelgono di emigrare in Italia?

(4) ....

Di quello che guadagni riesci a mandare qualche soldo a casa?

(5) ....

Hai fatto nuove amicizie in questi tre anni?

(6) ....

....

Hai notato atteggiamenti razzisti, xenofobi nei tuoi confronti?
Ti hanno mai insultato?

(7) ....

....

Quindi non è per questo motivo che non hai fatto nuove conoscenze?

(8) ....

Ti senti integrato in Italia?

(9) ....

....

Progetti per il futuro?

(10) ....

Adattato da *http://chiarapalermo.blogspot.com*

15. Inserisci negli spazi blu le preposizioni corrette e negli spazi rossi i verbi dati.

verranno organizzati • è stato realizzato • va affrontata

Uscirà il prossimo 29 giugno *Su le mani*, il nuovo album di Mitch e Squalo, i due dj che, insieme (1).......... Marco Galli, conducono *Tutto Esaurito* (il programma quotidiano di grande successo di Radio 105). La canzone *Boom Boom*, un brano contro la droga, è infatti legata (2).......... progetto «Boom Boom – Strategia globale di lotta (3).......... tossicodipendenze», un'iniziativa studiata dall'associazione *Centro Studi Parlamento della Legalità*.

Mitch e Squalo hanno messo (4).......... musica gli effetti distruttivi (5).......... droga. Il ritornello del brano vuol far riflettere i giovani (6).......... fatto che la vita è dura e (7).................... con coraggio e voglia (8).......... vincere, rinunciando (9).......... dipendenza da sostanze che alterano la realtà rendendo finta la soluzione ai problemi quotidiani. Il videoclip, diretto (10).......... Gaetano Morbioli, (11).................... con la partecipazione degli amici di Mitch e Squalo.

Presto (12).................... anche una serie di incontri nelle scuole e spettacoli per diffondere un messaggio di promozione della salute.

Adattato da *www.corriere.it*

16. Scegli la parola corretta.

Brussels,BE | 10° C 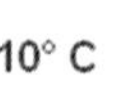   **TMNEWS ULTIMA ORA** Siria - Onu: nessun rifugiato in Giordania negli ultimi 4 giorni

Cronaca **Cultura** **Economia** **Istituzioni** **Politica Estera** **Eurospia**

Nei Paesi del sud il più forte calo delle nascite

Per mantenere un figlio servono soldi, ma per guadagnare soldi (1) bisogna/c'è bisogno/necessario avere un lavoro. Così, in un'Europa (2) quando/che/dove aumenta la disoccupazione, soprattutto tra i più giovani, (3) nascano/nascono/si nasce sempre meno bambini. Lo sostiene uno studio pubblicato dall'Istituto Demografico di Vienna (4) la quale/che/a cui evidenzia la stretta relazione tra l'inizio della crisi economica ed il calo delle nascite nell'Ue.

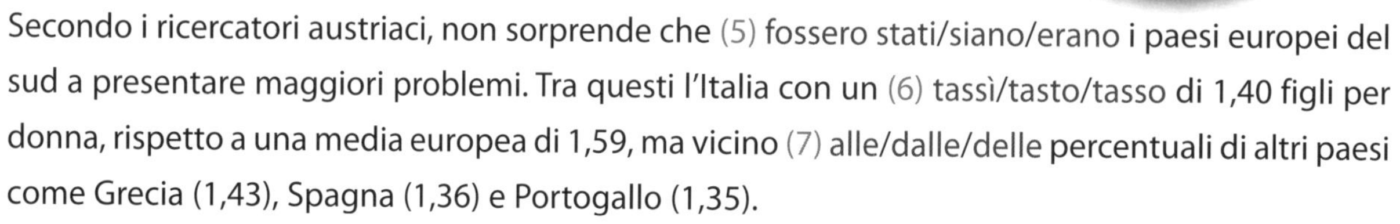

Secondo i ricercatori austriaci, non sorprende che (5) fossero stati/siano/erano i paesi europei del sud a presentare maggiori problemi. Tra questi l'Italia con un (6) tassì/tasto/tasso di 1,40 figli per donna, rispetto a una media europea di 1,59, ma vicino (7) alle/dalle/delle percentuali di altri paesi come Grecia (1,43), Spagna (1,36) e Portogallo (1,35).

Lo studio prende in esame un secondo dato: l'età delle mamme al momento della loro prima (8) nascita/gravidanza/relazione. Negli ultimi anni sono diminuite le mamme under-25. Anche in questo caso a pesare sul numero delle nascite sono, secondo lo studio, le (9) sicurezze/sfide/incertezze economiche per i neo-genitori.

Negli ultimi anni anche i paesi del nord Europa hanno avuto un piccolo calo della natalità. Ma ci sono (10) alle/per le/delle eccezioni: Germania e Francia. La prima è rimasta stabile, la Francia, invece, ha visto aumentare le nascite, grazie a una generosa politica di (11) aiuti/aiuta/aiutare alle famiglie.

Per il futuro, l'Istituto di Vienna prevede che nel 2050 in Italia saremo 6 milioni di persone in più, ma quasi il 70% della popolazione (12) sia/sarà/è stata over-65, contro una media Ue comunque già alta, al 60%.

Adattato da *www.eunews.it/* (Camilla Tagino)

CD 2

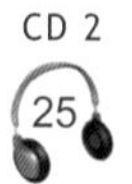

17. a. Ascolta il brano, tratto da una trasmissione radiofonica dedicata al tema del lavoro, e abbina ogni parola alla definizione corretta.

1. stage	a. accordo che pone delle regole, per esempio nel lavoro
2. precariato	b. prestito ottenuto da una banca per comprare una casa
3. contratto	c. periodo di formazione o perfezionamento professionale
4. mutuo	d. condizione di un lavoratore che ha un lavoro non sicuro e senza garanzie

b. Adesso, leggi le affermazioni che seguono, ascolta di nuovo il brano e indica le cinque informazioni veramente presenti.

- [ ] 1. Alessandro tornerà a vivere con i suoi genitori a Lecce.
- [ ] 2. I nuovi contratti danno una grande sicurezza economica ai giovani d'oggi.
- [ ] 3. L'acquisto di una casa per chi ha contratti a tempo determinato diventa sempre più difficile.
- [ ] 4. Il precariato è un problema che riguarda solo i giovani sotto i 30 anni.
- [ ] 5. Valerio lavora, ormai da 5 anni, con un contratto di lavoro a tempo indeterminato.
- [ ] 6. Valerio ha una famiglia da mantenere.
- [ ] 7. Sabrina si accontenterebbe anche di un lavoro di pochi mesi.
- [ ] 8. Sabrina si sente umiliata e presa in giro.
- [ ] 9. Alessandro lavora come responsabile di un museo d'arte moderna a Firenze.
- [ ] 10. Con la scusa degli stage molte aziende utilizzano mano d'opera gratuita.

Test finale

A Scegli l'alternativa corretta.

1. "Avrei tante cose da dire a proposito del viaggio in Australia."
   a) Ha detto che ha avuto tante cose da dire a proposito del viaggio in Australia.
   b) Ha detto che avrebbe tante cose da dire a proposito del viaggio in Australia.
   c) Ha detto che aveva avuto tante cose da dire a proposito del viaggio in Australia.
2. Ha detto che era una persona semplice e che cercava solo di vivere la sua vita nel miglior modo possibile.
   a) "Sono una persona semplice e cerco solo di vivere la mia vita nel miglior modo possibile."
   b) "Sono una persona semplice e cerca solo di vivere la sua vita nel miglior modo possibile."
   c) "Ero una persona semplice e ho cercato solo di vivere la mia vita nel miglior modo possibile."
3. "Non ti fermare in questo Autogrill perché non si mangia bene."
   a) Mi ha detto di non fermarti in quest'Autogrill perché non si mangiava bene.
   b) Mi ha detto di non fermarci in quell'Autogrill perché non si mangia bene.
   c) Mi ha detto di non fermarmi in quell'Autogrill perché non si mangiava bene.

4. "Se mi fossi accorto di essere stato maleducato mi sarei certamente scusato."
   a) Ha detto che se si fosse accorto di essere maleducato si scuserebbe certamente.
   b) Ha detto che se si fosse accorto di essere stato maleducato si sarebbe certamente scusato.
   c) Ha detto che se mi accorgevo di essere stato maleducato mi sarei certamente scusato.
5. "Bambini, fate meno rumore: papà sta riposando!"
   a) Ci ha chiesto di fare meno rumore perché papà stava riposando.
   b) Ci chiese fate meno rumore poiché papà sta riposando.
   c) Ci chiede di fare meno rumore perché papà riposa.
6. "Se telefona il mio ragazzo, ditegli che sono andata a trovare mio zio."
   a) Ha detto che se telefona il suo ragazzo, ditegli che sono andata a trovare mio zio.
   b) Ha detto che se telefona il suo ragazzo, di dirgli che è andata a trovare suo zio.
   c) Ha detto che se avesse telefonato il suo ragazzo, di dirgli che andrebbe a trovare suo zio.

B Scegli il termine corretto e completa il testo.

Una laurea, un dottorato di ricerca in Sociologia e poi... pasticceria! È questo il percorso di Camilla Rossi, 29 anni, che, dopo aver speso anni nell'università italiana, ha scelto di (1)...................................... alla sua grande passione: le torte. «Il dottorato in Italia non aiuta a trovare lavoro. Avevo le (2)...................................... e avevo un sogno».
Va a Londra, ospite di un'amica, alla quale confessa di essere rimasta affascinata dal sito della Little Venice Cake Company, la scuola di dolci che serve la Casa reale e tutti i vip britannici. Inizia a lavorare in una pasticceria londinese («Eravamo otto persone in un piccolo spazio, senza aria condizionata, niente tempo libero, ma tanto entusiasmo») (3)...................................... presentare il proprio curriculum e ricevere il primo no. «Sapevo che (4)...................................... difficile. Ma non potevo accettare così quel rifiuto». Così ha insistito e ha chiesto alla direttrice dei corsi se (5)...................................... metterla in lista d'attesa. L'hanno richiamata lo stesso pomeriggio per una prova ed è stata accettata.
Il resto della storia parla di un master (6)...................................... con ottimi risultati, di un ritorno in Italia perché «nel mio Paese io ci sto bene», e di un'impresa personale, Camilla Rossi Torte, che sta (7)...................................... un grande successo. Il segreto? «Credere in (8)...................................... che faccio, e farlo bene; utilizzare sempre gli ingredienti migliori, e proporre un tipo di prodotto che prima non c'era».

Adattato da http://*www.corriere.it* (Elisabetta Curzel)

1.	a. dedicare	b. dedicarsi	c. offrirsi	d. darsi
2.	a. capacità	b. domande	c. risposte	d. scuole
3.	a. prima da	b. prima che	c. prima	d. prima di

4.	a. è stato	b. sarebbe stato	c. era stato	d. fosse stato
5.	a. avessero	b. possono	c. potessero	d. avessero potuto
6.	a. chiuso	b. concluso	c. fatto	d. conquistato
7.	a. ottenendo	b. realizzando	c. facendo	d. producendo
8.	a. quale	b. quanto	c. tanto	d. quello

C Risolvi il cruciverba.

ORIZZONTALI

5. Lo è chi ha abbandonato il proprio paese per venire a lavorare in Italia.
7. Vivere insieme senza essere sposati.
8. Sinonimo di *galera, carcere*.
9. I genitori della moglie o del marito.
10. Un grande architetto italiano contemporaneo.

VERTICALI

1. Una persona che non ha lavoro.
2. Suoi sono gli affreschi della volta della Cappella Sistina in Vaticano.
3. Sinonimo di *diminuzione*.
4. Completa il proverbio: *Le bugie hanno le gambe ...*
6. Sinonimo di *criminalità organizzata*.

1 2 3 4 5 6 7 8 9 10

Risposte giuste .... /24

Attività Video - episodio *Non sono io il ladro!*

Per cominciare...

Leggi le battute e prova a metterle in ordine scrivendo il numero nel riquadro (1-4). Secondo te, che cosa hanno trovato Gianna e Lorenzo?

☐ Ma perché lo prendi così? ☐ O gli è stato rubato. ☐ Oh guarda! ☐ Qualcuno l'ha perso.

Guardiamo

1 Guarda l'intero episodio e verifica le ipotesi fatte nell'attività precedente.

2 Guarda il video e abbina le battute alle scene.

a. Perché lo prendi così? Non è mica un'arma!
b. No! Perché, se ci fossero tu che ne faresti?
c. Parla tu! Io non sono brava in queste cose.
d. Questa è matta...

Facciamo il punto

Lorenzo riferisce spesso a Gianna le parole che l'anziana signora gli dice al telefono. Immagina cosa gli dice.

1. Lorenzo a Gianna: "Andava a fare gli esami del sangue da un medico amico del suo 'povero' marito!"
   L'anziana signora a Lorenzo:
   "..
   ...."

2. Lorenzo a Gianna: "Dice che aveva con sé più di 150 euro..."
   L'anziana signora a Lorenzo:
   "..
   ...."

3. Lorenzo a Gianna: "Dice che l'abbiamo seguita, spiata e poi derubata!"
   L'anziana signora a Lorenzo: "..
   ...."

1. Completa le frasi con il gerundio semplice.

1. (Avere) .... da parte un po' di soldi, sono andato in vacanza a Cuba.
2. Studiavo (ascoltare) .... la radio.
3. Solo (lavorare) .... giorno e notte potremmo riuscire a finire questo progetto.
4. Non (capire) .... bene la lingua, non sono riuscito a rispondere correttamente.

Cuba, Havana

5. Anche (volere) ...., non potrei uscire con voi stasera.
6. (Tornare) .... a casa ho incontrato Laura e Camilla.

2. Trasforma la parte in blu delle frasi usando il gerundio semplice, secondo il modello.

Poiché ho seguito le sue indicazioni, sono arrivato subito.
Seguendo le sue indicazioni, sono arrivato subito.

1. In quel negozio si possono trovare bei vestiti anche se si spende poco.
   In quel negozio si possono trovare bei vestiti anche ....
2. Se piangi, non risolverai nulla.
   ...., non risolverai nulla.
3. È uscita e ha sbattuto la porta.
   È uscita ....
4. Se bevi meno coca cola forse ti passerà il mal di pancia.
   .... meno coca cola forse ti passerà il mal di pancia.
5. Se posso scegliere, propongo di restare a casa.
   ...., propongo di restare a casa.
6. Mentre correvo nel parco, sono caduto.
   .... nel parco, sono caduto.
7. Poiché esco sempre tardi dal lavoro, non ho tempo per andare in palestra.
   .... sempre tardi dal lavoro, non ho tempo per andare in palestra.

3. Trasforma le frasi usando il gerundio presente o passato, secondo il modello.

Sapevo cosa era successo perché avevo letto il giornale.
Avendo letto il giornale, sapevo cosa era successo.

1. Poiché ha scritto molti libri di successo, Stefano Benni viene intervistato spesso.
   ....
2. Siccome Aldo è a conoscenza dei fatti, dovremmo ascoltarlo con attenzione.
   ....
3. Abbiamo venduto il nostro appartamento e abbiamo potuto acquistare una casetta in montagna.
   ....
4. Faccio molto tempo prima il biglietto, per questo trovo sempre posto in aereo.
   ....

Stefano Benni

5. Siamo tornati tardi ed eravamo troppo stanchi per mangiare.
   ....
6. Poiché non vedevo più il mio cane in giardino, per paura che gli fosse successo qualcosa sono uscito fuori a cercarlo.
   ....

4. Completa le frasi con il gerundio presente o passato dei verbi dati.

andarsene	regalare	trattarsi
viverci	conoscerlo	riposarsi

1. .... da un po' di tempo, sapevo che Carlo era una persona onesta.
2. .... a Valeria questo viaggio in Irlanda, sono certo che la farai felice.
3. .... prima, evito il traffico.
4. .... un paio d'ore, sono riuscito a guidare tutta la notte.
5. .... tanti anni quando ero giovane, provo un grande affetto per Ferrara.
6. .... di un tuo amico, posso vendergli la bici a un prezzo inferiore.

Ferrara

5. Abbina i consigli, le istruzioni e gli ordini all'immagine corrispondente.

1. ☐ Non avvicinarsi!
2. ☐ Vietato fumare!
3. ☐ Lavarsi le mani.
4. ☐ Proteggere gli occhi.
5. ☐ Leggere le istruzioni!
6. ☐ Non usare il cellulare!
7. ☐ Vietato fare fotografie!
8. ☐ Lavare a mano.

6. Abbina le due colonne.

1. La porta si apre verso l'esterno:
2. In ospedale è severamente
3. Per informazioni sull'appartamento
4. Ma che dieta! Ho visto Dario
5. Per ulteriori informazioni sul corso,
6. Si prega la gentile clientela di

a. chiedere di Mario.
b. non toccare la merce esposta.
c. spingere, prego.
d. vietato fumare.
e. mangiare una pizza enorme.
f. rivolgersi alla segreteria

7. Completa le frasi usando l'infinito presente o passato, secondo il modello.

Luca è tornato alle tre del mattino.
Incredibile! Tornare così tardi il giorno prima di un esame!

1. - Dove è andata Maria?
   - Deve .... a prendere qualcosa al supermercato.
2. Ho sentito mia madre che si alzava alle 6 di mattina.
   Ho sentito mia madre .... alle sei di mattina.
3. - Hai capito tutto quello che ti ha detto l'insegnante?
   - Credo di .... solo la prima parte.
4. Se devo essere sincero, il tuo vestito non mi piace proprio!
   A .... sincero, il tuo vestito non è proprio bellissimo.
5. Il ballo a me piace tanto, per questo ora prendo lezioni di tango.
   .... mi piace tanto, per questo ora prendo lezioni di tango.
6. - Hai sentito del nuovo concorso?
   - Se non sbaglio, mi sembra di .... qualcosa in ufficio.

8. Coniuga i verbi al gerundio presente o passato o all'infinito presente o passato.

1. L'ultimo film di Matteo Garrone è da (vedere) ....
2. L'inquinamento sta (mettere) .... in pericolo il futuro del pianeta.
3. Dopo (pranzare) .... sono uscito a fare una passeggiata.
4. Per (arrivare) .... al Duomo, deve (prendere) .... la prima strada a sinistra.
5. (Bere) .... tanto ieri sera, siamo stati male tutta la notte.
6. Mi sembra di non (leggerlo) .... questo libro, neppure la recensione, me lo puoi prestare?
7. Prima di (partire) .... per la Grecia, mi sono fermato qualche giorno nel Salento a casa di amici.
8. (Trovare) .... un buon lavoro, Gianni e Marcella hanno deciso di comprare un appartamento.

Matteo Garrone

9. Trasforma con il participio presente, come da modello.

È uno che ama la buona cucina.
È un amante della buona cucina.

1. Quelli che manifestavano hanno gridato slogan contro il governo.
   I .... hanno gridato slogan contro il governo.
2. È una cosa che preoccupa veramente.
   È una cosa veramente ....
3. Abbiamo chiesto informazioni ad uno che passava.
   Abbiamo chiesto informazioni ad un ....
4. Secondo me, i test con le parole che mancano sono un po' difficili.
   Secondo me, i test con le parole .... sono un po' difficili.
5. È un film molto bello, racconta una storia che emoziona.
   È un film molto bello, racconta una storia ....
6. È una persona che affascina tutti.
   È una persona molto ....

10. Completa le frasi con il participio presente dei verbi dati.

1. promettere	Micaela Ramazzotti è un'attrice ....
2. cantare	La nostra amica è una .... molto brava.
3. derivare	Sono tanti i problemi .... dal non mangiare bene.
4. seguire	Completa le frasi con le parole ....
5. rappresentare	Sandro è il .... della sua classe.
6. divertire	Lo spettacolo che abbiamo visto è davvero ....

Micaela Ramazzotti

11. Forma il participio passato dei verbi dati e completa le frasi.

invitare • fare • considerare • finire • amare • rispettare • riposarsi

1. .... la lezione, mi sono fermata al bar con Giulia a bere un caffè.
2. I dolci .... in casa hanno un sapore completamente diverso da quelli che compriamo al supermercato.
3. .... un po', ho potuto continuare il lavoro che dovevo finire.
4. Mario è una persona .... e .... da tutti.
5. Gli .... sono andati via tardi.
6. .... i fatti, mi sembra che il problema si possa risolvere facilmente.

12. Scegli la forma verbale corretta.

1. Avere capito/Avendo capito/Capito perfettamente la lezione, non avevo avuto bisogno di studiare.
2. Terminando/Terminati/Essere terminati gli esami, siamo andati tutti insieme a festeggiare.
3. Essendo tornato/Tornando/Essere tornato a casa ho incontrato un amico che non vedevo da tempo.
4. Il libri che mi consigli tu sono sempre molto interessanti/interessati/interessando.
5. Piero è un ottimo alunno: è sempre molto interessante/interessato/interessando alla lezione.
6. Ti ho comprato questo regalo pensando/avendo pensato/pensante che ti sarebbe piaciuto.

13. Scrivi i seguenti nomi sotto le immagini, come nell'esempio.

trombone • cavallo • gattino • pentola • fiore • gatto • tromba • cavallino • ~~fiorellino~~ • pentolone

1. ....

2. ....

3. ....

4. ....

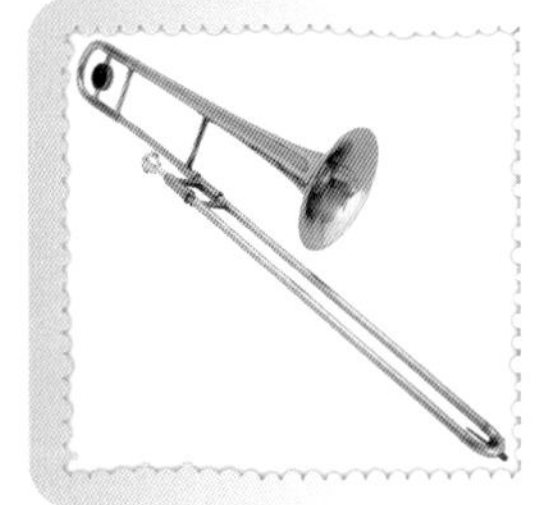

5. ....

6. ......fiorellino......

7. ....

8. ....

9. ....

10. ....

14. Trasforma con i suffissi -ino/a, -ello/a, -etto/a, -one/a, -accio/a.

1. Ho passato una magnifica settimana sulle rive di un piccolo lago di montagna.
   Ho passato una magnifica settimana sulle rive di un .... di montagna.

Lago di Alleghe, Belluno

2. Sono nato in un piccolo paese della Calabria.
   Sono nato in un .... della Calabria.
3. Ha preso un piccolo pezzo di torta.
   Ha preso un .... di torta.
4. Per fortuna è finita! È stata proprio una brutta giornata!
   Per fortuna è finita! È stata proprio una ....!
5. Ha comprato una grossa macchina.
   Ha comprato un ....
6. Nel mio paese c'è una piccola piazza con una fontana del '500.
   Nel mio paese c'è una .... con una fontana del '500.
7. Chi leggerà questo grosso libro?
   Chi leggerà questo ....?

15. a. Scrivi i nomi alterati, come nell'esempio.

Nome	Diminutivo	Accrescitivo	Peggiorativo
1. libro		Librone	
2. ragazzo			
3. valigia			–
4. casa			
5. lavoro			
6. strada			

b. Completa le frasi con uno dei nomi alterati dell'esercizio 15a.

1. Non ti preoccupare, Marina! A volte gli uomini non pensano alle conseguenze e si comportano come dei .... di quindici anni.
2. Il fine settimana scorso siamo andati in campagna da Gino: ha una bellissima .... con giardino.
3. Lo leggerai in poche ore: è un .... di poche pagine.
4. Te l'avevo detto che in macchina non si poteva arrivare, si tratta di una .... brutta e pericolosa.
5. Vedi?! Abbiamo finito anche questo ....: è stato facile e divertente. Non credi anche tu, Laura?
6. È stata proprio una brutta giornata: mi hanno rubato la .... con tutti i documenti e ho anche perso l'aereo.

16. Sottolinea nei 6 gruppi la parola che non è un nome alterato.

1. mammina	stradina	regina	gattina
2. uccellino	bambino	ragazzino	vestitino
3. ragazzone	azione	macchinone	tavolone
4. manina	tavolino	quadernino	magazzino
5. giardino	orologino	sorrisino	dentino
6. cassetto	casetta	libretto	foglietto

17. Scegli la parola corretta.

4 AUTORI PER 4 CITTÁ

L'idea nasce con lo scopo (1) di/per/da dare vita alle biblioteche scolastiche, (2) regalato/regalando/avere loro quei libri considerati necessari, che accompagnano i ragazzi (3) della/nella/per la crescita, che li aiutano "a diventare grandi", indipendenti, così (4) a/di/da esprimere se stessi e il proprio pensiero.

Quello di regalare una biblioteca (5) dedicare/dedicando/dedicata ai ragazzi è importante, perché attraverso l'amore (6) per la/sulla/della libera lettura possono scoprire i propri interessi, le proprie passioni, le proprie emozioni, il proprio coraggio…

A questi appuntamenti nelle scuole elementari e superiori parteciperanno (7) importati/importando/importanti personaggi del mondo della lettura che racconteranno (8) a/di/per quei libri che compongono la propria biblioteca e che dovrebbero essere presenti in ogni scuola. Ecco le date e i dettagli degli incontri...

CD 2

18. Ascolta il brano, tratto dal libro *Va' dove ti porta il cuore* di Susanna Tamaro, e indica l'affermazione giusta tra quelle proposte.

Susanna Tamaro
Va'dove ti porta il cuore

1. Alla protagonista, tra l'altro, piaceva di Ernesto
   a. il suo modo di essere e di concepire il mondo
   b. il fatto che non credesse in Dio
   c. il suo passato da eroe
2. Era molto importante che lei ed Ernesto
   a. potessero parlare di molti argomenti come se si conoscessero da sempre
   b. amassero le stesse cose
   c. fossero tutti e due liberi
3. Secondo Ernesto, gli uomini
   a. hanno molte possibilità di trovare la persona che cercano veramente
   b. sono destinati a rimanere soli per tutta la vita
   c. devono spesso accontentarsi di relazioni poco profonde

Test finale

A Scegli l'alternativa corretta.

1. Ti hanno presentato Stefano? È un ragazzo veramente (1)..............................! (2)..................................., sono sicuro che ti piacerebbe.

   (1) a) interessato — b) interessando — c) interessante
   (2) a) Conoscerti — b) Conoscendoti — c) Avendoti conosciuto

2. (1).............................. anche l'angolo Internet, la libreria (2).............................. da poco nel nostro quartiere è piaciuta in modo particolare ai giovani.

   (1) a) Aver avuto — b) Avendo — c) Avente
   (2) a) aperta — b) aprendo — c) aprente

3. Il postino ha portato un (1).............................. per te. L'ho lasciato sul (2)..............................del salotto.

   (1) a) pacconaccio — b) pacchetto — c) pacchello
   (2) a) tavolino — b) tavolinaccio — c) tavolonetto

4. (1).............................. tanto per il mondo, mio nonno conosceva tantissime (2).............................. fantastiche.

   (1) a) Viaggiato — b) Avendo viaggiato — c) Aver viaggiato
   (2) a) storielle — b) storiellette — c) storiucce

5. A chi non piace (1).............................. in poltrona a (2).............................. un bel libro?

   (1) a) stare seduto — b) stando seduti — c) sedendosi
   (2) a) essere letto — b) leggere — c) leggendo

6. (1).............................. è stata per me una grande fortuna! Per questo ti prego di accettare questo (2)..............................

   (1) a) Avendoti conosciuta — b) Conosciutati — c) Averti conosciuta
   (2) a) regalino — b) regalaccio — c) regalato

B Abbina le due colonne e completa le frasi.

1. Non conoscendo la città,
2. Camminare un'ora al giorno
3. Mario organizza sempre
4. È stato sempre il suo sogno
5. Avendo rotto il contratto
6. Avvisarono con una mail

a. feste molto divertenti.
b. non avevo più nessun obbligo.
c. tutti i partecipanti al corso.
d. ci perdemmo subito.
e. è un ottimo esercizio.
f. comprarsi una casetta in campagna.

C Risolvi il cruciverba.

Orizzontali

3. L'autore del libro *Gli amori difficili*.
5. Participio presente di *amare*.
6. Lo diciamo di una persona sentimentale, poetica, sognatrice.
8. Previsioni che riguardano i vari segni zodiacali.
9. Un piccolo albero.

Verticali

1. Un grande quaderno.
2. L'autore del libro *Gli indifferenti*.
3. La mafia a Napoli.
4. Colore... del romanzo poliziesco.
7. Chi crea un'opera letteraria, artistica, scientifica.

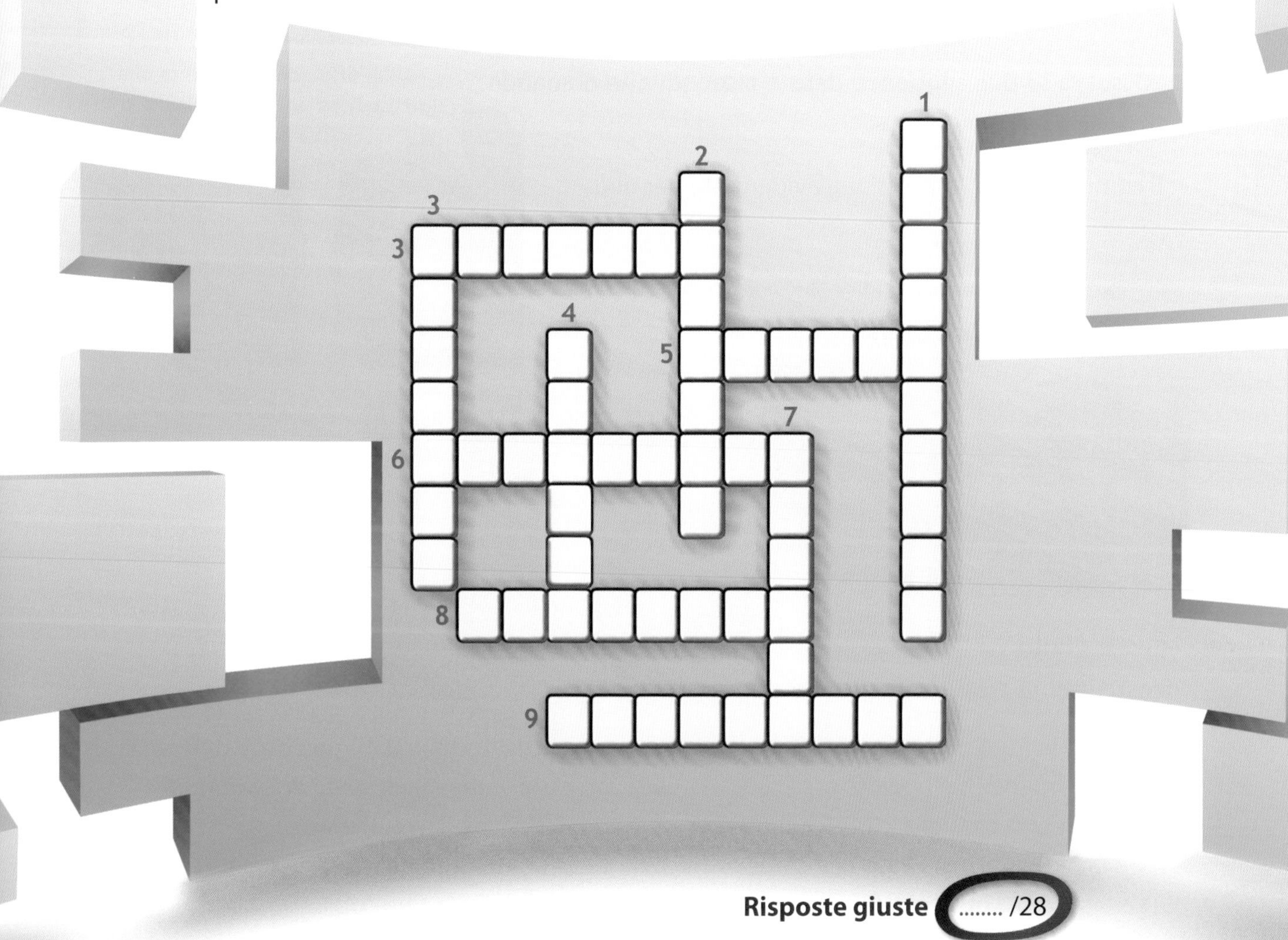

Risposte giuste .... /28

Attività Video - episodio *Un libro introvabile*

Per cominciare...

1 Guarda i fotogrammi e in coppia provate ad abbinarli alle battute.

1

2

3

4

a. Adesso che cosa regalo io a Caterina?
b. Vedrà, sua nipote ne sarà entusiasta!
c. Può controllare meglio, per piacere?
d. Mi dispiace signore, ma è un libro che sta vendendo molto.

2 Prova ora a mettere in una sequenza logica i fotogrammi visti nell'attività precedente. Puoi prevedere lo svolgimento dell'episodio?

Sequenza dei fotogrammi: ☐ ☐ ☐ ☐

Guardiamo

1 Guarda il video e controlla le ipotesi fatte nelle attività precedenti.

2 Osserva le due sequenze date e rispondi alle domande.

Beh, restando nelle biografie, ci sarebbe questa... questa biografia di Barack Obama, per esempio.

1

1. Il commesso usa l'espressione evidenziata per dire ....

....

....

2

2. Il commesso usa l'espressione evidenziata per dire ...

....

....

Facciamo il punto

Ricostruisci le frasi abbinando le due parti.

1. Io sono venuto qui
2. Aspetti, magari sullo scaffale
3. Mi potrebbe consigliare qualcosa
4. Tra la biografia della Pausini e
5. Però se vuole qualcosa di più moderno,

a. quella di Obama c'è una bella differenza...!
b. c'è la storia del Festival di Sanremo.
c. sicuro che l'avrei trovato...
d. di adatto ad una ragazzina di quell'età?
e. ne è rimasta una copia.

4° test di ricapitolazione (unità 9, 10 e 11)

A Trasforma le seguenti frasi dalla forma attiva a quella passiva e viceversa.

1. La sua magnifica voce affascinò tutti gli spettatori.
   ....
2. Credo che la notizia sia stata trasmessa dalla radio.
   ....
3. La mia città è stata colpita da un violento temporale.
   ....
4. Credo che i carabinieri abbiano chiuso quella discoteca per motivi di sicurezza.
   ....
5. La nostra scuola assegnerà cinque borse di studio ad altrettanti studenti.
   ....
6. La straordinaria creatività e bravura di Marcello come attore è stata ammirata da tutti.
   ....

.... /6

B Trasforma alla forma passiva le seguenti frasi utilizzando il *si* passivante.

1. Ultimamente la medicina ha fatto passi importanti per sconfiggere l'AIDS.
   Ultimamente in medicina .... passi importanti per sconfiggere l'AIDS.
2. A Napoli possiamo mangiare una buona pizza ovunque.
   A Napoli .... una buona pizza ovunque.
3. In giro per Roma vedo spesso attori famosi.
   In giro per Roma .... spesso attori famosi.
4. Per trovare un accordo abbiamo superato tante difficoltà.
   Per trovare un accordo .... tante difficoltà.
5. Molte volte perdiamo occasioni che sono veramente uniche.
   Molte volte .... occasioni veramente uniche.

.... /5

C Trasforma le frasi dal discorso diretto al discorso indiretto.

1. Ha chiesto: "Per favore, mi puoi portare un bicchiere d'acqua?".
   Mi ha chiesto se ....
   ....
2. Francesco disse: "Questo quadro non è niente di speciale; anch'io sarei capace di farne uno simile!".
   Francesco credeva che ....
   ....

3. Ha detto: "È ora che tu la smetta di fare il bambino e cominci a fare la persona seria! Hai ormai 30 anni!".
   Sua madre gli ha detto che ....
   ....
4. Stefania: "Come stai? Ho saputo che sei stata poco bene e mi ero preoccupata".
   Stefania chiese a Chiara ....
   ....

.... /4

D Trasforma le frasi mettendo al modo e al tempo giusti le parti evidenziate in blu.

1. Mentre tornavo a casa, mi ha chiamato sul cellulare Aldo.
   .... a casa, mi ha chiamato sul cellulare Aldo.
2. Poiché ne avevamo parlato a lungo, riconoscemmo subito il suo amico spagnolo.
   .... a lungo, riconoscemmo subito il suo amico spagnolo.
3. Mi sono fatto male mentre sciavo.
   Mi sono fatto male ....
4. Poiché avevo letto il libro, sapevo come finiva il film.
   .... il libro, sapevo come finiva il film.

.... /4

E Trasforma le seguenti frasi in base al significato.

1. Dopo che siamo arrivati in albergo abbiamo fatto una doccia e siamo andati a ballare.
   Dopo .... in albergo abbiamo fatto una doccia e siamo andati a ballare.
   .... in albergo abbiamo fatto una doccia e siamo andati a ballare.
2. Dopo che avevo accompagnato i miei all'aeroporto sono passato a prendere Chiara.
   Dopo .... i miei all'aeroporto sono passato a prendere Chiara.
   .... i miei all'aeroporto sono passato a prendere Chiara.
3. Dopo che abbiamo mangiato la torta abbiamo capito che non era tanto fresca.
   Dopo .... la torta abbiamo capito che non era tanto fresca.
   .... la torta abbiamo capito che non era tanto fresca.

.... /6

F Trasforma, in base al significato, i sostantivi in blu.

1. Vive in una casa enorme: vive in una ....
2. Questo piccolo anello è per te: un .... tutto tuo!
3. Lui ha veramente un brutto carattere: lui ha un ....
4. Questo non è un paese molto grande: questo è un ....
5. È stato un grande successo: è stato un ....

.... /5

Risposte giuste .... /30

3° test di progresso

A Leggi il testo e indica le affermazioni corrette.

Pericoli del web

L'oceano sconfinato e incontrollabile di Internet e la curiosità dei ragazzini. Queste due componenti mettono a rischio i minori, lasciati spesso soli con il loro pc. Sono oltre 25 milioni le pagine classificate come dannose su Internet, dove il pericolo è suddiviso in 40 categorie diverse e sono a rischio soprattutto i bambini, il 13% dei quali, chattando, è stato contattato da un pedofilo. Una situazione allarmante che deve essere al più presto messa sotto controllo e in qualche modo regolamentata.

Sono questi i dati presentati a Milano in una tavola rotonda organizzata dall'Osservatorio dei minori di Antonio Marziale, alla presenza di esperti di informatica, criminologi e psicoterapeuti. Anche se la mente va immediatamente alla piaga della pedofilia, si deve riflettere sul fatto che i pericoli del web sono vari. Tutto ciò fa spaventare i grandi ma rappresenta una reale minaccia soprattutto per i più giovani, abilissimi a navigare. Dall'incontro è emerso un dato certo: le tecnologie di prevenzione sono molto valide, ma per essere realmente efficaci i genitori devono prendere coscienza che tali strumenti da soli non sono sufficienti. Il 40% dei minori, secondo Roberto Puma, country manager di Panda Software Italia, passa ore collegato ad Internet, completamente da solo. E spesso gli adulti che stanno con loro, nonni, baby sitter sono completamente analfabeti da questo punto di vista.

La miglior soluzione rimane la navigazione in compagnia, unita a sistemi di web filtering facilmente gestibili e aggiornabili. Come afferma il Dr. Antonio Marziale, sociologo e Presidente dell'Osservatorio sui Diritti dei Minori, "Non c'è iniziativa legislativa che tenga se alla base non esiste la famiglia, che comunque deve essere messa in condizione di essere presente nella quotidianità dei più piccoli. Si diano incentivi economici alle mamme: in fondo è un mestiere."

Per far fronte ai pericoli del web, tutto il mondo dell'informatica sta studiando come proteggere i minori e impedire che Internet sia sommerso da un'enorme spazzatura. Al momento esistono in commercio validi strumenti di web filtering e sistemi sofisticati di monitoraggio che arrivano a controllare oltre 20 milioni di siti. Controllare la Rete e renderla sicura è praticamente impossibile, ma se a potenti tecnologie si affianca una legislazione ad hoc si potranno ottenere risultati davvero interessanti. Come sostiene il dottor Danilo Bruschi, presidente del Comitato Internet e Minori del Ministero delle Comunicazioni. Anche se l'unica contromisura oggi realmente efficace rimane una maggiore sorveglianza dei genitori.

Adattato da *http://sociale.alice.it/estratti*

1. I pericoli della Rete riguardano soprattutto
   - ☐ a. le pagine Internet senza protezione
   - ☐ b. i bambini
   - ☐ c. gli esperti d'informatica

2. Spesso gli adulti non possono aiutare i bambini con Internet perché
   - a. non sanno come comportarsi
   - b. non conoscono la lingua italiana
   - c. non conoscono le nuove tecnologie

3. Dall'articolo, tra l'altro, emerge la necessità
   - a. di avere maggiori regole per Internet
   - b. che tutti i bambini debbano utilizzare Internet
   - c. di usare Internet solo in particolari ore del giorno

B Completa il testo. Inserisci la parola mancante negli spazi numerati. Usa una sola parola.

Firmino salì in camera sua. Fece una doccia, si rase, indossò un (1)................................ di pantaloni di cotone e una Lacoste rossa che gli aveva (2)................................ la sua fidanzata. Prese velocemente un caffè e uscì per strada. Era domenica, la città era quasi deserta. La gente dormiva ancora, e più tardi (3)................................ andata al mare.
Gli venne voglia di andarci anche lui, anche se non aveva il costume (4)................................ bagno, solo per prendere una boccata d'aria buona. Poi ci rinunciò. Aveva la sua guida con (5)................................ e pensò di andare alla scoperta della città, per esempio i mercati, le zone popolari che non (6)................................ Scendendo per le viuzze ripide della città bassa cominciò a trovare un'animazione che non sospettava. Veramente Oporto manteneva delle tradizioni che Lisbona aveva ormai perduto...

Tratto da *La testa perduta di Damasceno Monteiro* di Antonio Tabucchi

C Leggi il testo e rispondi alla domanda.

Mamma preferisce restare in città

Ogni anno si ripresenta il solito problema: le vacanze della mamma. Io e mia sorella siamo sposate e viviamo in città diverse dalla sua: lei benché anziana, se la cava ancora bene da sola, circondata da cani, gatti e fiori. Però l'afa la fa soffrire. E proprio a causa dei suoi "protetti" se la sorbisce tutta, perché non può allontanarsi da casa. Io e mia sorella avevamo trovato mille soluzioni, nessuna accettabile per lei. E così ci rimane solo il dispiacere di saperla morire di caldo.
Come calmare i nostri turbamenti?

Anna e Vittoria, Bologna

Perché volete crearvi un problema se la mamma è contenta così? Assecondatela, invece, e cercate di rendere la sua vita in città più confortevole.

Tratto da *Oggi*

Questa è la risposta data dalla giornalista alle due sorelle: Come avreste risposto voi?
(Da un minimo di 15 ad un massimo di 25 parole)

....

....

....

....

D Abbina le informazioni sottoelencate all'articolo corrispondente.

A) GEMELLI

Lei

-*amore:* Fine settimana turbato dalla Luna nei Pesci: è meglio evitare discussioni con il partner.
-*lavoro:* La buona notizia che aspetti potrebbe tardare ancora, ma arriverà di sicuro entro la fine del mese.
-*salute:* Forma al massimo.

Lui

-*amore:* La voglia di sentirti libero da qualsiasi impegno familiare non piacerà certo alla partner: pensaci prima di prendere decisioni affrettate.
-*lavoro:* Chi è del 10 giugno e dintorni raggiungerà un importante traguardo.
-*salute:* Almeno a tavola cerca di rilassarti.

B) CANCRO

Lei

-*amore:* Una nuova amicizia ti farà stare bene. E c'è chi farà una conquista.
-*lavoro:* Con Marte che arriva in Ariete dovrai sforzarti di essere più tollerante se vuoi che tutto vada bene.
-*salute:* Non accettare passaggi da chi alla guida non è molto attento.

Lui

-*amore:* Chi è di giugno si guardi dal pretendere troppo dalla partner.
-*lavoro:* La vita comoda piace molto ai nati del tuo segno, ma se vuoi il successo dovrai guadagnartelo.
-*salute:* Prudenza negli spostamenti domenica e lunedì.

tratti da *Donna Moderna*

1. È meglio partire nelle ore in cui c'è meno traffico. A) B)
2. Oggi mi sento in grandissima forma. A) B)
3. Questo problema lo discuterò con Vittorio un altro giorno. A) B)
4. Elsa, credo che tu piaccia veramente a quel ragazzo: ti guarda continuamente! A) B)
5. I risultati del concorso usciranno solo il 29. Speriamo bene... A) B)
6. No, io in macchina e con Gabriele al volante non viaggio. A) B)
7. Se vuoi un ambiente più sereno in ufficio, tratta meglio i tuoi dipendenti! A) B)
8. Non si fa carriera solo perché si conosce il presidente dell'azienda. A) B)

4° test di progresso

A Abbina le informazioni sottoelencate all'articolo corrispondente.

A) **Luglio in Eurostar in compagnia di Cézanne**

Firenze - Due convogli Eurostar da stamani in viaggio per portare la mostra Cézanne a Firenze in giro per l'Italia.

Si tratta dell'ultima grande iniziativa promozionale che l'Ente Cassa di Risparmio dedica alla fortunata esposizione che ha promosso e realizzato a Palazzo Strozzi. Inaugurata il 1 marzo, Cézanne a Firenze si avvia infatti verso la chiusura prevista per domenica 29.

I due Eurostar viaggeranno con l'immagine di Madame Cézanne, uno dei più celebri ritratti che il pittore fece alla moglie, per l'intero mese di luglio sulle linee che collegano le principali città della penisola, in particolare sulla tratta Milano-Roma-Napoli.

Intanto la mostra naviga ormai a quota 230 mila visitatori. Anche i dati dell'ultima settimana confermano il tradizionale calo delle presenze con l'arrivo dell'estate, ma si tratta pur sempre di una media di oltre mille al giorno.

B) **Firenze: esplode la Cézanne-mania**

Firenze - Il panino alla Cézanne adesso esiste. Si ispira alla mostra di Palazzo Strozzi e se l'idea è tutta di A. Frassica, dinamico gestore di un locale in via dei Georgofili, il risultato è frutto di un'autentica consultazione popolare, grazie alla magia del web e alla passione di molti per la buona tavola, che celebra così la bella cézannemania di questi giorni. "Se il cibo è cultura", spiega Frassica, "perfino un panino, nel suo piccolo, può aspirare a essere un'opera d'arte".

Anche al *Wine Bar Frescobaldi*, D. Magni ha arricchito il menù con un salmone alla Cézanne, privilegiando la dimensione del colore. Poteva mancare il Cocktail Cézanne? È alla frutta, coloratissimo e lo firma T. Zanobini. Nel ristorante *Convivium* di Borgo S. Spirito, il capo chef P. Biancalani ha consultato uno storico dell'arte per ricordare Cézanne con una serie di ricette mediterranee su misura (A tavola con l'Impressionismo). Nulla è lasciato al caso, neppure l'obbligo della prenotazione.

Adattati da *www.nove.firenze.it*

1. Anche un piatto può essere un'opera d'arte. A) B)
2. C'è bisogno della prenotazione obbligatoria. A) B)
3. In molti hanno contribuito alla realizzazione. A) B)
4. È bello guardare un'opera d'arte comodamente seduti. A) B)
5. In estate andremo a Napoli. A) B)
6. A tanti piacciono i colori di Cézanne. A) B)

B Leggi il testo e rispondi alla domanda.

È curioso: quando arriva una novità che riguarda i giovani nove volte su dieci viene presentata all'opinione pubblica in maniera frettolosa e poco chiara. E nove volte su dieci davanti a un argomento esposto in modo frettoloso e poco chiaro la stessa opinione pubblica si divide subito in due schiere: da una parte con un drastico sì al cambiamento, da un'altra parte con un ancora più drastico no. Così è avvenuto anche per la patente a sedici anni. Per qualche giorno si è discusso sui giornali e in televisione intorno a questa proposta, ed ecco subito schiere di genitori preoccupatissimi per l'eventualità di affidare a ragazzini irrequieti la guida di bolidi a quattro ruote.

Trovate giuste le osservazioni fatte dallo scrittore sui giovani e sull'opinione pubblica?
(Da un minimo di 15 ad un massimo di 25 parole)

....

....

....

....

C Completa il testo. Inserisci la parola mancante negli spazi numerati. Usa una sola parola.

Agostino orfano di padre, si trova in (1)................................ al mare con la madre ancora giovane e (2)................................, con la quale ha un rapporto di (3)................................ perfetto e senza ombre. Ad un certo (4)................................ si sente però rifiutato dalla (5)................................ corteggiata da un bagnante, e si allontana. Incontra un (6)................................ di ragazzi rozzi e violenti, figli di pescatori, dai quali Agostino si sente nello (7)................................ tempo attratto e respinto.
Nel corso di pochi giorni Agostino esce dall'infanzia e attraverso le dure (8)................................ a cui lo sottopongono i nuovi (9)................................ acquista consapevolezza (10)................................ realtà di un mondo squallido e crudele.

Tratto da *Agostino* di Alberto Moravia

D Collega le frasi con le opportune forme di collegamento. Se necessario, elimina o sostituisci alcune parole. Trasforma, dove necessario, i verbi nel modo e nel tempo opportuni.

1. - sono andato a cenare in un ristorante
   - non andavo in questo ristorante da tempo
   - nel ristorante ho trovato alcuni amici
   - con questi amici ho passato una bellissima serata

   ....

   ....

2. - avevo un appuntamento con Roberto
   - Roberto non è venuto
   - Roberto mi ha telefonato e mi ha chiesto scusa

   ....

   ....

3. - penso di scrivere una lettera a Luisa
   - scrivere mi è difficile e ci vuole tempo
   - telefonerò a Luisa

....

....

4. - ho seguito un corso di Storia della musica
   - ho trovato molto interessante questo corso
   - la professoressa era veramente molto preparata

....

....

5 - Lucio ha comprato una nuova auto
   - Lucio preferisce guidare sempre la sua vecchia 500
   - la vecchia 500 di Lucio sta cadendo a pezzi
   - la vecchia 500 di Lucio può essere pericolosa

....

....

6. - devi seguire i consigli di tua madre
   - tua madre ti consiglia per il tuo bene
   - i consigli di tua madre, a volte, richiedono sacrifici

....

....

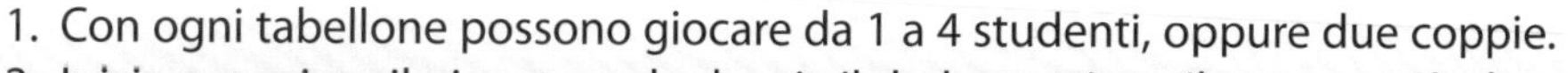

Istruzioni del gioco

Materiale necessario: il tabellone con 30 caselle, un dado e un segnaposto (per esempio, una moneta) per ogni giocatore.

1. Con ogni tabellone possono giocare da 1 a 4 studenti, oppure due coppie.
2. Inizia per primo il giocatore che lancia il dado e ottiene il numero più alto.
3. Vince chi dalla *Partenza* arriva per primo alla casella 30.
4. A turno ogni giocatore lancia il dado e avanza di tante caselle quante indicate dal dado. Nella casella di arrivo, legge e svolge il compito riportato.
5. Se il giocatore svolge correttamente il compito, si ferma sulla casella o va a quella indicata. Se non riesce a rispondere ritorna alla casella precedente. In ogni caso, il turno passa all'altro giocatore.
6. Per vincere, bisogna raggiungere la casella 30 con un lancio esatto. Se il giocatore la supera, deve tornare indietro di tante caselle quanti sono i punti in più (per esempio, se sono alla casella 28 e il lancio del dado mi dà 6, arrivo alla casella 30 e poi torno indietro fino alla 26).

Disponibile in versione interattiva
anche nel software per la LIM di
Nuovo Progetto italiano 2

PARTENZA

1 Completa la frase: "Tre problemi ecologici tipici di una grande città sono..."

2 Cosa non avresti mai creduto?

3 Potresti andare avanti di 3 caselle, ma prima devi dire il nome di una famosa opera lirica italiana che ricordi.

12 Fai una frase con il verbo *installare* e una con il verbo *scaricare*.

11 Usa la forma di cortesia e dai ad uno sconosciuto delle indicazioni stradali.

10 Fai due frasi, una con *qualsiasi* e una con *chiunque*.

13 In poche parole, parla di un libro che hai letto recentemente. Se non hai letto nessun libro, vai indietro di quattro caselle!

14 Formula una frase usando la forma passiva.

15 Un capolavoro di Michelangelo e uno di Leonardo. Se conosci la risposta vai alla casella 17, altrimenti va indietro di 3 caselle!

24 Fai due frasi usando ne e ci.

23 Completa questo proverbio: *Le bugie hanno le gambe...*

22 Ti hanno rubato il portafogli Vai in Questura e fai la denuncia (dove è successo, cosa c'era dentro ecc.)!

25 Qual è il tuo segno zodiacale? E quali sono le principali caratteristiche?

26 Fai una frase usando un verbo all'infinito come soggetto o come sostantivo. Usa il verbo *parlare*.

27 Il nome di un famoso scrittore italiano? Hai 5 secondi per ricordarlo! Se non ci riesci, stai fermo un giro per pensarci su.

Istruzioni a pagina 191

Gioco unità 1-11

Ti ricordi due parole relative alla banca e ai suoi servizi?

Una persona chiede di entrare nel tuo ufficio: invitala a entrare e a sedersi usando la forma di cortesia.

Fai una frase con *magari* e una con *come se*.

In un minuto, parla del tuo rapporto con il computer e/o con il cellulare.

Convinci un compagno a fare insieme un viaggio di 4 giorni in Italia. Decidi tu quali città visiterete.

Due forme di energia alternativa.

Sei in fila per entrare alla Galleria degli Uffizi e un turista ti chiede se vale la pena di visitarla. Rispondi e spiega il perché.

Matteo: "Domani andrò dai miei genitori!" Riporta questa frase il giorno dopo ad un amico: *Matteo mi ha detto che...*

Come si chiama un quadro di questo genere?

Fai una frase con *sebbene* e una con *purché*.

Ricordi il nome di un grande compositore italiano di opera?

Il nome di un artista italiano contemporaneo. Se non lo sai, vai indietro di due caselle. Se lo sai, avanzi di una.

Un libro brutto e vecchio è un...

Fai una frase con un periodo ipotetico del terzo tipo (irrealtà).

Parla per almeno 30" di un personaggio italiano famoso che abbiamo incontrato in *Nuovo Progetto italiano* 2. Se non ci riesci torna alla casella 24!

ARRIVO

Unità 6

1. 1-e, 2-a, 3-d, 4-b, 5-c
2. 1-d, 2-a, 3-e, 4-c, 5-b
3. 1. La Traviata, Aida, Rigoletto, Nabucco, Il Trovatore, I Vespri siciliani, La forza del destino; 2. Rossini, Puccini; 3. Giro d'Italia; 4. qualche, ogni; 5. Me lo dica
4. 1. **t**enore, **d**ebutto; 2. **i**nterpretazione, **a**pplauso; 3. **s**pettacolo, **f**ila; 4. **s**quadre, **g**iocatori; 5. **a**utobus, **f**ermata

Unità 7

1. 1-d, 2-a, 3-c, 4-e, 5-b
2. 1-b, 2-d, 3-e, 4-c, 5-a
3. 1. appartamento, 2. invivibili, 3. risorse, 4. alluvione, 5. volontari
4. 1. Legambiente; 2. agriturismo; 3. Verdi, Rossini, Puccini; 4. benché, sebbene, malgrado, nonostante, purché, perché, affinché ecc; 5. dessi

Unità 8

1. 1-c, 2-e, 3-d, 4-X, 5-b, 6-a
2. 1-c, 2-a, 3-e, 4-b, 5-d
3. 1. Marconi; 2. Galilei, Volta, Meucci, Leonardo; 3. diretto, indiretto, riflessivo; 4. foste stati/e;
4. 1. installare, 2. collegare/collegarsi, 3. allegato, 4. chiamata; 5. invenzione, 6. stampante/stampa, 7. riciclare, 8. cliccare

Unità 9

1. 1-d, 2-a, 3-c, 4-e, 5-b
2. 1-d, 2-b, 3-a, 4-e, 5-c
3. 1. rubare, opera; 2. ladro, Carabinieri, furto; 3. artisti, capolavori; 4. pittore, scultori
4. 1. Leonardo da Vinci, 2. Michelangelo Buonarroti, 3. Galileo Galilei, 4. Teresa era/veniva invitata spesso da Gianni, 5. Deve essere visto

Unità 10

1. 1-c, 2-a, 3-d, 4-e, 5-b
2. 1-c, 2-e, 3-d, 4-a, 5-b
3. 1. il Mezzogiorno/l'Italia meridionale (del Sud), 2. Camorra, 3. gli Uffizi, 4. il giorno dopo
4. 1. **s**pacciatori, **t**ossicodipendenti; 2. **c**arcere, **g**iudice; 3. **i**mmigrati, **mu**ltietnico; 4. **b**oss, **c**riminalità; 5. **o**pere, **a**rtisti

Unità 11

1. 1-c, 2-d, 3-a, 4-b
2. 1-d, 2-a, 3-b, 4-c
3. 1. scrittori, 2. letteratura, 3. copertina; 4. rapina
4. 1. Dante Alighieri; 2. Pirandello, De Filippo; 3. partendo; 4. passante

Autovalutazione generale

1. 1.a, 2.b, 3.b, 4.c, 5.a, 6.b
2. 1.f, 2.e, 3.b, 4.c, 5.i, 6.g, 7.h, 8.a
3. 1. interessi, sportello, prelevare; 2. prenotazione, mezza pensione, pernottamento; 3. appunti, tesi, corsi; 4. soprano, libretto, tenore; 6. scultura, statua, dipinto; 7. racconto, romanzo, giallo; 8. doppi servizi, monolocale, cantina
4. 1. mi, 2. *dir*glielo, 3. ciascuno/ognuno, 4. Di, 5. cui, 6. Ci, 7. Ce, 8. ne
5. 1. avrei chiamato, si trattasse; 2. sono stati sorpresi, minacciandoli; 3. arrivati, aver dimenticato; 4. lavorando, farai
6. *1. c - purché*, 2. d - nonostante, 3. f - affinché, 4. a - nel caso, 5. b - prima che, 6. e - a meno che
7. 1. ambientalisti, 2. professionista, 3. tranquillità, 4. spaziosa, 5. improvvisamente, 6. difficoltà
8. Sei stato promosso, aver studiato; 6. fossi, dovresti; 7. si sarebbe trasferita/si è trasferita, dice; 8. si possono, si possono

Unità 6
pagina 8

Imperativo del verbo *essere* e *avere*

	tu	*lui, lei*	*noi*	*voi*	*loro*
essere	sii	sia	siamo	siate	siano
avere	abbi	abbia	abbiamo	abbiate	abbiano

pagina 16

Indefiniti come pronomi

Sempre al singolare sostituiscono un nome:

uno/a:	Eugenio? L'ho visto poco fa che parlava con uno, forse un suo collega.
ognuno/a:	Ognuno deve saper comportarsi.
qualcuno/a:	Qualcuno di voi è mai stato in Italia?
chiunque:	Quello che è successo a te potrebbe succedere a chiunque.
qualcosa:	Vuoi qualcosa da bere?
niente / nulla:	Nella vita niente è gratis! ***ma***: Io non ho visto niente. Nulla è perduto. ***ma***: Non è perduto nulla.

Indefiniti come aggettivi

Accompagnano un nome:

ogni:	C'è una soluzione per ogni problema.
qualche:	Se hai qualche problema, non esitare a parlarmene.
qualsiasi / qualunque:	Non preoccuparti! Mi puoi chiamare a qualsiasi ora. Ti starò vicina qualunque cosa tu voglia fare.
certo/a - certi/e:	Certe (alcune) persone mi danno proprio ai nervi.

Attenzione!

diverso/a - diversi/e:	È un tipo interessante con diversi hobby. (molti hobby) Io e Marcella abbiamo hobby diversi. (hobby non uguali)
vario/a - vari/ie:	Quest'estate ho intenzione di leggere vari libri. (molti) L'estate scorsa ho letto libri vari. (non uguali, di generi diversi)

Unità 7
pagina 24

Il congiuntivo imperfetto del verbo *essere*, *dare* e *stare*

	essere		**dare**		**stare**	
	Credeva che...		*Occorreva che...*		*Hanno pensato che...*	
io	fossi		dessi		stessi	
tu	fossi		dessi		stessi	
lui, lei	fosse	*insieme.*	desse	*cinque esami.*	stesse	*male.*
noi	fossimo		dessimo		stessimo	
voi	foste		deste		steste	
loro	fossero		dessero		stessero	

pagina 28

Uso del congiuntivo (I)

Opinione soggettiva:	*Credevo / Pensavo / Avrei detto che* lui fosse più intelligente.
	Immaginavo / Supponevo / Ritenevo che tutto fosse finito.
	Mi pareva / Mi sembrava che lei fumasse troppo.
Incertezza:	*Non ero sicuro / certo che* Mario fosse veramente bravo.
	Dubitavo che Anna avesse pensato qualcosa del genere.
	Non sapevo se / Ignoravo se si fosse già laureato.
Volontà:	*Volevo / Desideravo / Preferivo che* venisse anche lei.
	Vorrei / Avrei voluto che tu rimanessi / fossi rimasto.
Stato d'animo:	*Ero felice / contento che* finalmente vi sposaste.
	Mi faceva piacere / Mi dispiaceva che le cose stessero così.
Speranza:	*Speravo / Mi auguravo che* tutto finisse bene.
Attesa:	*Aspettavo che* arrivasse mia madre per uscire.
Paura:	*Avevo paura / Temevo che* lui se ne andasse.

Verbi o forme impersonali

Bisognava / Occorreva che voi tornaste presto.
Si diceva / Dicevano che Carlo e Lisa si fossero lasciati.
Pareva / Sembrava che fossero ricchi sfondati.
Era preferibile che io non uscissi con voi: ero di cattivo umore!
Era bene che foste venuti presto.
Era ora che lei mi dicesse tutta la verità.

(non) {
Era opportuno / giusto che quella storia finisse lì.
Era necessario / importante che io partissi subito.
Era un peccato che aveste perso lo spettacolo.
Era meglio che io avessi invitato tutti quanti?
Era normale / naturale / logico che ci fosse traffico a quell'ora?
Era strano / incredibile che Gianna avesse reagito così male.
Era possibile / impossibile che tutti fossero andati via.
Era probabile / improbabile che lei sapesse già tutto.
Era facile / difficile che uno desse l'impressione sbagliata.

Attenzione!
Se una frase, invece, esprime certezza o oggettività usiamo l'indicativo:
Ero sicuro che lui era un amico.
Sapevo che era partito.
Era chiaro che aveva ragione.

pagina 29

Uso del congiuntivo (II)

benché / sebbene nonostante / malgrado	*Nonostante* mi sentissi stanco, sono uscito.
purché / a patto che a condizione che	Ho accettato di uscire con lui, *a condizione che* passasse a prendermi.
senza che	Mi hanno dato un aumento, *senza che* io lo chiedessi!
nel caso (in cui)	Ho preso con me l'ombrello *nel caso* piovesse.
affinché / perché	L'ho guardata a lungo, *perché* mi notasse!
prima che	Dovevo finire *prima che* cominciasse la partita.
a meno che / (tranne che)	Sarebbe venuto, *a meno che* non avesse qualche problema.
come se	Ricordo quella notte *come se* fosse ieri.

pagina 31

Uso del congiuntivo (III)

chiunque qualsiasi qualunque (d)ovunque comunque	Lui litigava con chiunque avesse idee diverse dalle sue. Poteva chiamarmi per qualsiasi cosa avesse bisogno. Qualunque cosa le venisse in mente, la diceva senza pensarci! Dovunque lei andasse, lui la seguiva! Comunque andassero le cose, lui non si scoraggiava mai.
il ... più più ... di quanto	Era la donna più bella che avessi mai conosciuto. L'incendio è stato più disastroso di quanto si potesse immaginare.
l'unico / il solo che	Giorgio era l'unico / il solo che potesse aiutarti in quella situazione.
augurio / desiderio	Magari tu avessi ascoltato i miei consigli!
dubbio	Che fossero già partiti?
domanda indiretta alcune frasi relative	Mi ha chiesto se tu fossi sposato o single. Dovevo trovare una segretaria che fosse più esperta. Cercava una casa in campagna che non costasse troppo.
Che... (inversione)	Che avessero dei problemi, lo sapevamo già. ***ma***: Sapevamo che avevano dei problemi. Che mi avesse tradito era sicuro. ***ma***: Era sicuro che mi aveva tradito.

pagina 31

Quando NON usare il congiuntivo!

Un errore che fa spesso chi impara l'italiano è usare troppo il congiuntivo!
Usiamo l'infinito o l'indicativo e non il congiuntivo nei seguenti casi:

stesso soggetto

Pensavo che tu fossi bravo.	***ma***: Pensavo di essere bravo. (*io*)
Ilaria voleva che io andassi via.	***ma***: Ilaria voleva andare via. (*lei*)

espressioni impersonali

Bisognava che tu facessi presto.	***ma***: Bisognava / Era meglio fare presto.

secondo me / forse / probabilmente
Secondo me, aveva torto.
Forse lui non voleva stare con noi.

anche se / poiché / dopo che
Anche se era molto giovane, non gli mancava l'esperienza.

Unità 8
pagina 42

Altre forme di periodo ipotetico

1° tipo: Se hai bisogno di qualcosa, chiamami!
3° tipo: Se venivi ieri, ti divertivi un sacco. / Se non andavo, era meglio.
(= se fossi venuto, ti saresti divertito / = se non fossi andato, sarebbe stato meglio)

pagina 44

Usi di *ci*

Ciao, ci vediamo..., ci sentiamo... Insomma, a presto!	pronome riflessivo
È molto gentile: ci saluta sempre!	pronome diretto (*noi*)
I tuoi genitori ci hanno portato i dolci?! Come mai?	pronome indiretto (*a noi*)
Stamattina sull'autobus c'erano forse più di cento persone!	*ci* + essere = essere presente (talvolta: esistere)
-Hai tu le mie chiavi? -No, non ce le ho io. È il vicino di casa ideale: né ci sente, né ci vede tanto bene! Io veramente non ci capisco niente in questa storia. Noi, in questo locale, non ci siamo mai stati.	*ci* pleonastico
Lui ha inventato una scusa, ma non ci ho creduto! Uscirai con Stefano?! Ma ci hai pensato bene? Sì, è un po' lamentosa, ma ormai mi ci sono abituato! Parlare con il sindaco? Ci ho provato, ma non ci sono riuscito.	ad una cosa / persona
Con Donatella? Ci sto molto bene. È una faccenda seria, non ci scherzare. Si è comprato un nuovo DVD e ci gioca dalla mattina alla sera.	con qualcosa / qualcuno
A Roma? Sì, ci sono stata due volte. Stasera andiamo al cinema. Tu ci vieni? Alla fine ci siamo rimasti molto più del previsto.	in un luogo
Di solito ci vogliono quattro ore, ma io ce ne metto due! Ragazzi, andate più piano; non ce la faccio più!	espressioni particolari

pagina 46

Usi di *ne*

-Quante e-mail ricevi al giorno? -Ne ricevo parecchie. -Quanti anni hai, Franco? -Ne ho ventitré. -Coca cola? -No, grazie, oggi ne ho bevuta tantissima. Mi piacciono molto i libri di Moravia; ne ho letti quattro o cinque.	*ne* partitivo
-Come va con Gino? -Ne sono innamorata come il primo giorno! -Gli hai parlato del prestito? -Sì, ma non ne vuole sapere! -Ma perché tante domande su Serena? -Perché non ne so niente. Di matrimonio? Figurati! Marco non ne vuole sentire parlare! I suoi genitori sono sempre a casa nostra, ma io non ne posso più! È un'insegnante molto nervosa: gli alunni ne hanno paura! Ti volevo avvisare del mio ritardo, ma me ne sono dimenticato!! Hanno speso tanti milioni per capire che non ne valeva la pena!	di qualcosa / qualcuno
-È così brutta questa situazione?. -Sì... e non so come uscirne. Vattene! Non ti voglio più vedere! ...Per i prossimi trenta minuti! Se n'è andato senza dire nemmeno una parola.	da un luogo / una situazione

Unità 9

pagina 56

I pronomi diretti nella forma passiva

attiva	**passiva**
Questa trasmissione la guardano tutti.	Questa trasmissione è guardata da tutti.
Non è un segreto: me l'ha detto Fabio.	Non è un segreto: mi è stato detto da Fabio.
Bravi ragazzi: ce li ha presentati Sara.	Bravi ragazzi: ci sono stati presentati da Sara.
Queste rose ce le ha offerte Dino.	Queste rose ci sono state offerte da Dino.

pagina 62

Il *si* passivante con *dovere* e *potere*

La verdura si dovrebbe mangiare anche tre volte al giorno.
Con le nuove misure si dovrebbero licenziare migliaia di operai.
Dove si può bere un buon caffè da queste parti?
Ormai molti prodotti si possono comprare per corrispondenza.

pagina 64

Dubbi sulla forma passiva

F	Tutti i verbi possono avere la forma passiva.
V	Il verbo *venire* si usa solo nei tempi semplici.
F	Preferiamo la forma passiva quando ci interessa chi fa l'azione.
V	Il verbo *andare* dà un senso di necessità.
F	La forma passiva dei verbi modali (*dovere - potere*) si forma con l'infinito del verbo *avere*.
V	La differenza tra il *si* impersonale e il *si* passivante sta nel fatto che il verbo di quest'ultimo ha un soggetto con cui concorda.

- Hanno forma passiva solo i verbi transitivi, quelli cioè che hanno un oggetto. Ma non sempre la forma passiva ha senso: *Ogni mattina un caffè è bevuto da me.*
- Preferiamo la forma passiva quando non sappiamo o non ci interessa da chi è fatta l'azione: *Le opere sono state rubate ieri sera. / La legge è stata approvata.*

- Il verbo *venire* si usa solo nei tempi semplici e spesso sottolinea l'aspetto abituale dell'azione: *Ogni giorno venivano cancellati molti voli.*
- Il verbo *andare* dà un senso di necessità: *Il film va visto = deve essere visto = si deve vedere (è da vedere).*
- La forma passiva dei verbi modali (*dovere - potere*) si forma con l'infinito del verbo *essere*: *La casa deve essere venduta al più presto.*
- La differenza tra il *si* impersonale e il *si* passivante sta nel fatto che il verbo di quest'ultimo ha un soggetto con cui concorda. Osservate:
  In Italia si mangia molto bene. (impersonale: senza soggetto)
  In Italia si mangia molta mozzarella. (passivante: con soggetto)
  Praticamente bisogna stare attenti solo al plurale: *Si mangiano vari tipi di pasta.*
- La forma perifrastica (*Sto scrivendo una lettera*) non si può usare alla forma passiva.

Unità 10
pagina 72

Discorso diretto e indiretto (I)

DISCORSO DIRETTO	DISCORSO INDIRETTO	
presente Ha detto: "Penso che tu *abbia* torto".	**imperfetto** Ha detto che pensava che io *avessi* torto.	*al congiuntivo*
imperfetto Disse: "Credevo che lui *fosse* a scuola".	**imperfetto** Disse che credeva che lui *fosse* a scuola.	*al congiuntivo*
passato Mi disse: "Credo che Aldo *sia partito*".	**trapassato** Mi disse che credeva che Aldo *fosse partito*.	*al congiuntivo*
passato remoto Ha detto: "A vent'anni *andai* in Cina".	**trapassato prossimo** Ha detto che a vent'anni *era andato* in Cina.	
futuro (o presente come futuro) Ha detto: "*Andrò* via". Ha detto: "*Parto* stasera".	**condizionale composto** Ha detto che *sarebbe andato* via. Ha detto che *sarebbe partito* quella sera.	

pagina 74

Discorso diretto e indiretto (II)

DISCORSO DIRETTO	DISCORSO INDIRETTO
questo	quello
qui	lì
ora (adesso, in questo momento)	allora (in quel momento)
oggi	quel giorno
domani	il giorno dopo
ieri	il giorno prima
fra...	...dopo
...fa	...prima

pagina 77

Discorso diretto e indiretto (III)

DISCORSO DIRETTO	DISCORSO INDIRETTO
imperativo "*Parla* più piano!"	**di + infinito** Mi ha detto *di parlare* più piano.

venire	**andare**
"*Vengono* spesso a farmi visita."	Disse che *andavano* spesso a farle visita.
domanda (al passato)	**(se +) congiuntivo o indicativo**
Le chiese: "*Hai visto* Marco?"	Le chiese *se avesse (aveva) visto* Marco.
Gli ho chiesto: "Come *sta* tuo padre?"	Gli ho chiesto come *stesse (stava)* suo padre.
domanda (al futuro)	**(se +) condizionale composto**
Mi ha chiesto: "A che ora *tornerai*?"	Mi ha chiesto a che ora *sarei tornato*.
Mi ha chiesto: "*Tornerai*?"	Mi ha chiesto *se sarei tornato*.

pagina 79

Il periodo ipotetico nel discorso indiretto

Quando ci riferiamo a ipotesi/conseguenze anteriori al momento dell'enunciazione tutti i tipi di periodo ipotetico diventano nel discorso indiretto del III tipo:

DISCORSO DIRETTO

Marco mi ha detto:
I. "Se vinco/vincerò il concorso, ti invito/inviterò a cena".
II. "Se vincessi il concorso, ti offrirei una cena".
III. "Se avessi vinto il concorso, ti avrei offerto una cena".

DISCORSO INDIRETTO

Marco mi ha detto che se avesse vinto il concorso, mi avrebbe offerto una cena.*

*I risultati del concorso sono già usciti.

Mentre quando le ipotesi si riferiscono a un momento successivo a quello dell'enunciazione si possono mantenere il I e il II tipo invariati anche nel discorso indiretto:

DISCORSO INDIRETTO

I. Marco mi ha detto che se vince/vincerà il concorso, mi offre/offrirà una cena.**
II. Marco mi ha detto che se vincesse il concorso, mi offrirebbe una cena.**

** Non si conoscono ancora i risultati del concorso.

Cambiano, in alcuni casi, i pronomi personali e quelli possessivi:

"Oggi io uscirò con le mie amiche".	Gianna dice che oggi lei uscirà con le sue amiche.

Unità 11

pagina 88

Verbi irregolari al gerundio

I verbi irregolari al gerundio sono gli stessi che hanno l'imperfetto irregolare, ossia:

- *fare - facendo*
- *bere - bevendo*
- *dire - dicendo*
- verbi che finiscono in *-urre*, come *tradurre - traducendo*
- verbi che finiscono in *-orre*, come *porre - ponendo*
- verbi che finiscono in *-arre*, come *trarre - traendo*

Uso del gerundio semplice

azioni simultanee:	Camminava *parlando* al cellulare.
modo (come?):	Mi guardava *sorridendo*.
causa (perché?):	*Essendo* stanco, ho preferito non uscire.
un'ipotesi (se...):	*Cercando*, potresti trovare una casa migliore.

Il gerundio con i pronomi

Il gerundio, sia semplice che composto, forma un'unica parola con i pronomi di ogni tipo:

semplice
*Vedendo**la*** entrare, l'ho salutata.
*Scrivendo**le*** una poesia, l'ho conquistata.
*Alzando**si*** presto, ci si sente stanchi.
*Parlando**ne***, abbiamo chiarito tutto.
*Andando**ci*** spesso, si divertono.

composto
*Avendo**la** vista*, l'ho salutata.
*Avendo**le** scritto* una poesia, l'ho conquistata.
*Essendo**si** alzato* presto, si sente stanco.
*Avendo**ne** parlato*, abbiamo chiarito tutto.
*Essendo**ci** andati*, si sono divertiti.

pagina 90

Infinito presente

come sostantivo: Il *mangiare* in continuazione è sintomo di stress. / Tra il *dire* e il *fare* c'è di mezzo il mare.
come soggetto: *Camminare* fa bene. / *Fidarsi* è bene, non *fidarsi* è meglio.
in frasi esclamative o interrogative: *Parlare* così a me! / *Uscire*? No, sono stanco. / E ora, che *fare*?
in istruzioni: *Compilare* il modulo. / *Premere* per prenotare la fermata. / *Rispondere* alle domande.
preceduto da preposizione: Ad *essere* sincero... / A *dire* la verità... / A *sentire* Gianni, la situazione è difficile.

pagina 92

Participio presente

aggettivo: Il libro era veramente *interessante*. / È molto *pesante*.
sostantivo: I miei *assistenti*. / Una brava *cantante*.
verbo: Una squadra *vincente* (che vince). / Il pezzo *mancante* (che manca)

Unità 11
pagina 97

*Materiale per **A**:*

AUTORE	GENERE	CARATTERISTICHE
Niccolò Ammaniti (1966 -)	Narrativa	Linguaggio semplice, trame avvincenti
Alberto Moravia (1907 - 1990)	Narrativa - Saggistica	Racconti e romanzi di analisi sociale e psicologica Saggi di critica letteraria
Italo Calvino (1923 - 1985)	Narrativa - Saggistica	Molto fantasioso, ma anche difficile come linguaggio Saggi letterari
Luigi Pirandello (1867 - 1936)	Teatro - Narrativa	Analisi psicologica, affronta il conflitto individuo-realtà
Umberto Eco (1932 -)	Narrativa - Saggistica	Romanzi filosofici; linguaggio difficile, temi interessanti ma complessi Saggi di critica letteraria e di linguistica

Tracce e spunti per la discussione:
- Cosa mi consiglia per una lettura leggera sotto l'ombrellone?
- Vorrei fare un regalo a un amico che...
- Vorrei leggere un "classico" della letteratura italiana contemporanea / del dopoguerra: cosa mi consiglia?
- Vorrei leggere un autore giovane, ma bravo e di successo: quale autore mi suggerisce? E quale tra i suoi libri?
- Cerco un libro per un ragazzino di 14-15 anni...

Unità 6
pagina 17

Materiale per ***B***:

Questo è il programma del fine settimana di un teatro. Consultalo e dai ad *A* le informazioni che ti chiederà. Di seguito, troverai anche la pianta del teatro con i posti che *A* può scegliere.

L'Accademia musicale e l'Associazione Giovani talenti *presentano:*
IL RIGOLETTO
Musica di Giuseppe Verdi
La famosissima opera di Verdi interpretata dai giovani studenti di lirica dell'Accademia Musicale della nostra regione. Con la collaborazione dell'Associazione *Giovani talenti* che ha contribuito all'allestimento dello spettacolo, con la prestigiosa regia di Luca Ronconi.
Da domenica per 15 giorni.

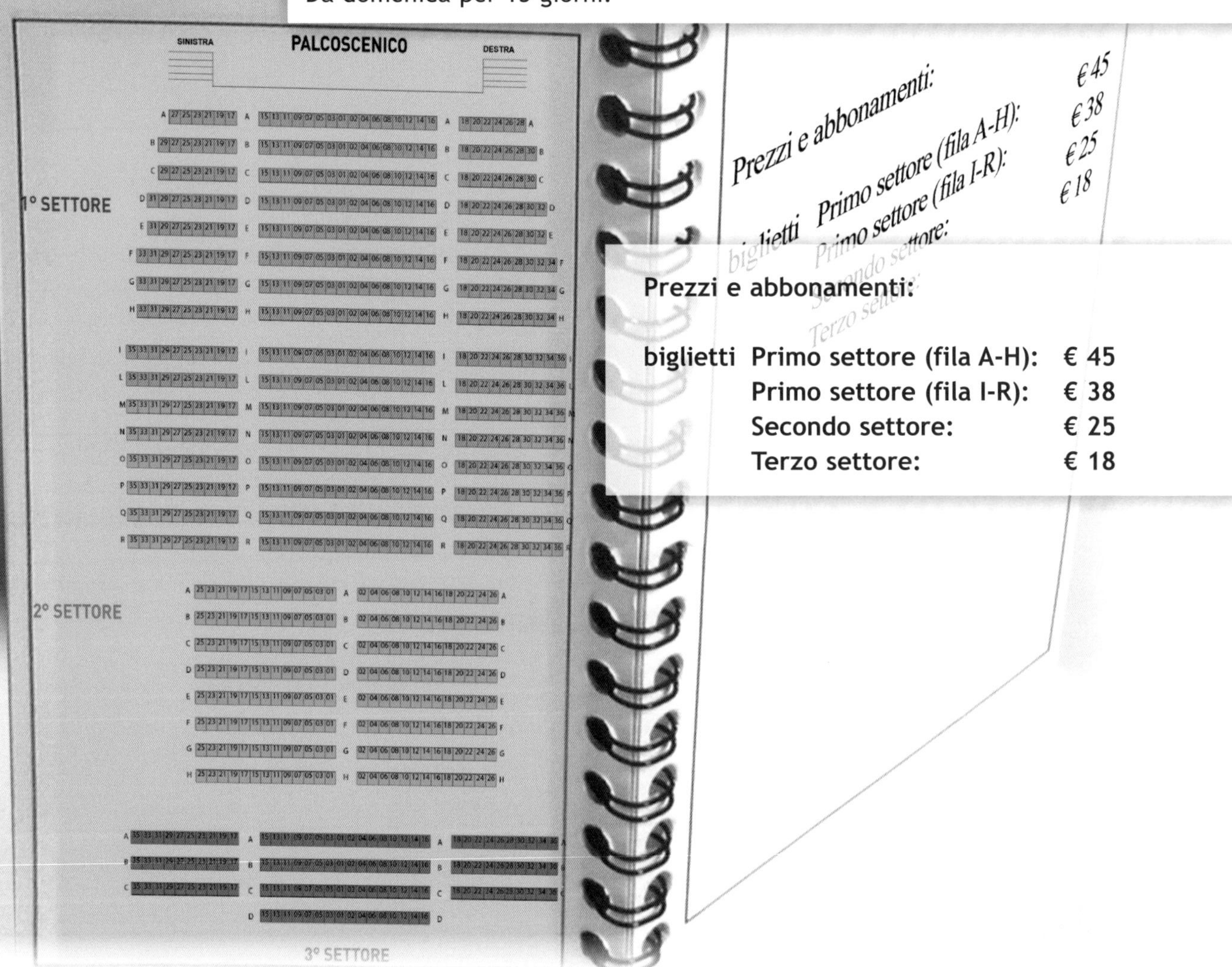

Prezzi e abbonamenti:

biglietti	**Primo settore (fila A-H):**	**€ 45**
	Primo settore (fila I-R):	**€ 38**
	Secondo settore:	**€ 25**
	Terzo settore:	**€ 18**

Unità 7
pagina 33

*Materiale per **B***:

PREZZO: € 175.000
SUPERFICIE: MQ. 150
CONDIZIONI: abitabile
CAMERE DA LETTO: 2
SERVIZI: 1
- POSTO AUTO INTERNO
  Al centro di delizioso paese, luminoso appartamento in villetta bifamiliare di mq. 150 circa su due livelli, immediatamente abitabile. Al secondo livello 2 camere, bagno, soggiorno, cucina, terrazzo, al primo livello giardino, garage, cucina rustica, depositi vari, termoautonoma, allarme.

PREZZO: € 90.000
SUPERFICIE: MQ. 140
CONDIZIONI: da ristrutturare
- POSTO AUTO ESTERNO
  Bella proprietà con casolare, da ristrutturare, mq. 140 circa su due piani, garage per 2 posti auto, doppio ingresso, al centro del paese. Divisibile in 2 appartamenti con ingressi indipendenti. Ideale come agriturismo, come rifugio dallo stress della citta o per chi vuole rilassarsi immergendosi nella natura.

PREZZO: € 135.000
SUPERFICIE: MQ. 150
CONDIZIONI: abitabile
CAMERE DA LETTO: 5
SERVIZI: 2
- POSTO AUTO INTERNO
  Villetta su due livelli più sottotetto, composta da 2 camere, salone, angolo cottura e bagno al primo piano, e da 3 camere, salone, angolo cottura e bagno al piano terra. Cantina, giardino, tutti i servizi, vicina a tutti i negozi di prima necessità e ad altre case abitate. Ideale anche per due nuclei familiari.

Unità 8
pagina 49

*Materiale per **B**:*

Corso di formazione
COMPUTER E INTERNET
prospetto informativo

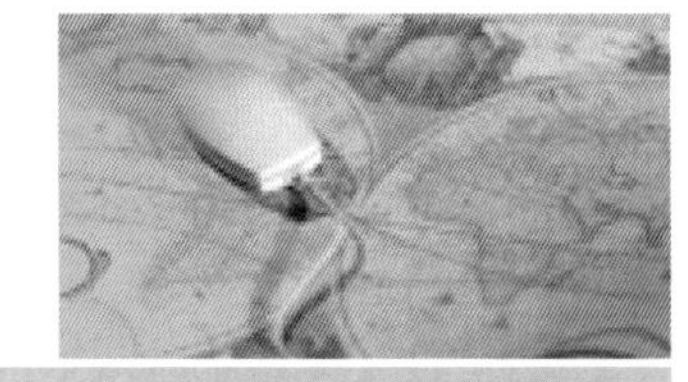

Descrizione

Il corso si rivolge a coloro che vogliono usare meglio il computer per ragioni di lavoro, di studio o per hobby.
Continue esercitazioni pratiche fanno apprendere in modo semplice e immediato tutti i concetti necessari per avere una padronanza nell'uso del computer.
Il corso mette in grado il partecipante di saper utilizzare i principali servizi presenti su Internet: i motori di ricerca e le tematiche della sicurezza, della privacy e del commercio elettronico. Tutti gli argomenti trattati prevedono esercitazioni pratiche.

Contenuto del corso

- Excel e Word
- Grafici con Excel: creazione, formattazione e modifica
- Database: creazione e gestione
- Virus e sicurezza dati
- Internet: navigazione sui siti Web, l'uso di Internet Explorer, la posta elettronica
- Acrobat Reader e i file in formato PDF
- Internet e la multimedialità
- La sicurezza in Internet: opzioni di protezione di Internet Explorer
- La privacy su Internet
- Come fare acquisti in rete in maniera sicura: il commercio elettronico

Durata

La durata del corso è di sedici ore (otto lezioni di due ore).

Orari e giorni dei corsi

Corsi diurni	9.00 - 13.00 (lunedì - mercoledì - venerdì)
Corsi pomeridiani	14.30 - 18.30 (lunedì - mercoledì - venerdì)

Quota di partecipazione

Il costo del corso per partecipante, comprendente il Manuale del Corso e l'attestato di frequenza, è di 220 euro (IVA inclusa).

Per i corsi individuali il costo orario è di 45 euro (IVA esclusa), per ogni partecipante oltre il primo si aggiungono 10 euro in più.

Unità 9
pagina 65

*Materiale per **B***:

Musei Vaticani

Tra i più importanti musei al mondo, sono suddivisi in numerose sezioni splendidamente allestite che conservano capolavori dei più grandi artisti, raccolti o commissionati dai Papi nel corso dei secoli. Al termine del percorso la Cappella Sistina, *il cui recente restauro ha restituito alla volta e al* Giudizio Universale *di Michelangelo i colori che il tempo aveva offuscato.*

Viale Vaticano - www.vatican.va e-mail: musei@scv.va
Ingresso: € 12.00, ridotto € 8.00 – gratuito l'ultima domenica del mese 8.45 - 13.45
Orario: dal 7 gennaio al 6 marzo e dal 2 novembre al 24 dicembre 8.45 - 13.45
(ingresso fino alle 12.20)

Foro Romano

Era il centro politico, economico e religioso di Roma Antica; sede di templi, tribunali e altri edifici dove si trattavano gli affari pubblici e privati.

Via dei Fori Imperiali - tel. 0639967700
(informazioni e prenotazioni visite guidate)
Ingresso: gratuito
Orario: 9.00 - 1h prima del tramonto

Colosseo (Anfiteatro Flavio)

Nell'anfiteatro, il più importante monumento della Roma Antica, si svolgevano combattimenti cruenti tra gladiatori e con animali feroci. Diviso in quattro ordini di posti, poteva contenere almeno cinquantamila persone.

Informazioni e prenotazioni tel. 0639967700
Prenotazione online: www.pierreci.it + € 1.50
Ingresso: € 8.00 + € 2.00 supplemento mostra (il biglietto è valido anche per il Palatino)
Orario: 9.00 - 1h prima del tramonto

AGEVOLAZIONI PER L'INGRESSO
NEI MUSEI E LUOGHI D'ARTE STATALI E COMUNALI

Ingresso gratuito per i cittadini dell'Unione Europea che abbiano meno di 18 anni e più di 65.
Riduzione del 50% del prezzo del biglietto per i giovani dell'Unione Europea in età compresa tra i 18 e i 25 anni.

BIGLIETTI CUMULATIVI

- Museo Nazionale Romano Card: € 7.00 – validità 3 giorni – include l'ingresso alle sedi del Museo Nazionale Romano (Palazzo Altemps, Palazzo Massimo alle Terme, Terme di Diocleziano, Cripta Balbi).
- Roma Archeologia Card: € 20.00 – validità 7 giorni – include l'ingresso a: Colosseo, Palatino, Terme di Caracalla, Palazzo Altemps, Palazzo Massimo, Terme di Diocleziano, Cripta Balbi, Tomba di Cecilia Metella e Villa dei Quintili.

I biglietti cumulativi possono essere acquistati presso tutti i siti e presso il Centro Visitatori dell'APT di Roma in Via Parigi 5.

Unità 11
pagina 97

*Materiale per **B**:*

Titolo libro	*Autore e genere*	*Consigliato per...*
Ti prendo e ti porto via (1999)	**Niccolò Ammaniti** (1966 -) Narrativa	Storia d'amore con un ritmo da commedia, che si legge in un fiato ma si ricorda a lungo.
Gli indifferenti (1929)	**Alberto Moravia** (1907 - 1990) Narrativa - Saggistica	Un classico della letteratura italiana del Novecento: un romanzo intenso e ancora attuale, sociale e psicologico allo stesso tempo.
Marcovaldo (1963)	**Italo Calvino** (1923 - 1985) Narrativa - Saggistica	Favola moderna e delicata, *Marcovaldo* è un libro per ragazzi ma anche per grandi che non hanno perso la voglia di stupirsi.
Il fu Mattia Pascal (1904)	**Luigi Pirandello** (1867 - 1936) Teatro - Narrativa	Un classico "sempreverde" della letteratura italiana, dove ironia e dramma si uniscono nel paradosso che è la realtà.
Il nome della rosa (1980)	**Umberto Eco** (1932 -) Narrativa - Saggistica	Un best-seller degli anni 80, diventato anche un film di successo con Sean Connery. In realtà è un impegnativo giallo filosofico, complesso e affascinante.

Approfondimento grammaticale

Unità 6 p.210

Imperativo diretto
Imperativo diretto negativo
Imperativo con i pronomi
Imperativo indiretto
Verbi essere e avere all'imperativo
Aggettivi indefiniti
Pronomi indefiniti
Aggettivi e pronomi indefiniti

Unità 7 p.213

Congiuntivo imperfetto
Congiuntivo trapassato
La concordanza dei tempi del congiuntivo
Uso del congiuntivo imperfetto/trapassato

Unità 8 p.214

Periodo ipotetico
Usi di ci
Usi di ne

Unità 9 p.216

La forma passiva
I pronomi alla forma passiva
La forma passiva con dovere e potere
La forma passiva con andare
Il si passivante
Il si passivante nei tempi composti

Unità 10 p.217

Discorso diretto e discorso indiretto
Il periodo ipotetico nel discorso indiretto

Unità 11 p.219

Gerundio semplice
Gerundio composto
Uso del gerundio
Infinito presente e passato
Uso dell'infinito
Participio presente e passato
Uso del participio
Nomi alterati
Particolarità dei nomi alterati

Unità 6

Imperativo diretto

Usiamo l'imperativo per dare un ordine o un consiglio. Parliamo di imperativo diretto quando ci riferiamo alla 2ª persona singolare tu, alla 1ª persona plurale noi e alla 2ª persona plurale voi.

	1ª coniugazione (-are)	2ª coniugazione (-ere)	3ª coniugazione (-ire)	
	PARL**ARE**	PREND**ERE**	APR**IRE**	FIN**IRE**
tu	parl**a**!	prend**i**!	apr**i**!	fin**isci**!
noi	parl**iamo**!	prend**iamo**!	apr**iamo**!	fin**iamo**!
voi	parl**ate**!	prend**ete**!	apr**ite**!	fin**ite**!

Come possiamo vedere, la coniugazione dell'imperativo diretto è uguale a quella del presente indicativo; soltanto per i verbi in *-are*, la 2ª persona singolare *tu* finisce in *-a* e non in *-i* (*Lucio, mangia la frutta! / Alessia, guarda che bel quadro! / Gianni, ascolta questa canzone! / Vincenzo, parla piano!*).

Imperativo diretto negativo

La forma negativa dell'imperativo diretto alla 1ª persona plurale (*noi*) e alla 2ª persona plurale (*voi*) è uguale a quella del presente indicativo, cioè mettiamo non prima del verbo, dell'imperativo affermativo (*Non dimentichiamo di comprare il pane! / Non scrivete altri sms!*).

Alla 2ª persona singolare (*tu*), per avere la forma negativa mettiamo non + infinito del verbo (*Non scrivere altri sms! / Non aprire la finestra!*).

	1ª coniugazione (-are)	2ª coniugazione (-ere)	3ª coniugazione (-ire)	
	GUARD**ARE**	LEGG**ERE**	APR**IRE**	FIN**IRE**
tu	**non** parl**are**!	**non** prend**ere**!	**non** apr**ire**!	fin**ire**!
noi	**non** parl**iamo**!	**non** prend**iamo**!	**non** apr**iamo**!	fin**iamo**!
voi	**non** parl**ate**!	**non** prend**ete**!	**non** apr**ite**!	fin**ite**!

Imperativo con i pronomi

- I pronomi diretti, indiretti, le particelle pronominali *ci* e *ne* seguono l'imperativo e formano un'unica parola (*Scrivila subito! / Regaliamogli un orologio! / Prendetene solo tre!*).
- Se abbiamo la forma negativa dell'imperativo, i pronomi possono andare o prima del verbo o dopo il verbo e in quest'ultimo caso formano un'unica parola (*Non le telefonare ora! = Non telefonarle ora!*).
- Quando abbiamo le forme irregolari dell'imperativo alla 2ª persona singolare (andare = *va'* / dare = *da'* / fare = *fa'* / stare = *sta'* / dire = *di'*) i pronomi raddoppiano la consonante iniziale (*Va' a Roma! = Vacci! / Da' questo libro a tuo padre! = Dallo a tuo padre! / Fa' quello che ti dico! = Fallo! / Sta' accanto a Stefania! = Stalle accanto! / Di' a me la verità! = Dimmi la verità!*). Fa eccezione il pronome gli (*Da' il libro a Riccardo! = Dagli il libro!*).

Imperativo indiretto

L'imperativo indiretto riguarda la 3ª persona singolare e plurale (Lei e Loro). La 3ª persona plurale si incontra raramente nella lingua parlata, è ormai desueta, superata e usata soltanto in testi scritti o in ambiti molto formali.

- La coniugazione dell'imperativo indiretto è uguale a quella del presente congiuntivo (*Stia attento, signore! / Parlino più piano, per favore!*).
- I pronomi (diretti, indiretti, combinati, *ci, ne*) precedono sempre l'imperativo indiretto (*Si sieda, signora*! / *Glielo dica*!).
- La forma negativa dell'imperativo indiretto è data dal verbo all'imperativo preceduto da non (*Non vada via, signorina! Aspetti! / Signori, non restino in piedi!*).

Verbi essere e avere all'imperativo

	essere		avere	
	Forma affermativa	**Forma negativa**	**Forma affermativa**	**Forma negativa**
tu	sii!	non essere!	abbi!	non avere!
lui/lei	sia!	non sia!	abbia!	non abbia!
noi	siamo!	non siamo!	abbiamo!	non abbiamo!
voi	siate!	non siate!	abbiate!	non abbiate!
loro	siano!	non siano!	abbiano!	non abbiano!

Aggettivi indefiniti

Gli aggettivi indefiniti esprimono in modo indeterminato la quantità o la qualità del nome che accompagnano:

- gli aggettivi indefiniti che indicano quantità sono:

alcuno/a/i/e, alquanto/a/i/e, altrettanto/a/i/e, ciascuno/a, diverso/ a/i/e, molto/a/i/e, nessuno/a, ogni, parecchio/a/chi/chie, poco/a/chi/che, qualche, tanto/a/i/e, troppo/a/i/e, tutto/a/i/e, vario/a/i/e

Alcune ragazze della mia scuola hanno pubblicato un giornale / Trenta ragazzi e altrettante ragazze parteciperanno alla gita scolastica / Gabriella ha molti interessi / È da parecchio tempo che non vedo i ragazzi, stasera esco con loro / Abbiamo visitato i Musei Vaticani, per fortuna c'erano poche persone / Se hai qualche problema, parlami! / Ho già tanti problemi, non mi parlare anche dei tuoi / Per fare questo test devi rispondere a tutte le domande.

- gli aggettivi indefiniti che indicano qualità sono:

altro/a/i/e, certo/a/i/e, qualunque, qualsiasi, tale/i

- Gli aggettivi ogni, qualche, qualsiasi, qualunque sono invariabili e li usiamo solo al singolare (*Abbiamo dato ad ogni studente due libri da leggere per l'estate / Chiamami pure a qualsiasi ora! / Qualunque decisione tu prenda, io sarò d'accordo*).
- L'aggettivo alquanto è poco usato e spesso lo sostituiamo con parecchio (*Ho avuto alquanta/parecchia paura*).
- Gli aggettivi nessuno/a, ciascuno/a variano nel genere ma non nel numero (*Nessuna scrittrice è brava come lei*). Nessuno ha un significato negativo, quindi quando precede il verbo non è accompagnato da un'altra negazione (*Nessun albero dev'essere tagliato!*). Al contrario, quando segue il verbo è accompagnato da un'altra negazione e può essere sostituito da alcuno (*Non ho trovato nessun/alcun portafoglio in macchina, chissà dove lo hai perso*). Nelle frasi interrogative può avere un significato affermativo e ha il significato di qualche (*È arrivata nessuna/qualche email per me?*).
- Tale/i varia nel numero, ma non nel genere. È spesso preceduto dall'articolo indeterminativo (*un, una, dei, delle*) per indicare una persona del tutto sconosciuta (*Questa mattina è venuto un tale signor Fiorello che ti cercava*). Quando è preceduto dall'articolo determinativo (*il, la, i, le*) o dal pronome dimostrativo (*quel, quella, quei, quelle*), indica una persona ben determinata (*Questa mattina è venuta quella tale Barbara che ti cercava*). L'aggettivo indefinito tale può avere il significato di tanto/a in alcune espressioni (*Ho provato una tale vergogna che sarei voluto sparire / Aveva una tale paura che non è venuto con noi*).
- Altro/a/i/e può avere diversi significati in base al contesto: può indicare qualcosa di nuovo (*Vorrei comprare un'altra macchina* [*una macchina nuova*); può indicare qualcosa di diverso, di differente (*Quella che stai raccontando tu è un'altra storia* [*una storia diversa*]); può indicare qualcosa da aggiungere, una quantità aggiunta (*Ho bisogno di altri soldi* [*ancora di soldi*] *per pagare il mutuo in banca*); può indicare qualcosa di passato, scorso o di prossimo, successivo (*L'altro mese* [*il mese passato*] *sono stato a Milano / Un'altra estate* [*l'estate prossima*] *andremo in montagna*).
- Certo/a/i/e può avere diversi significati. Se lo usiamo al singolare, preceduto dall'articolo indeterminativo, ha lo stesso significato di un tale (*Ti saluta un certo/un tale Alberto che ho incontrato per caso al cinema*) e può indicare anche una quantità né grande né piccola (*Vedere queste foto mi crea sempre una certa emozione* [*un po' di emozione*]). Se lo usiamo al plurale ha lo stesso significato di alcuni/e e di qualche (*Certi/Alcuni film non posso proprio vederli*). Ha il significato di simile/i quando ci riferiamo a qualcosa o a qualcuno in tono spregiativo e non lo precisiamo non perché non conosciamo di chi o di cosa si tratti, ma perché non vogliamo precisare, proprio per non dare valore (*Certe persone* [*Simili persone*] *preferisco non averle come amiche*).
- Diverso/a/i/e e varo/a/i/e, quando precedono un nome collettivo (classe, clientela, folla, gente ecc.) o un nome al plurale, hanno lo stesso significato di alquanto, parecchio, molto (*C'era diversa/parecchia/molta gente al mare / A Capri siamo stati varie/molte volte*).

Pronomi indefiniti

I pronomi indefiniti esprimono in modo generico la quantità o l'identità del nome che sostituiscono. I pronomi indefiniti sono:

alcunché	niente, nulla	qualcosa	uno/a
chiunque	ognuno/a	qualcuno	

- Alcunché è oramai poco diffuso e il suo uso è limitato all'ambito letterario (*Di Stefano non si può dire alcunché*).
- Chiunque è invariabile, lo usiamo solo al singolare e in riferimento a persone (*Non faccio compagnia con chiunque*). Può avere anche il significato di qualunque persona che (*Chiunque [Qualunque persona che] abbia la bicicletta può partecipare alla gita che facciamo domani*).
- Niente e nulla hanno il significato di nessuna cosa. Se seguono il verbo hanno bisogno di un'altra negazione (*Niente/Nulla è cambiato da quando sei andata via*), se precedono il verbo non ne hanno bisogno (*Non è cambiato niente/nulla da quando sei andata via*). In frasi interrogative hanno il significato di qualche cosa (*Hai saputo niente/nulla [qualche cosa] di Francesco?*).
- Ognuno/a lo usiamo solo al singolare e ha il significato di ciascuno (*Ognuno ha le sue responsabilità in questa storia*).
- Qualcuno/a lo usiamo al singolare. In genere, indica una sola persona o cosa (*Qualcuno ci aspetta*), ma può anche avere il significato di una quantità indeterminata (*Alla festa di ieri c'erano tanti vecchi amici, avresti potuto salutare qualcuno*).
- Qualcosa (qualche cosa) è invariabile (*Vuoi qualcosa da mangiare?*). Seguito dall'avverbio come ha il significato di più o meno, all'incirca (*Per ristrutturare la casa abbiamo speso qualcosa come [abbiamo speso più o meno] 20 mila euro*).
- Uno/a (*Uno di voi potrebbe aiutarmi, per favore?*).

Aggettivi e pronomi indefiniti

Tra gli indefiniti come aggettivi e pronomi ricordiamo:

alcuno/a/i/e	parechio/chi/chia/chie
altro/a/i/e	poco/chi/a/che
altrettanto/a/i/e	tale/i
certo/a/i/e	tanto/a/i/e
ciascuno/a	troppo/a/i/e
diverso/a/i/e	tutto/a/i/e
molto/a/i/e	vario/a/i/e
nessuno/a	

Sono in diversi a non essere d'accordo con la tua proposta / Molti ragazzi preferiscono andare allo stadio a vedere la partita, ma molti preferiscono vederla in TV / Da quando vivo in campagna non è venuto a trovarmi nessuno / Ci vuole molta pazienza con il nonno ed io ne ho parecchia / Nella mia città poche persone vanno in bici e pochi usano i mezzi pubblici / Questi libri li prenderei volentieri, ma a casa ne ho già tanti e non so dove metterli / Siamo in troppi, come facciamo ad entrare tutti in macchina / Ho detto tutto a Gloria, le ho raccontato tutta la verità / Vari mi hanno rifiutato il favore.

- Alcuno/a/i/e lo usiamo al plurale come aggettivo nel significato di qualche (*Sono stati fatti alcuni errori [È stato fatto qualche errore]*). Al singolare lo usiamo soprattutto in frasi negative e nella lingua parlata sostituisce spesso nessuno/a (*Mi dispiace, ma non sei stato di alcun/nessun aiuto / -Hai notizie di Franco? -No, non ne ho alcuna/nessuna*).
- Altro/a/i/e se preceduto dall'articolo, ha il significato di altra persona (*Luciano non sta più con Paola, si è innamorato di un'altra*), ma può avere anche il significato di un'altra cosa (*Signora Fiore, ha bisogno di altro?*). Spesso lo usiamo insieme al pronome indefinito uno nell'espressione l'uno/a.. l'altro/a, gli/le uni/e... gli/le altri/e (*Non abbiamo deciso nulla perché gli uni sono d'accordo con la proposta e gli altri non sono d'accordo*).
- Altrettanto significa della stessa quantità (*Tu hai tanti Cd, ma io ne ho altrettanti*).
- Certi/e come pronome lo usiamo soltanto al plurale a ha il significato di alcuni (*I miei vecchi compagni di università lavorano tutti, però certi/alcuni hanno trovato lavoro all'estero*).
- Ciascuno/a come pronome lo usiamo soltanto al singolare a ha il significato di ognuno (*Se ciascuno/ognuno fa quello che vuole senza pensare agli altri, le cose continueranno ad andare male*). Come vediamo dall'esempio, a ciascuno segue un verbo al singolare, ma quando il verbo precede va al plurale (*Se fanno ciascuno/ognuno quello che vogliono senza pensare agli altri, le cose continueranno ad andare male*).
- Tale/i varia nel numero, ma non nel genere. Come per l'aggettivo, anche il pronome è spesso preceduto dall'articolo indeterminativo (*un, una, dei, delle*) per indicare una persona del tutto sconosciuta (*Riccardo mi ricorda un tale che ho visto stamattina in metro*). Quando è preceduto dall'articolo determinativo (*il, la, i, le*) o dal pronome dimostrativo (*quel, quella, quei, quelle*), indica una persona ben determinata (*Di là c'è quel tale che chiede di te*).
- Tanto/a/i/e se lo usiamo in relazione a quanto/a/i/e indica la stessa quantità (*Ho comprato tanti gelati quanti sono i bambini*); se tanto è preceduto dall'articolo indeterminativo singolare un può indicare una certa cifra (*I diecimila euro che mi hai prestato te li restituirò un tanto al mese [ti restituirò una certa cifra ogni mese]*).

Unità 7

Congiuntivo imperfetto

	1ª coniugazione (-are)	2ª coniugazione (-ere)	3ª coniugazione (-ire)
	PARL**ARE**	AV**ERE**	FIN**IRE**
io	parl**assi**	av**essi**	fin**issi**
tu	parl**assi**	av**essi**	fin**issi**
lui, lei, Lei	parl**asse**	av**esse**	fin**isse**
noi	parl**assimo**	av**essimo**	fin**issimo**
voi	parl**aste**	av**este**	fin**iste**
loro	parl**assero**	av**essero**	fin**issero**

L'imperfetto congiuntivo, nelle proposizioni **indipendenti**, esprime un dubbio (*Carletta non ha giocato per niente con gli altri bambini: che avesse la febbre?*) e, in genere, un evento, un desiderio che crediamo non si possa realizzare nel presente o nell'immediato futuro (*Potessi partire con te! / Ah! Se non fossi da solo ora!*).
Nelle frasi secondarie, **dipendenti**, esprime la contemporaneità (*Credevo che tu fossi stanco*) rispetto al passato della frase principale o l'anteriorità (*Tante persone pensano che cinquant'anni fa si vivesse meglio*) rispetto al presente della frase principale.
Quando nella proposizione principale abbiamo un verbo al modo condizionale che esprime desiderio o speranza (desiderare, preferire, volere ecc.), nella proposizione secondaria abbiamo il congiuntivo imperfetto (*Vorrei che tu mi aiutassi di più / Preferirei che lei partisse domani / Desidererei tanto che Mariella venisse con noi*).

Congiuntivo trapassato

Il congiuntivo trapassato è formato dall'ausiliare essere o avere al congiuntivo imperfetto + il participio passato del verbo.

	***avere* + participio passato**	***essere* + participio passato**
io	avessi parlato	fossi andato/a
tu	avessi parlato	fossi andato/a
lui, lei, Lei	avesse parlato	fosse andato/a
noi	avessimo parlato	fossimo andati/e
voi	aveste parlato	foste andati/e
loro	avessero parlato	fossero andati/e

Il congiuntivo trapassato, nelle proposizioni **indipendenti**, indica un evento, un'ipotesi, un augurio riferito al passato, ma che non si è realizzato (*Magari ti avessi ascoltato! / Ah, se fossi venuto con me!*).
Nelle frasi secondarie, **dipendenti**, esprime anteriorità rispetto al passato della principale (*Speravo che tu fossi arrivato / Accettò di aiutarmi, nonostante avesse lavorato tutto il giorno*) o una condizione che non si è realizzata nel passato (*Se fossimo andati in vacanza a settembre, avremmo trovato meno gente e più tranquillità*).
Quando abbiamo una frase subordinata introdotta dalla congiunzione come se, il verbo che segue va sempre al congiuntivo imperfetto o trapassato indipendentemente dal verbo che abbiamo nella frase principale (*Si comporta come se fosse lui il direttore / Cominciò a urlare come se avesse visto un fantasma*).
Dopo l'interiezione magari, segue il congiuntivo imperfetto o trapassato (*Magari avessi la sua età / Magari fossi venuto prima*).

La concordanza dei tempi del congiuntivo

Con il verbo al **presente** nella frase principale, la frase secondaria esprime:
- posteriorità con il congiuntivo presente o l'indicativo futuro semplice (*Credo che Giulia torni/tornerà domani*).
- contemporaneità con il congiuntivo presente (*Credo che Giulia torni oggi*).
- anteriorità con il congiuntivo passato (*Credo che Giulia sia tornata ieri*).

Con il verbo al **passato** nella frase principale, la frase secondaria esprime:
- posteriorità con il congiuntivo imperfetto o il condizionale passato (*Credevo che Giulia andasse/sarebbe andata con Paola*).
- contemporaneità con il congiuntivo imperfetto (*Credevo che Giulia andasse con Paola*).
- anteriorità con il congiuntivo trapassato (*Credo che Giulia fosse andata con Paola*).

Uso del congiuntivo imperfetto/trapassato

Come già detto, il congiuntivo è il modo con il quale il parlante esprime un desiderio, un volere, un dubbio, un'incertezza, un'opinione soggettiva. Al contrario dell'indicativo che rappresenta il modo della realtà e della certezza.

All'uso del congiuntivo imperfetto (e trapassato) in frasi indipendenti abbiamo già accennato.

Il congiuntivo imperfetto (e trapassato) lo usiamo in frasi dipendenti, secondarie, con il verbo della principale al passato, in base agli stessi criteri del congiuntivo presente (e passato):

- il verbo della proposizione principale esprime un'opinione soggettiva (*Credevo/Immaginavo/Pensavo/Ritenevo che Antonio non volesse venire perché non gli piaceva la mia compagnia / Mi sembrava che Sandra si fosse trasferita ad Amburgo e non ad Amsterdam*).

  Nella proposizione principale possiamo trovare anche un'espressione: avere l'impressione che, avere il dubbio che, avere il sospetto che, l'opinione era che, l'ipotesi era che ecc. (*Avevo l'impressione che lei non mi stesse dicendo la verità*).
- il verbo della proposizione principale esprime un atto di volontà (*Feci di tutto affinché potesse venire anche Sandra in vacanza con noi / Ogni giorno chiedevo ai miei che mi comprassero la moto*).

  Nella proposizione principale possiamo trovare anche un'espressione: avere bisogno che, c'era bisogno che, il consiglio era che, il desiderio era che, la regola era che, lo scopo era che ecc. (Il mio unico desiderio era che tu venissi a vivere da me).
- il verbo della proposizione principale esprime uno stato d'animo (*Aspettavamo che finisse lo spettacolo per andare via / Mi auguro che tu ci sia domani / Temevo che Carla avesse perso il treno*).

  Nella proposizione principale possiamo trovare anche un'espressione: avere voglia che, avere il desiderio che, avere paura che, fare finta che, avere speranza che, c'era speranza che ecc. (*Avevo paura che il regalo non gli fosse piaciuto*).
- abbiamo un verbo impersonale nella proposizione principale: bisogna/occorre che, può darsi che, si diceva/dicevano che, pareva/sembrava che (*Sembrava che il Milan fosse più forte e potesse vincere, invece ha perso*).
- abbiamo un'espressione impersonale (verbo *essere* + aggettivo +che) nella proposizione principale: era necessario/importante che, era opportuno/giusto che, era meglio che, era normale/naturale/logico che, era strano/incredibile che, era possibile/impossibile che, era probabile/improbabile che, era facile/difficile che, era preferibile che (*Era normale che Paola non ti volesse più vedere dopo quanto le avevi fatto*). Ma anche era un peccato che, era ora che, era bene che (*Era ora che comprassi una macchina nuova siate*).
- il verbo al congiuntivo si lega alla frase principale perché preceduto da una congiunzione o locuzione subordinata: benché, sebbene, nonostante, malgrado (*Il tempo era proprio strano: malgrado ci fosse il sole, continuava a piovere / Nonostante/Sebbene avesse detto la verità, non gli credette nessuno*); purché, a patto che, a condizione che, basta che (*Ti avevo prestato i soldi a patto che/a condizione che/purché tu me li restituissi*); senza che, (*Era stato arrestato dalla polizia senza che avesse fatto nulla*); nel caso (in cui) (*Ho mandato te, nel caso in cui non fossi venuto*); affinché, perché (*Ho comprato i biglietti affinché/perché andassimo al concerto*); prima che (*Siamo andati via prima che finisse il film*); a meno che, fuorché, tranne che, salvo che (*Potevo credere a tutto, fuorché/salvo che/tranne che Paolo avesse cominciato a lavorare*).
- la proposizione subordinata è una relativa e il verbo al congiuntivo è preceduto da un superlativo relativo (*Era la persona più sincera che io avessi conosciuto*).
- la proposizione subordinata è una relativa che esprime uno scopo (*Il direttore cercava una segretaria che conoscesse bene tre lingue*), una conseguenza (*Non era un appartamento che tu potessi comprare*).
- la subordinata si lega alla frase principale grazie a un aggettivo o un pronome indefinito: chiunque, qualsiasi, qualunque, (d)ovunque, comunque, l'unico/il solo che, nessuno che (*Nella nostra famiglia, il solo che facesse sport era mio fratello*).
- la proposizione subordinata è un'interrogativa indiretta (*Mi sono sempre chiesto chi facesse i graffiti sui muri*).
- per dare una certa enfasi, invertiamo l'ordine naturale delle proposizioni e la frase subordinata introdotta da che, precede la proposizione principale che usa, in genere, i verbi sapere e dire. In questo caso, notiamo l'uso del pronome diretto lo che svolge la funzione di ripetere l'intera frase subordinata (*Che il fumo facesse male, lo sapevano tutti* [Tutti sapevano che il fumo faceva male]).

Unità 8

Periodo ipotetico

Il periodo ipotetico è formato da due proposizioni: una subordinata, introdotta dalla congiunzione se, che esprime la condizione (protasi) e una principale che esprime la conseguenza (apodosi). [*Se avrò tempo* (protasi), *passerò da casa tua* (apodosi)].

In genere, in italiano distinguiamo tre tipi di periodo ipotetico:

- Il periodo ipotetico di 1° tipo o della realtà esprime un evento certo o che si realizzerà con certezza.

Se + indicativo presente/futuro semplice > indicativo presente/futuro semplice/imperativo
Se finisco prima, verrò da te / Se avrò tempo, andrò a fare spese / Se vai all'edicola, comprami il giornale!

- Il periodo ipotetico di 2° tipo o della possibilità esprime un evento ritenuto possibile e non certo.
  Se + congiuntivo imperfetto > condizionale semplice
  Se avessi tempo libero, andrei in palestra / Se fosse un vero amico, mi farebbe questo piacere
- Il periodo ipotetico di 3° tipo o dell'irrealtà/impossibilità, in quanto esprime un evento irrealizzabile perché contrario alla realtà o perché riferito al passato, e quindi immodificabile.
  Se + congiuntivo imperfetto > condizionale semplice (i fatti ipotizzati sono al presente)
  Se tutti fossero come te, il mondo andrebbe sicuramente meglio
  Se + congiuntivo trapassato > condizionale passato (i fatti ipotizzati sono al passato)
  Se me l'avessi chiesto, te l'avrei dato
  Se + congiuntivo trapassato > condizionale semplice (i fatti ipotizzati sono al passato con conseguenza nel presente)
  Se avessi comprato un computer migliore, ora non avresti tutti questi problemi
  Se + indicativo imperfetto > indicativo imperfetto (nella lingua parlata, registro poco formale)
  Se mi telefonavi/avessi telefonato, venivo/sarei venuto subito

Alcune volte, il verbo della protasi non c'è, è sottinteso; altre volte è sottintesa l'intera protasi ([*Se io fossi al posto tuo*] *Al posto tuo, comprerei un appartamento in centro*).
Nella lingua parlata, alcune volte la congiunzione se è sottintesa (*Avessi i tuoi soldi* [*Se io avessi i tuoi soldi*], *comprerei un appartamento in centro / Fossi in te* [*Se io fossi in te*], *non mi comporterei così*).

Usi di *ci*

pronome riflessivo (1ª persona plurale)	*Noi, di solito, ci svegliamo presto, alle 7.*
costruzione impersonale di un verbo riflessivo	*Con il tempo ci si abitua a vivere in città.*
pronome diretto (*noi*)	*Luca ci ha invitato a casa sua stasera.*
pronome indiretto (*a noi*)	*Daniela ha detto che ci telefonerà domani.*
ci + essere = essere presente (qualche volta: esistere)	*Al concerto di Tiziano Ferro c'erano più di ventimila persone.*
ci + entrare = trovare posto	*In questa stanza non c'entra questo salotto.*
ci + entrare = avere relazione con qualcosa	*Cosa c'entra che non è italiano, è un bravissimo ragazzo.*
ci pleonastico	*Il tablet ce l'ho io perché sto lavorando.* *Mio nonno ormai ci sente poco, devi gridare se vuoi farti sentire.*
pronome che sostituisce *ad una cosa/persona*	*Non ci credo perché in te non ho nessuna fiducia!* *Ci ho pensato tante volte: vado a lavorare all'estero.* *Ferro è un cane un po' strano: ci starò attento.*
pronome che sostituisce *con qualcosa/qualcuno*	*Non ci scherzare, la situazione è molto seria.* *Come va con Gloria? Ci sto benissimo.*
pronome che sostituisce *su una cosa/persona*	*Luigi è un ragazzo simpatico: ci conto molto.* *Ci ho riflettuto a lungo, non vengo con te.* *Speriamo che vinca Fulmine, ci ho scommesso cento euro.*
pronome che sostituisce *in una cosa/persona*	*Non è stato un buon affare, ci ho perduto molti soldi.* *Io non ci credo in dio.*
pronome che sostituisce *di una cosa*	*Parli sempre di teatro, ma io non ci capisco niente.*
pronome che sostituisce *da una cosa/persona*	*Da quanto tempo non vedo Silvio? Ci sono stato stamattina.* *Abbiamo discusso tutta la sera, ma non ci abbiamo ricavato nulla.*
ci particella avverbiale che sostituisce *in un luogo*	*Il fine settimana andiamo a Roma, tu ci vieni?* *Eravamo andati per due giorni, ma ci siamo rimasti due settimane.*
espressioni particolari (*volerci, metterci, farcela*)	*Per Firenze di solito ci vogliono tre ore, ma io ci metto due.* *Ho bisogno di qualche giorno di ferie, non ce la faccio più!*

Usi di *ne*

ne partitivo	*Quanti anni ha Giorgio? Ne ha trenta.* *Quanti libri ho letto? Ne ho letto due di Camilleri e due di Tabucchi.* *Di email ne ricevo parecchie ogni giorno.*
pronome che sostituisce *di qualcosa/qualcuno*	*Sandra è partita ieri ed io ne sento già la mancanza.* *Hai sentito cosa è successo con il nuovo governo? Cosa ne pensi?* *Ragazzi, oggi studiamo Leopardi. Ve ne ho già parlato?*
pronome che sostituisce *da qualcosa/qualcuno*	*Non credo sia un buon affare: ne guadegnerà solo la banca.* *Ti ho detto di non frequentare quei ragazzi: devi starne lontana!* *Si tratta di una situazione così difficile che non so come uscirne.*
ne particella avverbiale che sostituisce *da un luogo*	*Sì, prima ero a casa. Ne sono uscito circa un'ora fa.* *È tardi ed io me ne vado.* *Fino a ieri eravamo a Capri, ne siamo partiti con gran dispiacere.*

espressioni particolari:

dimenticarsene, ricordarsene	*Che Paolo ha il compleanno me ne sono ricordato.*
starsene	*Questo fine settimana me ne sto tranquillo in casa.*
valerne la pena	*Non stare a sentire Claudio, non ne vale la pena [merita di essere ascoltato].*
averne abbastanza	*Scusami, ma ne ho abbastanza [sono stufo] di ascoltare sempre le stesse cose.*
non poterne più	*Non ne posso più [sono stufo, non sopporto più la] della tua stupida gelosia.*
farne di cotte e di crude	*Ne ha fatte di cotte e di crude [causare danni, guai, anche in senso ironico].*
combinarne di tutti i colori	*Da piccolo, ne ho combinate di tutti i colori [ho combinato tanti guai].*
farsene una ragione	*Ormai me ne sono fatto una ragione [ho accettato la situazione anche se non mi piace].*

Unità 9

La forma passiva

Nella forma attiva, sia per i verbi transitivi sia per quelli intransitivi, chi compie l'azione (l'agente) è sempre il soggetto della frase. Nel nostro esempio, con il verbo transitivo *scrivere*, il soggetto è *Alessandro*.

Alessandro scrive un nuovo libro.	(forma attiva)
Un nuovo libro è scritto da Alessandro.	(forma passiva)

Si ha forma passiva solo dei verbi transitivi, quelli che hanno un oggetto diretto ("un nuovo libro"), che nella forma passiva diventa soggetto. Ma nella forma passiva il soggetto non compie l'azione, la quale è compiuta da un agente ("Alessandro"), ma la subisce. Usiamo, quindi, la forma passiva quando vogliamo porre l'attenzione soprattutto sull'azione e non tanto su chi la compie.

Per la costruzione della forma passiva usiamo il verbo essere + il participio passato del verbo, che concorda in genere e numero con il soggetto della frase. *Essere* dev'essere coniugato al tempo del verbo della forma attiva. Nella forma passiva, la preposizione da precede quello che era il soggetto della forma attiva, diventato, come già detto, agente nella frase passiva.

Tutti hanno letto il giornale.	(forma attiva)
Il giornale è stato letto da tutti.	(forma passiva)

Nella costruzione della forma passiva, con i tempi semplici, possiamo usare sia il verbo essere sia il verbo venire (*Il giornale è/viene letto dal nonno* [*Il nonno legge il giornale*]); nei tempi composti soltanto il verbo essere (*Il giornale è stato letto dal nonno*).

I pronomi alla forma passiva
I pronomi, nel passare dalla forma attiva alla forma attiva:

- sparisconose si tratta di pronomi diretti, mentre il participio passato del verbo alla forma passiva concorda in genere e numero con il pronome diretto della forma attiva (*Sono stati chiamati dal direttore* [*Li ha chiamati il direttore*]).
- rimangono se si tratta di pronomi indiretti che compongono un pronome combinato, mentre il participio passato del verbo alla forma passiva concorda in genere e numero con il pronome diretto della forma attiva, pronome diretto che scompare alla forma passiva (*Queste rose le sono state date da suo marito* [*Queste rose gliele ha date suo marito*]).

La forma passiva con *dovere* e *potere*
La forma passiva dei verbi modali (dovere, potere) si forma con l'infinito del verbo essere + il participio passato del verbo (*Il conto del ristorante deve essere pagato da Luigi* [Luigi deve pagare il conto del ristorante] / *È un'opera d'arte che non può essere fotografata da nessuno* [*Nessuno può fotografare quest'opera d'arte*]).

La forma passiva con *andare*
Nella costruzione della forma passiva, con i tempi semplici, possiamo usare il verbo andare + il participio passato del verbo per esprimere un'idea di necessità, di obbligo (*La bolletta del telefono va pagata/deve essere pagata entro domani* [*Entro domani bisogna/dobbiamo pagare la bolletta del telefono*] / *Il farmaco va preso/deve essere preso prima dei pasti* [*Prima dei pasti dobbiamo/bisogna prendere il farmaco*]).

Il si passivante
È possibile costruire la forma passiva anche con il si passivante, cioè la particella pronominale si + 3ª persona singolare o plurale di un verbo alla forma attiva. In questa costruzione non è espresso il complemento d'agente, cioè l'autore dell'azione, in quanto il *si passivante* dà alla frase un senso impersonale.

Ogni anno l'Europa finanzia vari progetti.	(forma attiva)
Ogni anno (in Europa) si finanziano vari progetti.	(forma passiva con il si passivante)
Ogni anno vari progetti sono/vengono finanziati dall'Europa.	(forma passiva)

La forma passiva con i verbi modali dovere, potere e volere, possiamo costruirla anche con il *si* passivante + 3ª persona singolare o plurale di *dovere, potere, volere* + verbo all'infinito. In questo caso, la differenza consiste nel carattere di impersonalità che conferisce il *si passivante* alla frase (*Il conto del ristorante si deve pagare / Il conto del ristorante deve essere pagato da Luigi* [*Luigi deve pagare il conto del ristorante*]).
Per distinguere se abbiamo un si passivante o un si impersonale dobbiamo ricordare che:
- il si passivante ha sempre il verbo che concorda con il soggetto che lo segue (*In quel ristorante si mangia un'ottima pizza / In quel ristorante si mangiano delle buonissime pizze*).
- il si impersonale ha sempre il verbo senza un complemento oggetto che lo segue (*In quel ristorante si mangia molto bene*).

Il si passivante nei tempi composti
Quando abbiamo un tempo composto, la costruzione con il *si passivante* è data da: si + ausiliare *essere* + participio passato del verbo, che concorda in genere e numero con il soggetto della frase (*Si è costruito un nuovo stadio per le Olimpiadi / Un nuovo stadio è stato costruito dal Ministero per le Olimpiadi* [*Il Ministero ha costruito un nuovo stadio per le Olimpiadi*]).

Unità 10

Discorso diretto e discorso indiretto
Nel passaggio dal discorso diretto al discorso indiretto abbiamo una o più proposizioni subordinate che dipendono da una principale contenente un verbo dichiarativo (*dire, affermare, domandare, rispondere, chiedere, osservare* ecc. (*Luigi dice ad Elena: «Domani andrò a Roma»* ➪ *Luigi dice ad Elena che domani andrà a Roma*).

- Nel passaggio dal discorso diretto al discorso indiretto, se il verbo della frase principale è al passato, i verbi cambiano in base a delle regole:
  - indicativo presente ➪ indicativo imperfetto (*Elisa disse: «Giovanni ha un bel cane»* ➪ *Elisa disse che Giovanni aveva un bel cane*).
  - indicativo presente ➪ congiuntivo imperfetto (*Elisa ha chiesto a Giovanni: «Cosa hai?»* ➪ *Elisa ha chiesto a Giovanni cosa avesse*).
  - indicativo presente o futuro ➪ condizionale composto (*Elisa ci ha promesso: «Non lo faccio/farò più»* ➪ *Elisa ci ha promesso che non lo avrebbe fatto più*).
  - indicativo passato prossimo ➪ indicativo trapassato prossimo (*Elisa disse: «Ho comprato un nuovo libro»* ➪ *Elisa disse che aveva comprato un nuovo libro*).
  - indicativo passato remoto ➪ indicativo trapassato prossimo (*Elisa ha detto: «Feci tutto da sola»* ➪ *Elisa ha detto che aveva fatto tutto da sola*).
  - indicativo imperfetto ➪ indicativo imperfetto (*Elisa disse: «Da bambina ero molto timida»* ➪ *Elisa disse che da bambina era molto timida*).
  - indicativo trapassato prossimo ➪ indicativo trapassato prossimo (*Elisa mi disse: «Avevo preparato dei panini per il pic nic»* ➪ *Elisa mi disse che aveva preparato dei panini per il pic nic*).
  - indicativo futuro semplice ➪ condizionale composto (*Elisa rispose: «Non sposerò mai Giovanni»* ➪ *Elisa rispose che non avrebbe sposato mai Giovanni*).
  - condizionale semplice ➪ condizionale composto (*Elisa disse: «Andrei io, ma non posso»* ➪ *Elisa disse che sarebbe andata lei, ma non poteva*).
  - condizionale composto ➪ condizionale composto (*Elisa disse: «Sarei andata, ma non potevo»* ➪ *Elisa disse che sarebbe andata, ma non poteva*).
  - congiuntivo presente ➪ congiuntivo imperfetto (*Elisa ha detto: «Credo che lui non stia bene»* ➪ *Elisa credeva che lui non stesse bene*).
  - congiuntivo imperfetto ➪ congiuntivo imperfetto (*Elisa ha detto: «Credevo che Walter fosse italiano»* ➪ *Elisa credeva che Walter fosse italiano*).
  - congiuntivo passato ➪ congiuntivo trapassato (*Elisa disse: «Credo che Gabriele sia andato in ufficio»* ➪ *Elisa credeva che Gabriele fosse andato in ufficio*).
- Nel passaggio dal discorso diretto al discorso indiretto, se il verbo della frase principale è al presente o al passato prossimo, ma gli effetti dell'azione permangono nel presente, l'indicativo presente non cambia:
  - indicativo presente ➪ indicativo imperfetto (*Elisa ha detto: «Giovanni è felice»* ➪ *Elisa ha detto che Giovanni è felice / Elisa dice: «Domani parto»* ➪ *Elisa dice che domani parte*).
- Nel passaggio dal discorso diretto al discorso indiretto, in genere, i pronomi personali e gli aggettivi e i pronomi possessivi di 1ª e 2ª persona singolare e plurale cambiano alla 3ª persona, rispettivamente singolare e plurale.
  - io, tu ➪ lui, lei (*Elisa ha detto: «Io non vengo»* ➪ *Elisa ha detto che lei non viene*).
  - noi, voi ➪ loro (*I ragazzi dicono: «Noi ce ne andiamo»* ➪ *I ragazzi dicono che (loro) se ne vanno*).
  - mio, tuo ➪ suo (*Elisa dice a Maria: «Ti regalo la mia matita»* ➪ *Elisa dice a Maria che le regala la sua matita*).
  - nostro, vostro ➪ loro (*I ragazzi hanno detto: «Ci vediamo a casa nostra»* ➪ *I ragazzi hanno detto che ci vediamo a casa loro*).
- Nel passaggio dal discorso diretto al discorso indiretto, anche gli aggettivi e i pronomi dimostrativi possono cambiare.
  - questo ➪ quello (*Elisa dice: «Voglio questa camicetta»* ➪ *Elisa dice che vuole quella camicetta*).
- Nel passaggio dal discorso diretto al discorso indiretto, se il verbo della proposizione principale è al passato, anche gli avverbi di tempo e di luogo possono cambiare.
  - ora (adesso, in questo momento) ➪ allora (in quel momento) (*Elisa ha detto: «In questo momento non posso telefonarti»* ➪ *Elisa ha detto che in quel momento non poteva telefonargli*).
  - ieri ➪ il giorno prima, il giorno precedente (*Elisa ha detto: «Ci siamo visti ieri»* ➪ *Elisa ha detto che si erano visti il giorno prima*.
  - oggi ➪ quel giorno (*Elisa ha detto: «Partirò oggi»* ➪ *Elisa ha detto che sarebbe partita quel giorno*).
  - domani ➪ il giorno dopo, il giorno seguente (*Elisa disse: «Arriverò domani»* ➪ *Elisa disse che sarebbe arrivata il giorno seguente*).
  - qui, qua ➪ lì, là (*Elisa ha detto: «Vi aspetto qui»* ➪ *Elisa ha detto che li aspettava lì*.
  - ...fa ➪ ...prima (*Elisa ha detto: «Sono arrivata due ore fa»* ➪ *Elisa ha detto che era arrivata due ore prima*).
  - fra... ➪ ...dopo (*Elisa disse: «Me ne vado fra un paio d'ore»* ➪ *Elisa disse che se ne andava dopo un paio d'ore*).
- Nel passaggio dal discorso diretto al discorso indiretto, cambia anche.
  - venire ➪ andare (*Elisa ha detto: «I ragazzi vengono al mare con me»* ➪ *Elisa ha detto che i ragazzi andavano al mare con lei*).
  - imperativo ➪ congiuntivo imperfetto / di + infinito (*Elisa disse a Carletta: «Va' dalla mamma!»* ➪ *Elisa disse a Carletta che andasse dalla mamma / Elisa disse a Carletta di andare dalla mamma*).

- Nel passaggio dal discorso diretto al discorso indiretto può cambiare anche.
  - domanda al passato ➪ (se+) congiuntivo o indicativo (*Le chiese: «Hai visto Marco?»* ➪ *Le chiese se avesse (aveva) visto Marco*).
  - domanda al futuro ➪ (se+) condizionale composto (*Mi ha chiesto: «A che ora tornerai?»* ➪ *Mi ha chiesto a che ora sarei tornato*).

Quindi, nel passaggio dal discorso diretto al discorso indiretto, come abbiamo visto, NON cambia l'indicativo imperfetto e trapassato prossimo, il congiuntivo imperfetto e trapassato, ma anche: l'infinito, il gerundio e il participio (*Elisa disse: «Andando a casa ho visto Alfredo»* ➪ *Elisa disse che andando a casa aveva visto Alfredo / Giovanni disse: «Dopo aver mangiato sono uscito»* ➪ *Giovanni disse che dopo aver mangiato era uscito*).

Il periodo ipotetico nel discorso indiretto

Nel passaggio dal discorso diretto al discorso indiretto, se il verbo della frase principale è al passato i tre tipi del periodo ipotetico diventano tutti del terzo tipo.

- periodo ipotetico del 1° tipo (realtà), del 2° tipo (possibilità), del 3° tipo (impossibilità) ➪ periodo ipotetico del 3° tipo (*Elisa disse: «Se vado in città cambierò lavoro» / Elisa disse: «Se andassi in città cambierei lavoro» / Elisa disse: «Se fossi andata in città avrei cambiato lavoro»* ➪ *Elisa disse che se fosse andata in città avrebbe cambiato lavoro*).

Naturalmente, se il verbo della frase principale è al presente i tre tipi del periodo ipotetico conservano i loro tempi verbali (*Elisa dice: «Se vado in città cambierò lavoro»* ➪ *Elisa dice che se va in città cambia lavoro*).

Unità 11

Il modo gerundio, infinito e participio sono modi indefiniti, cioè non indicano la persona che compie l'azione. A volte, hanno la funzione di aggettivo o di sostantivo.

Gerundio semplice

1ª coniugazione (-are)	2ª coniugazione (-ere)	3ª coniugazione (-ire)
GUARD**ARE**	LEGG**ERE**	PART**IRE**
guard**ando**	legg**endo**	part**endo**

Il gerundio semplice è indeclinabile. Esprime un'azione contemporanea a quella espressa dal verbo della frase principale (*Uscendo dal cinema, ho incontrato Filippo*).
Alcuni verbi sono irregolari al gerundio: bere - bevendo, dire - dicendo, fare - facendo.

Gerundio composto

***avere* + participio passato**	***essere* + participio passato**
avendo guardato	essendo partito/a/i/e

Il gerundio composto è formato dall'ausiliare essere o avere al gerundio semplice + il participio passato del verbo.
Il gerundio composto esprime un'azione anteriore a quella della principale (*Essendo uscito prima dall'ufficio, sono andato in centro a fare spese*).

Uso del gerundio

Il gerundio presenta un evento o un'azione sempre in relazione al verificarsi di un altro evento espresso dal verbo della proposizione principale. Infatti, il gerundio lo usiamo in proposizioni dipendenti in cui il soggetto è sempre uguale a quello della principale. Le funzioni del gerundio possono essere

- modale, gerundio semplice, indica il modo in cui ci si comporta quando si compie un'azione (*Correndo* [= *di corsa*] *è arrivato puntuale all'appuntamento*).
- strumentale , gerundio semplice, indica il mezzo, lo strumento con cui si compie l'azione espressa dalla frase principale (*Sbagliando* [= *con lo sbagliare*] *s'impara / Luisa è dimagrita seguendo* [= con il seguire] *una dieta*).
- temporale, gerundio semplice, indica la contemporaneità con l'azione espressa dalla frase principale (*Studiava ascoltando* [= *mentre ascoltava*] *la radio*).

- causale, gerundio semplice o composto, indica il motivo, la causa per cui si compie l'azione espressa dalla principale (*Essendo finita* [= *poiché era finita*] *la benzina, abbandonarono l'auto* / *Conoscendo* [= *poiché conosco*] *la persona, ho evitato d'incontrarla*).
- concessiva, gerundio semplice o composto sempre preceduto da pur, indica l'evento nonostante il quale si compie l'azione espressa dalla frase principale (*Pur essendo* [= *nonostante sia*] *milanese, Fabio tifa per la Roma* / *Pur avendo mangiato* [= *nonostante abbia mangiato*] *tanto, Antonio si lamentava di avere ancora fame*).
- condizionale, gerundio semplice, indica la condizione necessaria perché si compia l'azione espressa dalla frase principale (*Continuando* [= *se continueranno*] *così, finiranno presto in carcere*).

Come già detto, il gerundio usato nelle proposizioni subordinate ha sempre lo stesso soggetto della proposizione principale. Quando usiamo il gerundio in forma assoluta, cioè con un soggetto diverso da quello della frase principale, allora bisogna esprimere il soggetto (*Avendo i ragazzi gli esami,* [*noi*] *abbiamo rimandato il viaggio*). Si tratta comunque di una costruzione poco frequente.
Infine, il gerundio lo usiamo, e lo abbiamo già visto nell'unità 2, in costruzioni perifrastiche

- stare + gerundio, esprime l'aspetto progressivo di un'azione, indica un'azione in corso (*Ora sto mangiando, ci vediamo tra un po'*).
- andare + gerundio, esprime un'azione progressiva, lo sviluppo di un'azione (*Il paziente va migliorando*).
- stare per + gerundio, esprime un'azione che inzierà in un futuro immediato, un'azione che sta per accadere (*Entriamo nella sala perché il film sta per cominciare*).

I pronomi diretti, indiretti, combinati, riflessivi e le particelle pronominali *ci* e *ne* seguono sempre il verbo al gerundio con il quale formano una sola parola (*Leggendo**lo** capì perché tutti gli consigliavano quel libro* / *Essendo**si** svegliata prima, ha preparato la colazione*).

Infinito presente e passato

1ª coniugazione (-are)	2ª coniugazione (-ere)	3ª coniugazione (-ire)
	Infinito presente	
guard**are**	legg**ere**	part**ire**
	Infinito passato	
avere guardato	avere letto	essere partito

L'infinito passato è formato dall'infinito presente dell'ausiliare essere o avere + il participio passato del verbo.

Uso dell'infinito

L'infinito presente esprime la contemporaneità (*Sono contento di partire*) o la posteriorità (*Spero di partire la prossima settimana*) di un'azione espressa dalla frase secondaria rispetto alla frase principale.
Usiamo l'infinito presente

- come sostantivo, e come tale ha funzione di soggetto (*Camminare* [*Il camminare*] *fa bene* / *Spesso sperare* [*lo sperare, cioè la speranza*] *aiuta a vivere meglio*).
- in frasi esclamative o interrogative (*Parlare così a me!* / *E ora, che fare?* / *Che dire?*).
- in istruzioni e divieti (*Compilare il modulo in tutte le sue parti* / *Tenere fuori dalla portata dei bambini* / *Non fumare!*).
- in molte frasi, quando abbiamo lo stesso soggetto nella frase principale e nella secondaria, l'infinito presente è preceduto dalle preposizioni di, a, da (*Penso di invitare tutti i colleghi* / *Giulio non è qui, è andato a comprare il latte* / *Ho preparato da mangiare per tutti*).
- in frasi finali, quando abbiamo lo stesso soggetto nella frase principale e nella secondaria, usiamo la costruzione per + infinito presente (*Sono andato via per non vederla* [= *Sono andato via al fine di non vederla*]).
- in frasi relative (*Se non sbaglio è stato Dario a parlarmene* [= *Se non sbaglio è stato Dario che me ne ha parlato*] / *Sono sicuro: sei una persona di cui potermi fidare* [= *Sono sicuro: sei una persona della quale mi posso fidare*]).
- in frasi condizionali, quando abbiamo lo stesso soggetto nella frase principale e nella secondaria, usiamo la costruzione a + infinito presente (*A giudicare dall'apparenza, si sbaglia* (= *Se si giudica dall'apparenza, si sbaglia* / *A saperlo, sarei venuto anch'io con voi* [= *Se lo avessi saputo, sarei venuto anch'io con voi*]).
- nelle costruzioni causative fare + infinito presente e lasciare + infinito presente. In queste costruzioni non è il soggetto a compiere l'azione, ma spinge qualcun'altro a compierla (*Ho fatto fare la torta a mai madre perché sapevo che sarebbe stata più buona* / *Per la prima volta dopo tanti anni, ho lasciato andare i ragazzi da soli in vacanza*]).
- nelle costruzione perifrastica stare per + infinito, che esprime un'azione che sta per accadere (*Finalmente, le pizze stanno per arrivare*).

Usiamo l'infinito passato per esprimere l'anteriorità dell'azione espressa dalla frase secondaria rispetto alla frase principale

- in frasi temporali, quando abbiamo lo stesso soggetto nella frase principale e nella secondaria, usiamo la costruzione dopo + infinito passato (*Dopo aver mangiato mi sono messo in viaggio [Prima ho mangiato e dopo mi sono messo in viaggio / Dopo aver finito l'università, ho trovato subito lavoro [Prima ho finito l'università e dopo ho trovato lavoro]*).
- in frasi causali, quando abbiamo lo stesso soggetto nella frase principale e nella secondaria, usiamo la costruzione per + infinito passato (*Abbiamo perso il treno per essere usciti tardi di casa [Abbiamo perso il treno perché siamo usciti tardi di casa] / Eravamo tanto stanchi per aver camminato tutto il giorno [Eravamo tanto stanchi perché avevamo camminato tutto il giorno]*).

I pronomi diretti/indiretti atoni, come pure le particelle pronominali *ci*, *ne* e i pronomi riflessivi, seguono sempre l'infinito, che perde l'ultima vocale -*e*, e formano un'unica parola. (Hai visto Andrea? Devo *parlargli / Non sono venuto alla tua festa perché c'era Elisabetta e non volevo incontrarla*).

Participio presente e passato

1ª coniugazione (-are)	2ª coniugazione (-ere)	3ª coniugazione (-ire)
	Participio presente	
CANT**ARE**	CRED**ERE**	USC**IRE**
cant**ante/i**	cred**ente/i**	usc**ente/i**
	Participio passato	
cant**ato**	cred**uto**	usc**ito**

Per i verbi irregolari al participio passato vedere l'Approfondimento grammaticale del Quaderno degli esercizi 1.

Uso del participio

Il participio presente può essere usato in funzione di

- aggettivo, concorda in genere e numero con il nome (*In questa biblioteca ci sono tanti libri interessanti / Uno spettacolo divertente / Sono dei ragazzi ubbidienti*).
- sostantivo (*È veramente una brava cantante / Vi presento i miei assistenti / Nella mia famiglia sono tutti credenti*).
- verbo, anche se raramente. Di solito, lo incontriamo nel linguaggio letterario e burocratico, ed esprime un'azione contemporanea all'azione espressa dal verbo della frase principale (*Una squadra vincente [che vince] / Il pezzo mancante [che manca] / È arrivato un pacco contenente libri [che contiene libri]*).

Il participio passato può avere un valore:

- causale (*Bloccato nel traffico [Poiché sono rimasto bloccato nel traffico], sono arrivato in ritardo in ufficio*).
- relativo (*L'appartamento acquistato in centro [L'appartamento che è stato acquistato in centro], è stato un buon investimento*).
- temporale: (*[Una volta/Appena] Raccontatagli tutta la verità, me ne andrò [Me ne andrò soltanto dopo che gli avrò raccontato tutta la verità / Me ne andrò soltanto dopo avergli raccontato tutta la verità]*).

Il participio passato di un verbo transitivo ha valore passivo (*I ladri, sorpresi dalla polizia, si sono dati alla fuga [Appena i ladri sono stati sorpresi dalla polizia, si sono dati alla fuga] / Allo sciopero indetto per domani hanno aderito molte sigle sindacali [Allo sciopero che è stato indetto per domani hanno aderito molte sigle sindacali]*).

Il participio passato può avere anche valore di:

- aggettivo (*La lettura è il mio passatempo preferito / È un bellissimo libro illustrato*).
- sostantivo (*Io vorrei un fritto di pesce / Tutti i partiti hanno votato questa legge ingiusta / Abito a un isolato da qui*).

Il participio passato non si accorda con il soggetto e rimane invariato quando è preceduto dall'ausiliare avere (*Silvia ha scritto questa canzone per te. Ti piace? / Siamo andati via subito perché c'era troppa confusione*).
Quando però il complemento oggetto della frase è rappresentato dai pronomi diretti atoni di terza persona (lo, la, li, le, ma anche dalla particella ne), l'accordo del participio passato è obbligatorio (*I libri che avevo preso in vacanza li ho letti tutti / Dei tre libri che avevo preso in vacanza ne ho letti solo due*).
Quando il complemento oggetto della frase è rappresentato dai pronomi diretti atoni non di terza persona (mi, ti, ci, vi), l'accordo del participio passato è facoltativo (*Beatrice vi ha incontrato / incontrati?*).

Nomi alterati

I suffissi usati per alterare un nome non cambiano il suo significato in senso stretto, ma si limitano ad alterarne la dimensione (piccolo - diminutivo, grande - accrescitivo) e il valore (positivo - vezzeggiativo, negativo - peggiorativo/dispregiativo). Spesso, lo stesso nome alterato può assumere diverse connotazioni in base al contesto e al valore affettivo attribuitogli da chi parla. Ad esempio, gli accrescitivi possono essere usati anche in senso peggiorativo, i diminutivi in senso vezzeggiativo (manina, casetta) o dispregiativo (romanzetto).

Vediamo i suffissi più frequenti usati per alterare i nomi:

Diminutivi

-ino/a	formica-formichina	-ello/a	albero-alberello
-etto/a	camera-cameretta	-icello/a	vento-venticello
-icci(u)olo/a	porto-porticciolo	-olino/a	sasso-sassolino
-olo/a	montagna-montagnola		

Accrescitivi

-one/a	mano-manona, donna-donnone	-acchione/a	furbo-furbacchione

Peggiorativi

-accio/a	cappello-cappellaccio	-astro/a	dolce-dolciastro
-aglia	gente-gentaglia	-ucolo/a	poeta-poetucolo
-uncolo/a	ladro-ladruncolo	-iciattolo/a	fiume-fiumiciattolo
-uccio/a	avvocato-avvocatuccio		

Vezzeggiativi

-uccio/a	caldo-calduccio, bocca-boccuccia	-uzzo/a	pietra-pietruzza
-otto/a	passero-passerotto	-acchiotto/a	lupo-lupacchiotto

Particolarità dei nomi alterati

- Nomi alterati con più suffissi (borsa ➪ bors-ett-ina, tavolo ➪ tavol-in-etto, fiore ➪ fior-ell-ino, uomo ➪ om-acci-one).
- I nomi che terminano in -one, nell'alterazione con il diminutivo -ino prendono una -c- tra la radice e il suffisso (leone - leoncino, cannone - cannoncino, padrone- padroncino).
- I nomi che terminano in -cio (con la i atona, non accentata), nell'alterazione con il diminutivo -etto perdono la i (bacio - bacetto).
- A volte con il suffisso accrescitivo -one, il nome alterato cambia genere (la donna - il donnone, la febbre - il febbrone, la barca - il barcone).
- A volte il suffisso peggiorativo -aglia può trasformare il nome in un nome collettivo (ferro - ferraglia).
- Alcuni nomi nel diventare alterati cambiano in parte la radice (uomo - omone, cane - cagnone).
- A volte, il suffisso -ello non si lega direttamente al nome, ma viene preceduto dagli interfissi -(i)c- e -er- o -ar-(fuoco ➪ fuoch-er-ello, campo ➪ camp-ic-ello, pazza ➪ pazz-ar-ella).
- A volte, il suffisso -ino non si lega direttamente al nome, ma viene preceduto dagli interfissi -(i)c(c)- o -ol- (bastone ➪ baston-c-ino, libro ➪ libr-ic(c)-ino, topo ➪ top-ol-ino).

Alcuni nomi sembrano alterati, ma in realtà non lo sono, sono dei falsi alterati. Ad esempio, collina (colla), focaccia (foca), burrone (burro), lampone (lampo), fumetto (fumo), lupino (lupo), limone (lima), mulino (mulo), forchetta (forca), rubinetto (rubino), rapina (rapa), tacchino (tacco), bottone (botte).

Unità Sezione	Elementi comunicativi e lessicali	Elementi grammaticali

Unità 6 *Andiamo all'opera?* pag. 5

A Compri un biglietto anche per...	Parlare di gusti musicali Dare consigli, istruzioni, ordini Chiedere e dare il permesso	Imperativo indiretto
B Due tenori fenomeno	Parlare di... amore, innamoramento, gelosia	L'imperativo con i pronomi
C Giri a destra!	Chiedere e dare indicazioni stradali	Forma negativa dell'imperativo indiretto
D Alla Scala		Aggettivi e pronomi indefiniti
E Vocabolario e abilità	Lessico relativo all'opera, al botteghino di un teatro	

Conosciamo l'Italia:
L'Opera italiana. Gioacchino Rossini, Giacomo Puccini, Giuseppe Verdi.

Materiale autentico:
Testo da *www.opera.it*: "Caruso" (B1)
Testo da *www.lucianopavarotti.it*: "Luciano Pavarotti" (B1)
Testo della canzone *Caruso* di Lucio Dalla (B3)
Ascolto della notizia del giornale radio: "Alagna fischiato" (D2)
Articolo dal *Corriere della sera*: "Fischiato, lascia il palco. L'Aida va avanti col sostituto" (D3)
Ascolto dal *Rigoletto* di Giuseppe Verdi: "La donna è mobile" (D6)

Unità 7 *Andiamo a vivere in campagna* pag. 21

A Una casetta in campagna...	Città e campagna: pro e contro	Congiuntivo imperfetto
B Cercare casa	Leggere annunci immobiliari Acquistare, vendere o prendere in affitto una casa	Congiuntivo trapassato
C Nessun problema...	Presentare un fatto come facile Parlare di iniziative ecologiche	Concordanza dei tempi del congiuntivo Uso del congiuntivo I
D Vivere in città	Parlare della vivibilità di una città	Uso del congiuntivo II
E Salviamo la Terra!	Esporre le proprie paure/preoccupazioni sul futuro del pianeta Coscienza ecologica: individuale e collettiva	Uso del congiuntivo III
F Vocabolario e abilità	Tutela e impatto ambientale	

Conosciamo l'Italia:
Gli italiani e l'ambiente. L'agriturismo in Italia. L'associazione ambientalista *Legambiente*.

Materiale autentico:
Annunci immobiliari da *Fondocasa informa* (B2)
Testo dell'*Associazione città ciclabile*: opuscolo informativo (C6)
Testo della canzone *Il ragazzo della via Gluck* di Adriano Celentano (D3)
Copertina di *Panorama*: "Attacco alla Terra" (E1)
Articolo da *la Repubblica*: "Allarme del WWF" (E1)

Unità Sezione	Elementi comunicativi e lessicali	Elementi grammaticali

Unità 8 *Tempo libero e tecnologia* pag. 37

A Se provassi anche tu...	Fare ipotesi	Periodo ipotetico di 1° e 2° tipo
B Complimenti!	Congratularsi, approvare Disapprovare	Periodo ipotetico di 3° tipo
C Tutti al computer!	Consigli per la stesura di un'e-mail Uso e abuso della tecnologia	Usi di *ci*
D Pronto, dove sei?	Offerta pubblicitaria Noi e il telefonino	Usi di *ne*
E Vocabolario e abilità	Lessico relativo al computer e alle nuove tecnologie	

Conosciamo l'Italia:
Scienziati e inventori italiani. G. Galilei, A. Volta, A. Meucci, G. Marconi, L. da Vinci.

Materiale autentico:
Testo da *Io speriamo che me la cavo* di Marcello D'Orta: "Se fossi miliardario" (A8)
Testo da *Manuale dell'uomo domestico* di Beppe Severgnini: "Le cose che facciamo al computer" (C3)
Testo da *Il pressappoco* di Luciano De Crescenzo: "Il pressappoco del telefonino" (D5)

Unità 9 *L'arte... è di tutti!* pag. 53

A Furto agli Uffizi!	Riportare una notizia di cronaca	Forma passiva
B Certo che è così!	Chiedere conferma, confermare qualcosa, rafforzare un'affermazione L'arte di Michelangelo	Forma passiva con *dovere* e *potere*
C Opere e artisti	Fontane famose di Roma L'arte di Leonardo da Vinci	Forma passiva con *andare*
D Si vede?	Proverbi italiani	*Si* passivante *Si* passivante nei tempi composti
E Ladri per natura?		Riflessione sulla forma passiva
F Vocabolario e abilità	Lessico relativo all'arte	

Conosciamo l'Italia:
L'arte in Italia. Dall'arte moderna all'architettura e al design italiano di oggi.

Materiale autentico:
Testo da *Racconti romani* di Alberto Moravia: "Ladri in chiesa" (E1)

Unità Sezione	Elementi comunicativi e lessicali	Elementi grammaticali

Unità 10 *Paese che vai, problemi che trovi* pag. 69

A Criminalità e altre... storie	Raccontare un'esperienza negativa	Discorso diretto e discorso indiretto I
B Io no...	Esprimere indifferenza	Discorso diretto e discorso indiretto II: gli indicatori di tempo
C In una pillola...	Parlare del problema della droga	
D Paure...	Parlare delle inquietudini della società	Discorso diretto e discorso indiretto III
E Anche noi eravamo così.	Parlare di problemi sociali	Il periodo ipotetico nel discorso indiretto
F Vorrei che tu fossi una donna...	Uomini e donne: discriminazioni e stereotipi	
E Vocabolario e abilità. Espansione dei contenuti dell'unità attraverso alcune abilità (ascoltare, parlare, scrivere)		

Conosciamo l'Italia:
Aspetti e problemi dell'Italia moderna. La disoccupazione, il precariato, il divario tra Nord e Sud, la criminalità organizzata, l'immigrazione clandestina, il calo delle nascite...

Materiale autentico:
Testo della canzone *Io no* di Jovanotti (B1)
Pubblicità Progresso: "Con me hai chiuso" (C4/C5)
Ascolto radiofonico sulle paure degli italiani (D1)
Articolo da *La Stampa*: "Evade dagli arresti domiciliari: Non sopporto più i miei suoceri" (D3)
Testo da *I come italiani* di Enzo Biagi: "Vu' cumprà" (E2)
Testo da *Lettera ad un bambino mai nato* di Oriana Fallaci (F3)

Unità 11 *Che bello leggere!* pag. 85

A È Gemelli per caso?	Chiedere e dare consigli sull'acquisto di un libro	Gerundio semplice Gerundio composto Il gerundio con i pronomi
B Di chi segno sei?	L'Oroscopo Caratteristiche dei segni zodiacali	Infinito presente Infinito passato
C Due scrittori importanti	Parlare di libri	Participio presente Participio passato
D Andiamo a teatro	Le parole alterate	
E Librerie e libri	Gli italiani e la lettura	
F Vocabolario e abilità. Lessico relativo al mondo dell'editoria		

Conosciamo l'Italia:
La letteratura italiana in breve. Storia della letteratura italiana: dalle origini all'Ottocento, la letteratura italiana del Novecento, italiani premiati con il Nobel.

Materiale autentico:
Intervista di Enzo Biagi a Eduardo De Filippo (D3)
Intervista audio a un libraio (E1)
Testo da *Gli amori difficili* di Italo Calvino: "L'avventura di un lettore" (E5)

Quaderno degli esercizi	pag. 103
Gioco didattico	pag. 192
Soluzioni delle attività di autovalutazione	pag. 194
Appendice grammaticale	pag. 195
Appendice situazioni comunicative	pag. 203
Approfondimento grammaticale	pag. 209
Indice	pag. 223
Indice del CD audio 2	pag. 227
Istruzioni CD-ROM interattivo	pag. 228

Indice del CD audio 2

CD 2 Durata: 61'36"

Unità 6

1	Per cominciare 2	[0'40"]
2	Per cominciare 3	[1'39"]
3	A7 (1, 2, 3, 4, 5, 6)	[1'32"]
4	C1	[1'19"]
5	D2	[1'38"]
6	D6	[1'57"]
7	Quaderno degli esercizi	[3'04"]

Unità 7

8	Per cominciare 3	[2'09"]
9	C1	[1'17"]
10	D2	[3'09"]
11	Quaderno degli esercizi	[2'11"]

Unità 8

12	Per cominciare 2	[0'31"]
13	Per cominciare 3	[1'31"]
14	B1 (1, 2, 3, 4, 5, 6, 7, 8)	[2'11"]
15	C6	[2'25"]
16	Quaderno degli esercizi	[2'54"]

Unità 9

17	Per cominciare 2	[1'33"]
18	B1 (a, b, c, d, e)	[1'33"]
19	C1	[2'42"]
20	Quaderno degli esercizi	[3'03"]

Unità 10

21	Per cominciare 2	[0'36"]
22	Per cominciare 3	[1'42"]
23	B3 (a, b, c, d, e, f)	[1'41"]
24	D1	[2'52"]
25	Quaderno degli esercizi	[3'42"]

Unità 11

26	Per cominciare 3	[1'45"]
27	D2	[3'38"]
28	E2	[3'15"]
29	Quaderno degli esercizi	[3'09"]

È possibile ascoltare le tracce del CD audio anche in streaming sul sito di Edilingua (materiali per studenti).

CD-ROM interattivo (versione 2.1)

Questo innovativo supporto multimediale completa e arricchisce *Progetto italiano 2*, costituendo un utilissimo sussidio per gli studenti. Offre tante ore di pratica supplementare a chi vuole studiare in modo attivo e motivante. Un'interfaccia molto chiara e piacevole lo rende veramente facile da usare.
Dopo una breve installazione (vedi sotto), ci si trova davanti alla ***pagina centrale***. Queste le prime informazioni da conoscere:

Buona parte delle unità del Libro dello studente, ma con molte differenze... che puoi scoprire!

Attività del tutto nuove, non solo di grammatica, ma anche di ascolto, lessico, elementi comunicativi, giochi...

I testi di civiltà, con attività e link per collegarsi a Internet!

Tabelle grammaticali per una consultazione rapida.

Possibilità di registrare e ascoltare la propria voce e quindi la propria pronuncia e intonazione.

Tutti i brani del cd audio del libro, da ascoltare liberamente a casa.

Tutti gli elementi comunicativi per una ripetizione libera.

Suggerimenti e risposte a possibili domande e dubbi sull'uso del CD-ROM.

Gli *strumenti* ti permettono di scegliere i colori e modificare il volume dell'audio.

Nella *pagella* puoi trovare e stampare i risultati di tutte le attività che hai fatto.

Questi ***comandi*** si trovano su ogni schermata. Non è difficile capire cosa significano:

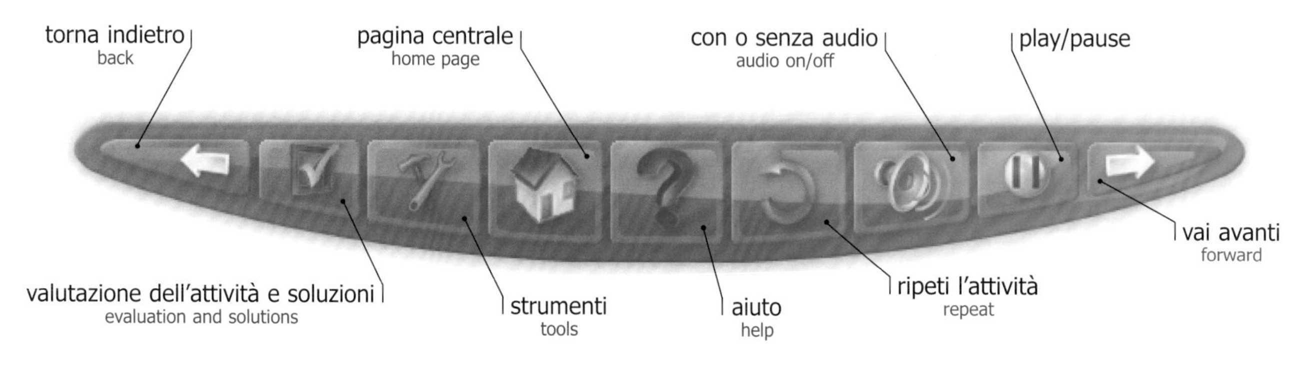

- torna indietro — back
- pagina centrale — home page
- con o senza audio — audio on/off
- play/pause
- vai avanti — forward
- valutazione dell'attività e soluzioni — evaluation and solutions
- strumenti — tools
- aiuto — help
- ripeti l'attività — repeat

Buon lavoro e buon divertimento!

Installazione: Inserire il CD-ROM nel lettore; fare doppio clic su My computer, sul lettore CD e infine su *setup.exe*; dare tutte le informazioni che chiede il programma e cliccare sempre su next/avanti. **Per avviare il programma**: Inserire sempre il CD-ROM nel lettore CD; cliccare sull'icona creata sul desktop, oppure andare a Start, selezionare Programs e cliccare su Progetto italiano 2. **Requisiti minimi**: Processore Pentium III, lettore CD 16x, scheda audio, 128 MB di RAM, grafica 800x600, 300 MB sul disco fisso, altoparlanti o cuffie. Compatibilità con Windows e Macintosh.

Installation: Insert the CD-ROM in the drive; double click on My computer, then on the CD drive and finally on *setup.exe*; give all the required information and click on next/avanti. **To start the program**: Always insert the CD-ROM in the drive; click on the desktop icon created during the installation or go to Start, select programs and click on Progetto italiano 2. **Minimal system requirements**: Processor Pentium III, CD-ROM drive 16x, sound card, 128 MB RAM, 800x600 or higher screen resolution, 300 MB free hard disk, speakers or headphones. Compatible with Windows and Macintosh.

Nuovo Progetto italiano 2b - Attività online

Le ***Attività online*** che, attraverso siti sicuri e controllati periodicamente, propongono motivanti esercitazioni che accompagnano lo studente alla scoperta di un'immagine più viva e dinamica della cultura e della società italiana. Le attività proposte si possono svolgere individualmente, in coppia o in gruppo e stimolano la partecipazione, la collaborazione e la produzione orale.

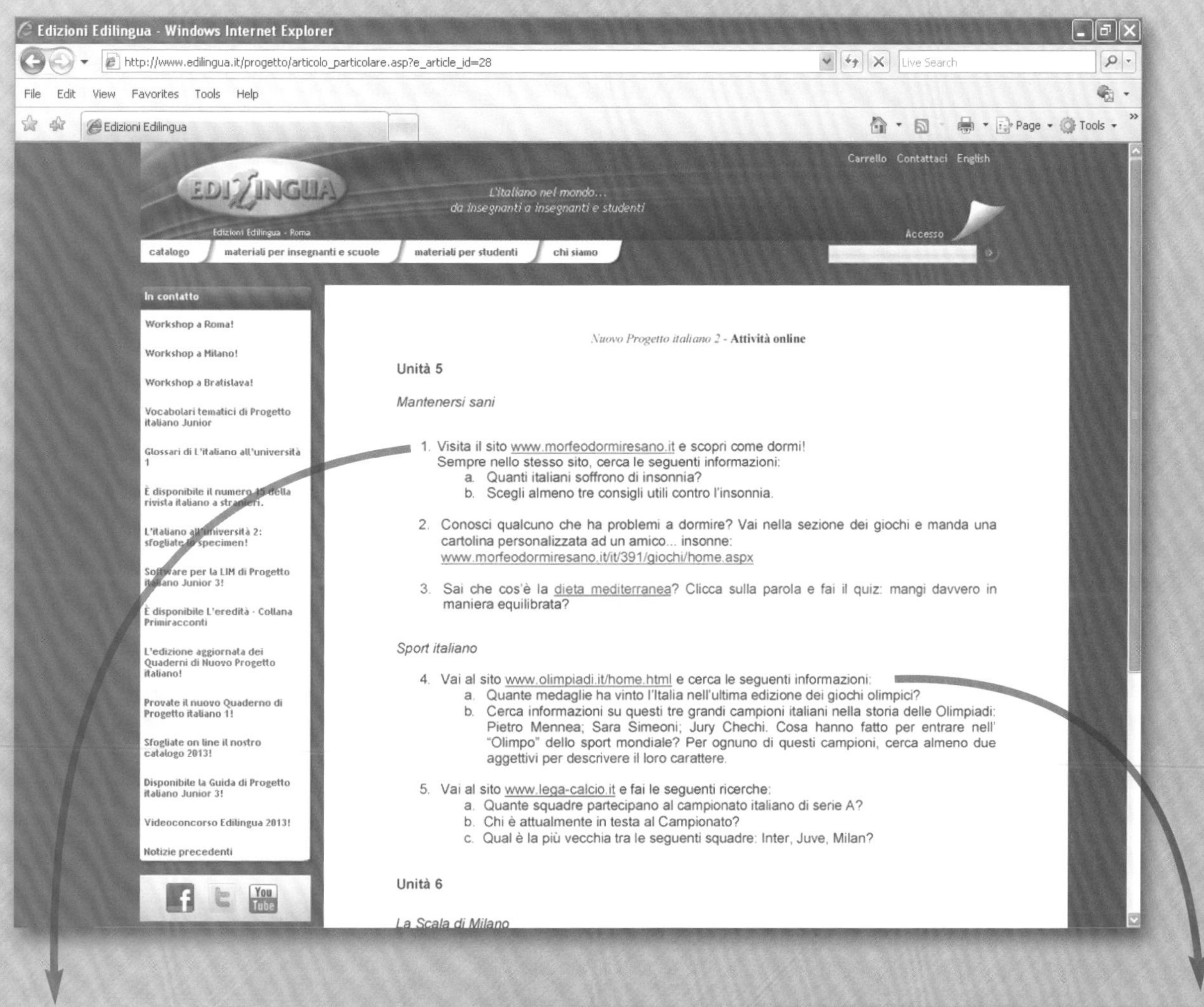

Nuovo Progetto italiano 2b si può integrare con:

ISBN 9789607706966

Una grammatica italiana per tutti 2,
correda e completa benissimo *Nuovo Progetto italiano 2*, in quanto segue la stessa gradualità grammaticale e lessicale. Il libro è organizzato in una parte teorica, che esamina le strutture della lingua italiana in modo chiaro ma completo, utilizzando un linguaggio semplice e numerosi esempi tratti dalla lingua di ogni giorno, e in una parte pratica, con tanti differenti esercizi con le rispettive chiavi in appendice.

Collana *Primiracconti*, letture semplificate per stranieri.
L'eredità (B1-B2), racconta la storia di Laurence, capo reception in un hotel di lusso in Svizzera. Il padre, con il quale non aveva nessun contatto da anni, muore e le lascia in eredità una cascina in Piemonte. La ragazza, stufa di lavorare per ospiti snob e arroganti, decide di trasferirsi in Piemonte e di trasformare in un Bed&Breakfast la cascina ereditata. I parenti e gli amici del padre fanno il possibile per aiutarla a realizzare il suo progetto, ma una terribile scoperta convince Laurence che è meglio mollare tutto e tornare in Svizzera, quando...

ISBN Libro 9789606930669
ISBN Libro + CD 9789606930652

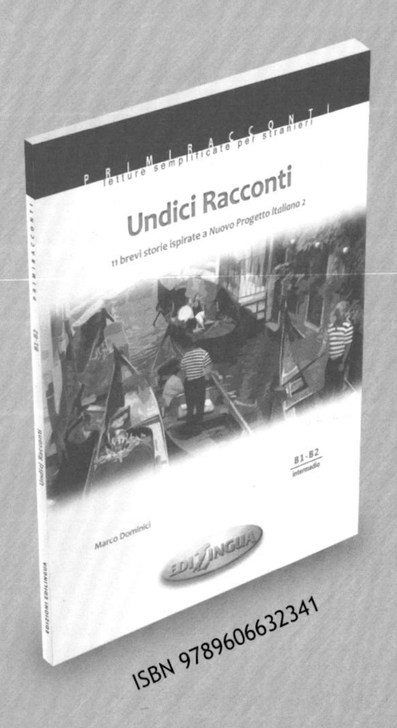

ISBN 9789606632341

Undici Racconti,
ispirandosi alle situazioni di *Nuovo Progetto italiano 2*, approfondisce gli argomenti trattati nel manuale e ne reimpiega il lessico. Ciascun raccontino presenta un utile mini-glossario a piè di pagina ed è accompagnato da alcune attività con relative chiavi.